داستانی از شبستان مولانا

کیمیا خاتون

سعیده قدس

تقدیم به خاله عزیزم

امیدوارم که لذت ببرید

۸۵/۴ - آنتاریا

سالومه

قدس، سعیده
کیمیا خاتون/ سعیده قدس ــ تهران: چشمه، ۱۳۸۳.
۲۸۵ص.
ISBN: 964 -362-196 -0
فهرست نویسی بر اساس اطلاعات فیپا.
۱. داستان فارسی ـ ـ قرن۱۴. الف. عنوان.
PIR ۸۱۷۴/ د ۵ک۹ ‏ ‏ ‏ ۸فا۳/ ۶۲
۱۳۸۳ ‏ ‏ ‏ ک۴۲۶ ق
۱۳۸۳
کتابخانه ملی ایران ‏ ‏ ‏ ۸۳-۲۲۲۳۳م

کیمیا خاتون

سعیده قدس

ویراستار: بهمن حمیدی
حروف نگاری: حسین زنده دل
نمونه خوانی: لاله خاکپور
تیراژ: ۳۰۰۰ نسخه

لیتوگرافی: مردمک
چاپ: حیدری
چاپ اول، زمستان ۱۳۸۳، تهران.
چاپ پنجم،بهار ۱۳۸۵، تهران.
ناظر فنی چاپ: یوسف امیرکیان

شابک: ۰- ۱۹۶ -۳۶۲ -۹۶۴

دفتر مرکزی، توزیع و فروش نشرچشمه:تهران ، انقلاب، خیابان ابوریحان بیرونی، خیابان وحید نظری، شماره۷۱
تلفن: ۹،۶۶۴۹۲۵۲۴- ۶۶۹۵۷۵۷۷ دورنگار: ۶۶۴۶۱۴۵۵
فروشگاه نشر چشمه: تهران ،خیابان کریم خان زند، نبش میرزای شیرازی، شماره۱۶۱ تلفن: ۸۸۹۰۷۷۶۶

تقدیم به مادرم که در شب‌های دراز
زمستان گلابدره بـه جـای لالایـی
برایمان مثنوی می‌خواند.

سعیده قدس

سپاس

سپاسگزاری می‌نمایم از؛

همسرم،

و دوستانم:

حسن کیائیان، فرخ امیرفریار، بهمن حمیدی ، حسین زنده‌دل که عاشقانه مرا در خلق این اثر یاری، شجاعت و همت بخشیدند.

خانم جمیله فکری به خاطر بردباری در تایپ ده‌ها نمونهٔ تصحیح شده طی دو سال و فرشته توکلی که همواره مرا برای نوشتن تشویق نمود.

همچنین مسئولین کتابخانه ملی و کتابخانه گنج‌بخش اسلام‌آباد پاکستان که بدون همیاری آنان بیرون کشیدن پیکر جوان و فراموش شدهٔ کیمیا خاتون از لابه‌لای اوراق پوسیده و فراموش شده تاریخ از پس قرون و اعصار به ویژه به لحاظ کمبود و تضاد منابع و متون غیرممکن می‌نمود. بافتن قالی این سرنوشت که دانستن آن اهمیت به سزائی در درک بسیاری از اسرار و نادانسته‌های زندگی دو اسطوره عرفان جهان، شمس و مولانا دارد و به صرف زن بودن این شخصیت و شاید هم به ملاحظاتی دیگر به عمد به نسیان سپرده شده، کاری بس دشوار بود که بدون پشتیبانی یارانم نیمه‌کاره رها می‌شد.

سعیده قدس

فهرست

بخش اوّل

ناکجایی

پیرمرد به تیرک بادبان تکیه داده و باد به سختی موهای تُنُک و بلندش را به بازی گرفته بود. پاهای تکیده‌اش را ـ با پاشنه‌هایی که خاک سرزمین‌های دور لابه‌لای تَرَک‌هایش سیمان شده بود ـ در آغوش می‌فشرد. پیراهن بلندی‌که شاید روزی سفید بوده، خیس از باران و تراوش امواج توفنده، به تنش چسبیده بود. هر تکان کشتی می‌توانست بدن رنجورش را طعمه‌ی موجی غرّنده کند، اما باکی‌ش نبود؛ انگار اصلاً آن‌جا سیر نمی‌کرد، چشمان ماتش به دوردست‌ها دوخته شده بود. ملاحان از ترس توفان، بی‌هدف به این‌سو و آن‌سو می‌دویدند و از شدت وحشت به زبان‌های غریب ـ بی‌اهمیت به این‌که کسی می‌فهمد یا نه ـ با خود و دیگران حرف می‌زدند. بعضی نیز زانو زده بر کف خیس عرشه، چشم برآسمان، خم‌وراست می‌شدند و وردهای عجیب می‌خواندند. کسی به‌فریادهای خشمگین ناخدا وقعی نمی‌گذاشت، در چند قدمی مرگ، کسی را با ناخدا کاری نیست. حالا دیگر کار با خدا بود و بس.

هنگام باران‌های موسمی هنوز نرسیده بود و کسی در آن فصل پیش‌بینی توفان نمی‌کرد، اما مثل اجل معلق نازل شده بود. ملاحان خوب می‌دانستند که در این دریای دیوانه، کسی از این‌گونه توفان‌های ناگهانی جان سالم به‌در نخواهد برد. مطمئن بودند طولی نخواهد کشید که همگی طعمه‌ی امواج سیاه آدم‌خوار خواهند شد. پیرمرد اما، اصلاً نمی‌ترسید. می‌دانست اگر کشتی در سیاه‌ترین عمق اقیانوس هم به گِل بنشیند، او یک نفر نخواهد مرد. ماهی یونس او را دوباره برخاک نفرین شده تُف می‌کرد تا بِکِشد آنچه باید بِکِشد. مرگ برایش خلاصی بود، اما قرار نبود او خلاص شود. شاید هم اصلاً مرده بود و این سفینه

داشت او را به سوی بارگاهی می‌برد که عمری در طلب خاک‌بوسی‌اش شرق و غرب را پرسه زده بود. آیا او را نزد کسی می‌بردند که روزی توّهم قربتِ وی، از این پیرِ درهم شکسته هیولایی ساخته بود و باز در غوغای نفس‌کش‌های مستانه و پرغرور راه را به سوی او باخته بود؟ ببین آن قلندر تیغ‌کش را چه زار زار می‌برند.

اگر کسی را یارای نگریستن به چشمان عجیب او می‌بود، التماس را در آن می‌دید. التماس به باد، که تندتر و تندتر بوزد و او را هرچه دورتر و دورتر ببرد. دیگر تحمل ماندنش نبود. محبوبش را بر سر دست برده بودند و او را جاگذاشته بودند. باید می‌رفت تا دورها . . . تا ناکجا. او همهٔ عمر درکار رفتن بود که من همان بط دریایی‌ام. راهیِ اقیانوس‌های ناشناخته؛ چند صباحی در خشکی لمیده بود و حالا باز . . . به رفتن می‌اندیشید ـ بیش از همیشه؛ دورتر از همیشه. این بار می‌خواست با آن‌چه پشت‌سر داشت، وداع کند. بگریزد به جایی که دست‌هایش از یاد ببرند گرمی و نازکی تنِ جوجه‌کبوتری را که چندان میان پنجه‌های استخوانی‌اش فشرده بود تا گردن سپیدش شکست. به‌خود لرزید. آسمان می‌غرید. ابرهای سیاه درهم می‌لولیدند و در افق، امواج و ابرها و آسمان یکی شده بودند. قیامتی برپا بود.

باد به دور کشتی که مثل بال پروانه شکننده بود، زوزه می‌کشید، اما بیهوده. سفینه محموله‌ای مرموز با خود داشت که درک لذت غرق‌شدنش برای آن توفان آدم‌خوار مقرر نبود. از خشم می‌غرید و شلاق بر عرشه می‌کوفت و ناسزاگویان پیرمرد را با خود می‌برد؛ و برد. آن چنان که دیگر هیچ‌گاه هیچ‌کس، حتی تا امروز ندانست که او آخر به کجا شد؛ به سراپرده‌ی عدل؟ شاید اما به ناکجاها؛ همان دورها که اندیشه را به آن راهی نیست و عدالت را در آن وادی مفهومی دیگرست.

کِراخاتون

خوشه‌های سنگین یاس با نسیم نجوایی عاشقانه داشتند. در دو طرف جاده‌ی شنی ـ که دروازه‌ی بزرگ باغ را به ساختمان مرمرین کوشک می‌برد ـ یاس‌های بنفش، سفید و ارغوانی، چونان بانوان درباری در مراسم سلام نوروزی زیباترین جامه‌ها را دربر کشیده، به صف ایستاده بودند؛ گویا شهنشاهی از باغ می‌گذرد. شن‌های سفید راه را شسته بودند و قطرات شبنم روی برگ‌ها هزاران خورشید را در خود منعکس می‌کردند. همه‌جا پر از عطر، تازگی لبخند و هوای تازه بود. پس از جوان‌مرگی پدرم اولین بار بود که این خانه رنگ زندگی به خود گرفته بود و اولین بار بود که مادرم جامه‌ی عزا را به کناری گذاشته بود و پیراهنی از ابریشم هندی به رنگ آسمان چشمانش دربر کرده بود و حجابی حریر به رنگ آسمان غروب با ستاره‌هایی از نقره به سر انداخته بود که زیبائیش را دو چندان می‌کرد. حتی از چشم من‌هم مخفی نماند که او با چه‌ظرافتی خود را به‌احترام میهمان‌مان که شیخ و مفتی بزرگ شهر بود، آراسته است. مادرم در نظرم همیشه زیباترین موجودی بود که خداوند خلق کرده بود، اما آن روز از همیشه زیباتر می‌نمود. هیجان زده بود؛ چشمان درخشان و گونه‌های گل‌انداخته، مچش را باز می‌کردند. حتی برگ‌های درختان باغ، از این‌که بانو بار دیگر به زندگی بازگشته است، زمزمه‌ای شادمانه سر داده بودند. معجزه‌ای رخ داده بود.

سال‌ها از مرگ پدرم می‌گذشت. در این مدت، ماهی نگذشته بود که ننه‌جی ـ دلاک پیر حمام مرمر ـ به خانه‌ی ما نیامده و پیام خواستگار تازه‌ای را برای مادرم نیاورده باشد و هربار هم در واکنش به پاسخ ردّ مادرم با لب آویزان و اوقات تلخ

نرفته باشد. می‌رفت و می‌گفت دیگر هرگز نخواهم آمد، اما چندی بعد دوباره پیدایش می‌شد و باز هم همان داستان تکرار می‌شد، تا این‌که حالا طلسم بخت مادرم ـ که به گفته‌ی ننه‌جی قفل شده بود ـ شکسته و مادرم در میان نـاباوری همگان به خواستگاری فقیه عالی‌جاه قونیه جواب مثبت داده بود؛ مـردی کـه می‌گفتند به رغـم تبختر و تکبّر و تعلّق بـه خـانواده‌هـای طـراز اول قـونیه، روحانی‌یی سخت متعصب، سختگیر و بسیار ساده‌زیست بود، و با این همه، ما او را میان خواستگاران متعدد مادرم دارای امتیاز ویژه‌ای نمی‌دیدیم.

من تحت تلقینات دایه‌ی ایرانی‌الاصلم ـ که پدرم را از کودکی شیر داده بود و محرم و مونس مادرم به حساب می‌آمد ـ همیشه دلم می‌خواست مادرم دوباره ازدواج کند. توصیه‌ی دایه را که همیشه و همه‌جا تکرارش مـی‌کرد، در گـوش داشتم: «خاتون اگر هم‌دم و همسر شایسته برایش پیدا نشود، مثل گل سرخی که پایش آب نخورده و سایبان هم ندارد و سخت افسرده و پژمرده است، خیلی زود می‌میرد». و من نمی‌خواستم مادرم بمیرد. او همه چیز من بود و در اسـتیصال کودکانه‌ام، از ترس مردنش مدام فکر می‌کردم چه‌طور می‌توان هم‌دم و همسری شایسته برای او پیدا کرد؛ اما کم‌تر به جایی می‌رسیدم. من از دنیا، به غیر از باغ زیبا و پرطراوت‌مان، خانه‌ی بزرگ و روشنمان، قبرستانی که محل دفن پدرم بود و حمام مرمر جای دیگری را ندیده بودم. همه‌ی این‌ها را هم دوست داشتم. دنیای خوب من بودند. حتی مزار پدرم را که دسته‌جمعی آخر هفته‌ها با شمع و چراغ و گل و شیرینی، به آن‌جا می‌رفتیم؛ و باغمان که خوب به یاد داشتم تا وقتی پدرم زنده بـود، دروازه‌ی بـزرگ آن هیچ‌گاه بسته نـبود و سـاعتی نـمی‌گذشت کـه کالسکه‌ای یا سواری را از بزرگان شهر در جاده‌ی شنی بـاغ نبینی. سفـره‌خانه همیشه آماده‌ی میهمان بود. خوب به یاد می‌آورم ضیافت‌هایمان را که سلاطین و امرای بغداد و دمشق و قونیه را با تمامی اهل حرمشان در خود جای می‌دادند و مادرم بین همه، مثل ستاره‌ی سحری یگانه و درخشان با مهربانی و طراوت به این‌وآن خوش‌آمد می‌گفت و از همه پذیرایی می‌کرد و مـن هـمیشه مـغرور از تحسین فوق‌العاده‌ای بودم که مادرم در مردم برمی‌انگیخت. از همان ابتدا مَنِشی یگانه و متفاوت با دیگر بانوان شهر داشت.

خیلی بعدها فهمیدم خانه‌ی ما از معدود خانه‌ها و شاید تنها خانه‌ی اعیانی بود که در آن مجموعه‌ای به نام حرم با غرفه‌نشینان مرموز نداشت و همه‌ی نشاط و سعادتی که از وجود مادرم می‌تراوید، پاسخ دردانگی او در خانه و عـزت و عشقی بود که نثارش می‌شد، واین به خاطر آن بود که پدرم، اگرچه مسلمان و ایرانی‌نژاد بود، اما در دام عشق مادرم گرفتار آمده که دختر سرکرده و امیر قـومِ اِکْدَشان بود که مردمی مسیحی و یونانی‌تبار بودند و مذهب و آداب و سنن خود را با وسواس حفظ کرده بودند. پدرم نیز فقط با دادن این قول موفق شده بود او را به عقد خود درآورد که تا آخر عمر از مادرم مثل گوهری یک دانه نگهداری کند و او را برخلاف سایر بزرگان شهر که همسران‌شان را با چـند زن دیگـر در حـریمِ سرای خود محبوس می‌کنند و از معاشرت با دیگران باز می‌دارند، آزاد بگذارد، به راستی تا آخرین لحظه‌ی حیات نیز به این قول خود وفا کرد و اگرچه خود امیر و امیرزاده بود، اما برده‌ی عشق او باقی ماند، و این حق مادرم بود؛ چرا کـه او زیباترین، لطیف‌ترین، مهربان‌ترین و کامل‌ترین زن روزگار خود بود.

مادرم در واقع از سلاله‌ی الهگان یونان بود و پدرم آن پرشیایی دلاور که در کمند عشق او یار و دیارش را فراموش کرده بود. من و برادرم شمس‌الدین نیز میوه‌ی این عشق خالصانه بودیم و روزهای مملو از خوشبختی‌مان را در کـنار آن‌ها گذراندیم تا این‌که مرگ نابهنگام پدرمان بر زندگی سایه انداخت. وقتی او رفت، همه چیز تیرگی گرفت؛ اما آن روزهای خوش مثل پیله در یاد ما زنده و پویا ماند. تنها مادرم بود که نمی‌توانست فقط با خاطره‌هایش خوش باشد. او هرگز نتوانسته بود با غصه تنهایی‌اش کنار بیاید. چندان غرقِ خود بود که از آن همه کرّوفرّ، تدریجاً باغی خاموش ماند و خانه‌ای غبارگرفته با بیوه‌ای غمگین، که دست از سراپرده انزوا و پارسایی و سوک پایان‌ناپذیر نمی‌کشید و دو کودک از همه‌جا بی‌خبر وخیلِ خدم و حشم که دیگر کار چندانی نداشتند و اگر نبود کمند سخاوت بانوی خانه و محبت‌های او، تک تک پراکنده بودند. نمی‌دانم برادرم شمس‌الدینِ دردانه و پادشاه قلوب خانه چه کشید بعد از آن‌که دیگر مادرم حتی حوصله‌ی ناز و نوازش او را هم نداشت. من اما خیلی زود توانستم خود را با همه چیز تطبیق دهم زیرا از زمان تولد شمس‌الدین دانسته بودم که دنیای آدم می‌تواند

به ناگهان در یک روز تغییر کند. او با آمدنش خطای بزرگ طبیعت را که به زوج خوشبختی مثل پدر و مادرم، اول یک دختر داده بود جبران کرد، و همان توجه نسبی اطرافیان را که تا آن زمان معطوفِ من می‌شد، به حد اقل ممکن رساند. من البته در این معادله راز بزرگی را کشف کرده بودم و آن این‌که همه‌چیزِ جهان همواره در حال تغییر است. در نتیجه وقتی با رفتن پدرم دنیای پررنگ‌وفسون و عزت‌بار خانه‌ی ما دگرگون شد و عزاداری عمیق و گاه مبالغه‌آمیز مادرم مجالی برای آغازی دوباره به اهل خانه نمی‌داد، من چندان کارآزموده شده بودم که بدانم این وضع نیز تغییر خواهد کرد. فقط باید وقتش می‌رسید. باید صبر می‌داشت.

من مدت‌ها بود که مطمئن و خوش‌دل در انتظار تغییر مطلوبی بودم، و حالا مادرم تصمیم داشت به زندگی مناسب با جوانی‌اش باز گردد. با این همه وقتی توی باغ قدم می‌زدم و حال یاس‌ها را می‌پرسیدم، اگرچه مثل همیشه عطرشان آمیخته به بوی خاک نمناک جانم را سیراب می‌کرد. اما در اعماق وجودم احساس خوبی نداشتم. ارتعاش مرموز یاس‌ها - بی‌هیچ وضوحی - آشفته‌ام می‌کرد.

من از همان آغاز با یاس‌ها سروسرّی داشتم؛ یا شاید آن‌ها با من رمزورازی داشتند. یک جوری یک‌دیگر را می‌فهمیم. زود باهم یک پارچه می‌شویم و پیش از آن‌که بفهمم چه اتفاقی می‌افتد به سرعت از هم فاصله می‌گیریم. آن‌ها با من حرف می‌زنند. گاه خوشحال و گاه کلافه‌ام می‌کنند. با بهار می‌آیند و سه فصل بعد، من با نگریستن به سرشاخه‌های بی‌گل انتظارشان را می‌کشم. چرا؟ نمی‌دانم. از مادرم که پرسیدم، گفت: شاید برای این‌که تو با آن‌ها به دنیا آمدی، با بهار. می‌گفت: خوب به یاد دارم وقتی به دنیا آمدی، با اولین نگاه تو را در سبدی از ترکه‌ی یاس کنار بسترم یافتم. به دستور پدرت حجله‌ای از یاس برای من و تو آراسته بودند. گل‌ها با رنگ‌های لطیف و عطر روح‌افزا تولد تو را از جانب او به من تهنیت می‌گفتند. . .

مادرم آن قدر مهربان بود که هرگز به من نگفت «اما من از این‌که برای شوهر محبوبم دختر آورده بودم، بسیار غمگین بودم». او نمی‌دانست که من با همه‌ی کوچکی از کثرت و گرمی تبریکاتی که به مناسبت پسر بودن برادرم، نثار پدر و

مادرم می‌کردند، فهمیده بودم که ورود من برای مادرم چه‌قدر شرم‌آور و ناخواسته بوده است. اما من نه تنها دلگیر نیستم، بلکه باید قدرشان را نیز بزرگ بدارم. چراکه به من فرصت داده بودند در کنارشان بمانم. زیراکه این‌جا بسیاری از خانواده‌های غنی و فقیر فرزندان دخترشان را به دیگران می‌سپارند تا به ازای پول، بزرگشان کنند و دست‌شان را مستقیماً توی دست شوهران‌شان بگذارند.

یاس‌ها رهایم نمی‌کنند. یک ریز دارند غمی مرموز را به جانم القا می‌کنند بی‌خود نیست که آیاجان، مرا «خیالباف» لقب داده است. اما هرچه می‌خواهند بگویند. ارتعاش یاس‌ها محسوس است. چیزی باید آن‌ها را نگران کرده باشد. به خاطر خودشان؟ ... به خاطر مادرم؟ ... به خاطر من؟ ... فقط من؟

ظاهراً هیچ چیز نگران‌کننده‌ای وجود نداشت. اما ارتعاش‌ها توی دلم چنگ داشتند. فکر کردم نکند خواستگار مادرم از من خوشش نیاید؛ یا من از او خوشم نیاید. خدا نکند! این بدترین اتفاقی بود که می‌توانست میان من با این تازه وارد بیفتد.

دیگر نمی‌توانستم صبر کنم دلم داشت از توی سینه‌ام بیرون می‌زد. نمی‌دانستم چرا نمی‌آمد. کلاه الیاس را پشت بوته‌ی بزرگ گل‌سرخی که غرقِ غنچه بود، دیدم. بی درنگ به طرفش دویدم. دیدارش همیشه مرا به آرامش می‌رساند. سرش را بلند کرد و دستش را مثل همیشه به سایه‌بانی چشم‌های بی‌رمقش خواند. هیچ وقت نفهمیدم چشم‌هایش چه رنگی‌اند. آن روز درست مثل ابروهایش به خاکستری می‌زدند، اما بعضی روزها سیاه سیاه بودند. با تعجب گفت: خانم‌جان این‌جا چه می‌کنی؟ پیک آمده، چند لحظه‌ی دیگر میهمان‌ها می‌رسند. شما باید حالا پیش مادرتان باشید. بی‌اعتنا به اعتراضش پرسیدم، تو می‌دانی این نواب که می‌آید، کیست؟

الیاس کلاهش را برداشت، رُستنگاهِ انبوه موهای بلند و سفیدش را برپیشانی پرشکنج آفتاب سوخته‌اش، خاراند و گفت: من همان قدر می‌دانم که دیگران می‌دانند. شما نمی‌دانید؟ حتماً که می‌دانید خانم‌جان! حالا بروید پیش مادرتان در تالار. الآن پیدایشان می‌شود.

با زحمت روی زانوان خسته و دردمندش بلند شد. می‌خواست دربرود و از

شرّم خلاص شود. این حالتش را خوب می‌شناختم. هیچ‌وقت مـثل دیگـران جواب سربالا نمی‌داد. تا آن‌جا که می‌توانست و دانسته‌هایش کمک می‌کردند، جواب سؤال‌های بی‌پایانم را می‌داد. همیشه با من به رغبت حرف می‌زد، امـا هروقت و به هر دلیل که نمی‌خواست چیزی بگوید، چشم‌هایش راکه آشکارا نگران می‌نمودند، می‌گرداند؛ یعنی برو! اما این بار اشتباه می‌کرد. رهایش نکردم تا هرچه می‌داند، بگوید. شاید دلشوره‌ام کم‌تر می‌شد. من چیزهای زیادی در این چند روز در باره‌ی این میهمان شنیده بودم، ولی دلم می‌خواست بیش‌تر بدانم با قیافه‌ای حق به جانب خودم را شیرین کردم و با همان اسمی خطابش کردم که در کودکی صدایش می‌کردم و می‌دانستم که دوست دارد.

بایی‌جان! باور کن من هیچ چیز نمی‌دانم، جز این‌که او مرد بـزرگ و معروفی است. اما دلم می‌خواهد خیلی بیش‌تر بدانم. خودت می‌دانی‌که مـثل همیشه هیچ‌کس جوابم را نمی‌دهد. همه مشغول یک کاری هستند. من از این‌جا نمی‌روم تا تو هرچه می‌دانی، برایم بگویی.

ـ بیگم‌جان! شما هم همیشه زورتان به من می‌رسد. اگر صلاح بـود خـود خاتون بیش‌تر به شما توضیح می‌دادند. حالا بگذارید بیایند، ببینم چه می‌شود. قول می‌دهم بعداً هرچه می‌دانم به شما بگویم. حالا زود بروید به سروو‌ضعتان برسید، همین الآن می‌آیند.

الیاس دستاویز لازم را پیدا کرد: سر بچه باغبان بی‌گناهی فریاد کشید و بـه سرعت دور شد. چاره‌ای نداشتم، باید صبر می‌کردم. از سر بی‌قراری هرچه بـرگ سرِراهم بود با بی‌رحمی کندم و خودم را به دو به تالار رساندم. بـا احتیاط از پله‌های باریکی که دوطرف‌شان را نقاشی‌های زیبایی آراسته بود و روزگاری به اقامتگاه خصوصی پدر و مادرم راه می‌برد، بالا رفتم. طاقچه‌های کوچک سیاه و اسرارآمیز این‌جا که به شمع و چراغ اختصاص داشتند، بی‌دلیل مرا می‌ترساندند. خودم را به طبقه‌ی بالا و به اتاق مادرم رساندم. او و آیاجان مشغول صحبتی بودند که با دیدن من قطع شد. آیاخانم با دیدن من ابروانش را درهـم کشید و گفت، چرا مثل کولی‌هایی! آشفته و با لباس خانه! پس این اوجی کدام جهنمی است که به شما نرسیده است؟ مادرم هم چنان که لبخندی بخشنده متوجه من

داشت، گفت: آیاجان وقت جروبحث نیست! خودت سر و وضعش را مرتب کن، من می‌روم سری به شمس‌الدین بزنم.

همیشه همین‌طور بود. مسؤولیت کارهای من با آیاخانم بود و کارهای شمس‌الدین را مستقیماً مادرم به عهده داشت. یک بار هم نشده بود که مسؤولیت‌شان تغییر کند. آیا بعد از این‌که از ایوان اتاق مادرم با جیغ جیغ‌های مکرر چندین فرمان برای خدمه صادر کرد، مرا مثل بسته‌ای یونجه که به اصطبل می‌برند، به دنبال خود کشید.

دایگی مادرم را از کودکی به آیاخانم سپرده بودند و حالا بعد از فوت پدرم همه کاره‌ی خانه شده بود. برعکس دایه‌جان که مریض احوال و نحیف بود، آیاخانم قلدر و چاق‌وچله بود و هیچ‌کس را به جز مادرم به رسمیت نمی‌شناخت. مدت‌ها بود که آیا شخصاً لباس مرا به خاطر موقعیت ویژه‌ای عوض نکرده و من یادم رفته بود که این‌کار چه‌قدر رنج‌آور و پردردسر است. آن وقت‌ها که خیلی کوچک‌تر بودم، به گریه می‌افتادم؛ ولی حالا که به قول الیاس برای خودم خانمی شده بودم، حاضر نبودم گریه کنم؛ فقط همکاری نمی‌کردم. اما او کار خود را بلد بود، لباس زیبایی که نمی‌شناختمش و دلم می‌خواست بدانم از کجا آمده است، تنم کرد و موهایم را با سربند مرصع آرایش داد. تا همین چند ماه پیش همه‌ی لباس‌هایم اندازه‌ام بودند، اما نمی‌دانم چه اتفاقی افتاده بود که ناگهان همه‌چیز برایم تنگ و کوتاه شده بود. در درونم تغییری حس نمی‌کردم، اما از تغییر بیرونی بسیار خجول و متعجب بودم. اندازه‌ی پاهایم از دستم در رفته بود و مرتب به در و دیوار می‌خوردم. هنوز با دست و پای بلند اُخت نشده بودم و اصولاً دلم هم نمی‌خواست بزرگ شوم. در جواب همه‌ی سؤال‌هایم، مادرم و آیاخانم می‌گفتند: خوب یواش‌یواش وقتشه و من نمی‌دانستم یواش‌یواش وقت چیست، و اگر می‌پرسیدم، فقط می‌شنیدم که «صبر کن خواهی دید».

از حاصل کارِ آیا بدم نیامد. بعد از مدت‌ها اولین باری بود که خودم را در آینه نه دیگر یک دختر بچه‌ی درازِ ژولیده و خاکی، بلکه دختر خانمی متشخص و اصیل زاده می‌دیدم.

دقایقی بعد همگی با وقار و برازنده به انبوه مخدّه‌های مخملیِ تالار تکیه زده

بودیم هر دقیقه برایم قرنی می‌گذشت تا این‌که آن‌ها بالأخره آمدند. چندین کالسکه حاملِ حرم و نزدیکان شیخ که همه از اعیان قونیه بودند، جلو در بزرگ کوشک توقف کردند. سرکرده‌ی کاروان، امیر سپاه قونیه ـ بدرالدین گهرتاش ـ بود که خود از دوستان پدرم بود و گویا پیشنهاد دهنده‌ی وصلت و ضامن و عامل جلب موافقت مادرم هم، او بود. مادرم به همراه معلم پیر سرخانه‌ی ما آن‌ها را جلوِ در تالار استقبال کرد. در نگاه‌هایی که همه باهم رد و بدل می‌کردند، اعجاب و تحسین آن‌ها را نسبت به مادرم می‌دیدم. نفسم بند آمده بود. نمی‌دانستم کی به‌کی است، اما جرأت کنجکاوی نداشتم. سرم را پایین انداختم و به نوک کفش‌های زردوزی‌ام خیره شدم. میهمانان دور تالار بزرگ نشستند و خدمه مشغول پذیرایی شدند. مادرم بعد از مدت‌ها یک بار دیگر هنر پذیرایی‌اش را به بهترین و زیباترین وجه ممکن نشان داد. همه آشکارا سخت در تحسین بودند و من بی‌آن‌که به کسی نگاه کنم، غرق غرور شده بودم. کم‌کم جرأتم را باز یافتم و از پشت پرده‌های حریر تک تک میهمان‌ها را در تالار بیرونی برانداز کردم هیچ یک چشمم را نگرفت. بعد از پذیرایی و رفع خستگی، گهرتاش اجازه خواست که خواستگار و خانواده‌اش را به تالار کوچک بیاورد که از تالار بزرگ با پرده‌ای حریر جدا می‌شد. به چشم برهم‌زدنی دور تا دور تالار کوچک پُر شد. من جرأت نکردم سراغ اصل‌کاری بروم. از مادر زن سابقش شروع کردم که مامی بیگم معرفی شده بود. لاغر و کوچک‌اندام بود و به‌جز صورت کوچکش که به اندازه‌ی یک نعلبکی بود، تمام اندامش را پوشانده بود. از نیم رخ به عقاب‌هایی می‌مانست که روزهای پائیزی از بلندی‌های شمالی می‌آمدند و برفراز باغمان چرخ می‌زدند. وقتی خیلی کوچک بودم، الیاس می‌گفت، آن‌ها اگر هوس کنند می‌توانند مرا با پنجه‌هایشان از زمین بردارند. من از همان موقع، هم از آن‌ها بدم می‌آمد و هم می‌ترسیدم. حالا هم از این زن، هم بدم می‌آمد و هم می‌ترسیدم. کنار او امیر سپاه نشسته بود. بدرالدین گهرتاش که از قدیم در خانه‌ی ما رفت و آمد داشت، و هم او پیغام را به میانجی همسرش به ننه‌جی رسانیده بود، چشمانش را از مادرم که با ناز تلاش می‌کرد نگاهش با نگاه کسی تلاقی نکند به سختی برمی‌گرفت. می‌شد تصور کرد که امیر سپاه در اعماق درونش آرزو می‌کرد

کاش زنش مرده بود و خودش می‌توانست این لعبت یکتا را تصاحب کند. من البته می‌دانستم که خواستگاری از هر زنی برای مردی چون بدرالدین گهرتاش، هیچ مغایرتی با سنت‌های رایج میان بزرگان قونیه نداشت، فقط مادر من بود که حاضر نشد راهی حرم‌سراهایی شود که می‌دانست چند زن به رشک آمده از قبل نقشه‌ی قتلش را یا عقیم شدنش را یا ابتلایش را به آبله طراحی خواهند کرد. در پاسخ مردان عزب نیز بر این نظر بود که حتماً مشکلی داشته‌اند که تنها مانده‌اند. از بخت بلند، پدر یا برادر بزرگ‌تر، یا برادر شوهری هم نداشت که بتوانند به جایش تصمیم بگیرند و به وصلتی ناخواسته وادارش کنند. ثروت کافی نیز داشت که مجبور نباشد برای امرار معاش ازدواج کند و چنین بود که توانسته بود به سالیان دراز در کاخ عفاف و پارسایی و بی‌نیازی، سوک شوهر جوان‌مرگش را پاس دارد و با وجود همه‌ی خواستگاران، تن به ازدواج اجباری ندهد و از آفت زبان مردم هم در امان بماند. و حال خدا می‌داند چرا این مرد را به خانه راه داده بود.

دزدکی نگاهی به خواستگار مادرم انداختم. خدای بزرگ! چه چیزی در پیام خواستگاری این شیخ نحیفِ سر به زیر و زردنبو که مفتی قونیه بود و خود و خاندانش به سخت‌گیری و تعصب دینی و قناعت شهره بودند، برای مادر اشرافی و ناز پرورده‌ی من باید جالب بوده باشد که عاقبت از میان همه‌ی شیفتگانِ دستگاه سلطانی و دیوانی و امیران سپاه ـ که به گفته‌ی ننه‌جی، هزار زلیخا آرزومند حرمشان بودند ـ او به خانه‌ی ما راه یافته بود. این مرد خجول کوچک‌اندام هرچند از علمای نامدار شهر بود، اما در مقابل دیگران این چندان امتیازی به‌حساب آمد. شنیده بودیم ـ و این را گرجی‌خاتون، از خواتین قونیه و دوست و محرم مادرم گفته بود ـ که تنها یک بار همسر برگزیده است و پس از مرگ او به تنهایی، دو فرزندش را با عطوفت و توجه بزرگ می‌کند. آیا این بخش ماجرا برای مادرم جالب بوده است یا این‌که مثلاً می‌گفتند، همه‌ی اهل قونیه ـ از زن و مرد ـ شیفته‌ی منبر و مجلس و بیان شیرین او هستند؟ نکند مادرم نیز یک بار، مثلاً به دعوت دوستانش، پنهانی پای منبر او نشسته و بعد پیشنهادش را پذیرفته باشد؟ آیاخانم می‌گفت: خدا را شکر که اگر سپاهی نیست،

دست‌کم ازمعتمدینِ تراز اول شهر است؛ و از همه مهم‌تر ـ البته برای دایه خانم ـ این که درست مثل پدرتان نجیب‌زاده‌ای است ایرانی‌تبار، فارسی‌زبان، و مشاور و همنشین سلاطین و امرای ارزروم.

برای من، اما مشکل بود باور کنم آن‌که چنان جایگاهی در قونیه داشت و شایع بود که آوازه‌ی خود و خاندانش از هامون تا جیحون و از دجله تا نیل دامن کشیده، همین مرد کوچک‌اندامِ خجالتی باشد. ما در این اواخر به ویژه در یک ماهی که از آمدن ننی‌جی گذشته بود ـ از دایه خانم و آیا و بیش‌تر از زبان گرجی‌خاتون ـ که مخصوص این موضوع، چند روزی بود که از شهر به باغ می‌آمد تا مادرم را در تصمیم‌گیری یاری دهد ـ بسیاری از این حرف‌ها شنیده بودیم. اگر همه‌ی این گپ‌ها نیز درست می‌بودند، هنوز خیلی ویژگی‌های دیگر بود که من از خواستگار مادرم انتظار داشتم و در او نمی‌دیدم. زیرچشمی نگاهی به اطراف انداختم تا دور از مراقبت این‌وآن، یک بار به دقت برانداژش کنم. او باید حفره‌ی فقدان پدرم را در ذهن من پُر می‌کرد، و اگر نمی‌توانست چه؟ همین هراس بود که قدرت مرا برای تأمل در چهره‌ی او سلب کرده بود. می‌دانستم برای من همه چیز منوط به یک لحظه است: یا آن اتفاق میمون می‌افتد یا نه! با مادرِ زنِ اولش که تکلیفم روشن شده بود. می‌دانستم که هرگز دوستش نخواهم داشت. اما با خودش چه؟ کاش پدرم نمرده بود. میلی کوبنده به ترک فوریِ محل ناآرامم کرده بود از نگاه زهرآلود آیاخانم نیز فهمیدم که زیاد تکان تکان می‌خورم.

هوا سنگین بود. فکر می‌کردم همه در سکوت پرفشار تالار کوچک دارند با تصوراتی شبیه پندارهای من دست‌وپنجه نرم می‌کنند. حتی خواجه هم ساکت بود. چیزی نگذشت که دلبری و مهمان‌نوازی مادرم ـ که استاد این فنون بود ـ همه را به خودآورد. با صدایی به سرشتِ ابریشم پرسید: آیا سفر میهمانانِ عزیز ما از شهر به باغ آسان بود؟ مشکل خاصی قدوم مبارک شما را نیازرد؟

من یک باره احساس کردم سراسر کائنات منتظر این سؤال است؛ و وقتی همه باهم شروع کردند به پاسخ دادن، به سختی و از ترس آیا خانم توانستم خنده‌ام را نگاه دارم: همه باهم به گپ درآمدند اما به آنی ساکت شدند تا تنها شیخ پاسخ دهد هنوز هم جرأت نمی‌کردم نگاهش کنم. برخلاف پیکر نحیفش صدای

غریبی داشت. طنینش مثل جویبار روان و دل‌نشین بود و باز چونان که آبشار پرهیبت و چیره‌گر بود. دیگر خودداری ممکن نبود. با انگشت سبابه‌ام دامن لطیف مادرم را سوراخ کرده بودم. گویی می‌خواستم هرچه بیش‌تر با لمس گرمی پوستش از ترس خود بکاهم. سرم را بالا بردم و به شیخ نگریستم آری خود اوست. این صدا واقعاً می‌توانست متعلق به این مرد لاغراندام و نحیف باشد که در عین جوانی، پختگی خاصی در چهره‌اش موج می‌زد. اصلاً نمی‌توانستم بفهمم چه‌قدر پیر یا جوان است. بزرگمنشانه به مخدّه‌اش تکیه داده بود و با فارسی زیبایی که تا آن روز نشنیده بودم از سفرشان می‌گفت. چشمانش چون دو چراغ جادو، نه تنها همه‌ی وجودش را، که پیرامونش را نیز روشنا می‌دادند و زردی چهره و ظرافت غیرمعمول پیکرش را جبران می‌کردند، دست‌های اشرافی‌اش برخلاف دست‌های من آرام و مطمئن روی سینه‌اش حلقه شده بودند. هنوز نمی‌توانستم تصمیم بگیرم که دوستش خواهم داشت یا نه که یک باره نگاه آرام و تابناکش مثل پروانه‌ای سیاه لحظاتی روی صورتم توقف کرد و میانمان جرقه‌ای ردوبدل شد و هم آنگاه من به وضوح حس کردم که آری می‌توانم دوستش داشته باشم. بلند و راحت نفس کشیدم و آیاخانم چشم غرّه‌ای نثارم کرد. گفته بودند ۳۶ ساله است، اما پیرتر می‌نمود؛ و این می‌توانست تنها اشکالش باشد. من پیرها را دوست نداشتم، به غیر از الیاس. به هرحال قلبم داشت از خوش‌حالی و هیجان از دهانم بیرون می‌زد. دلم می‌خواست بدانم‌که مادر و شمس‌الدین هم حال‌مرا دارند یا نه. صحبت گل انداخته بود و فضای تالار کوچک گرمای خاصی‌داشت. دیگر نمی‌خواستم بروم و برخلاف چند لحظهٔ پیش، در پرتو نگاه صمیمی و شادمانگی صادقانهِ شیخ که در جامهٔ لطیفه‌های زیبا تجلّی می‌کرد و در طنین صدای سحرآمیز و سیّالش همه فاصله‌ها از میان برداشته شد و حالتی می‌رفت که گویی در تالار کوچک ما جمعی گرد آمده است که جملگی آنان به سالیان یک‌دیگر را می‌شناسند و هم‌دل و هم‌زبانند. در یک آن، در و دیوار و پنجره و پرده و فرش و صدا و انسان‌ها، همه و همه در تناسبی دل‌انگیز و گرمابخش می‌تپیدند. می‌دیدم که مادرم نیز مانند من آن حسّ مطبوع و گرمای سیّال راکه در فضا بود، می‌نوشید. شاید شمس‌الدین هم این احساس را

داشت. این مرد به واقع جذبه‌ای جادویی داشت. همه مسحور نشسته بودیم وگوش می‌دادیم، حتی وقتی آیاخانم مهمانان را برای صرف نهار به سفره‌خانه فرا خواند، هیچ‌کس میل رفتن نداشت. سحر سخن شیخ و چاشنی شوخی‌های ظریفش عقابک را هم به وجد آورده بود. معمولاً مجلس خواستگاری به درازا نمی‌کشید، اما ما به لحاظ بُعد مسافت شهر تا باغ ناگزیر از پذیرایی ناهار بودیم. آن روز تا دم دمای غروب که میهمانان عازم بازگشت به شهر شدند، فرصت کافی یافتم تا هرچه دلم می‌خواهد در وجود خواستگار مادرم باریک شوم و هرچه خودم می‌خواهم در احوال او که سرگرم صحبت با دیگران یا گوش دادن به سخنان آنان بود دقت کنم تا بیش‌تر مطمئن شوم که از او خیلی خوشم آمده و باور کنم که وجودش برای پر کردن خلأ فقدان پدرم جا افتاده و مناسب است. به او احساس علاقه می‌کردم و مطمئن بودم که او نیز متوجه کنجکاوی من هست و عمداً نگاهم نمی‌کند تا بتوانم سیر براندازش کنم. فقط یکی دو بار لبخندی به شیرینی قند برایم فرستاد.

میهمانان رفتند و از مجموع صحبت‌ها و قول‌وقرارها فهمیدم که مادرم رضایت نهایی خود را اعلام کرده است. سر از پا نمی‌شناختم. این همان تغییر خوبی بود که منتظرش بودم. پیام یاس‌ها را به کلی فراموش کردم همهٔ گفت‌وگوهایی که من معنی خیلی از آن‌ها را نمی‌فهمیدم به این‌جا ختم شد که دو هفته‌ی دیگر ـ به طالع سعد ـ کاروانی خواهد آمد و مادرم را با تشریفات به حرم شیخ خواهد برد؛ حرمی که می‌گفتند در آن از زن عقدی و غیر عقدی و کنیز خبری نیست و فقط خویشان پیر و وامانده‌ی شیخ در سایهٔ حمایت او در آن‌جا روزگار می‌گذرانند. شیخ می‌گفت بسیاری از این کسان یادگار مهاجرت پدرش هستند. مدتی بحث برسر این بود که آیا بهتر است همهٔ خانواده‌ی ما باهم بروند، یا در ابتدا فقط مادرم با دایه‌جان برود و ما با آیاخانم فعلاً بمانیم؟ عاقبت صلاح دیدند که ابتدا مادرم تنها برود، تا مقدمات لازم فراهم شود و بعد از چند روز دنبال ما بفرستند. از خدمه هم قرار شد فقط آیا و اوجی ـ کنیزک سیاه من ـ به خانهٔ شیخ نقل مکان کنند.

بحث برسر لالایِ پیرِ شمس‌الدین که معلمی دانشمند و ایرانی، و گویا از

اقوام بسیار دور پدرم بود، به درازا کشید. او شمس‌الدین را بزرگ می‌کرد و همه‌جا با او بود و به ما زبان فارسی و قرآن و شرعیات درس می‌داد. همراهی او از شروط غیرقابل گذشت مادرم بود. سرانجام قرار شد که شیخ تدبیری بیندیشد، ولی فعلاً لالا در باغ بماند و تنها چند روزی در هفته برای تدریسِ ما به خانهٔ شیخ بیاید. تکلیف من که می‌خواستم درخواست کنم الیاس را هم با خود ببریم روشن شده بود. خیلی تعجب می‌کردم که چه‌طور این مرد مهم و معتبر در قونیه چندان دم و دستگاهی ندارد که سر یک اتاق برای بیتوته کردن لالای شمس‌الدین این همه بحث می‌کنند. بیچاره دایه‌جان نیز قربانی اصرارش برای ازدواج مادرم شد. برای او هم در حرم جایی نبود، یعنی آن‌طور که مادر زن شیخ می‌گفت، برای همه یک گله جا برای خواب بود، اما از اتاق خصوصی و این همه برو بیا خبری نبود و چون به آن‌ها بد می‌گذشت بهتر بود همین‌جا بمانند و من خوب می‌دانستم که دایه اگرچه مرگ پدرم را طاقت آورد، اما دوری مادرم را تحمل نمی‌کرد لیکن از آن‌جا که او بسیار مریض و ناتوان هم بود، مادرم ناگزیر قبول کرد که اگر جای زندگی‌اش در حرم مناسب نیست، بهتر است فعلاً بماند. من این تصمیم را نپسندیدم و دلم عمیقاً برای دایه سوخت. او را همیشه از آیاخانم بیشتر دوست می‌داشتم، تصمیم گرفتم بعداً با مادرم صحبت کنم، شاید علی‌رغم همه‌ی مشکلات بتوانیم با خودمان ببریمش. حدس زدم خانه‌ی شیخ باید از آن باغ‌های پرمیوه‌ای باشد که وقتی به حمام مرمر می‌رفتیم سر راه می‌دیدیم، این باغ‌ها دیوارهای بلند و خانه‌های کوچکی داشتند. برای من خانه‌ی بزرگ مهم نبود، همین که باغی باشد تا روزها در آن چرخی بزنم، کافی بود. تا آن روز نیمی از ساعات بیداری‌ام را در باغ پرسه زده بودم و با هر درخت و بوته و حوض و فواره و پیچک و گربه و زنبور و گنجشک و پروانه‌ای که برخورد کرده بودم عهد و پیمانی جداگانه داشتم. از این پس هم بزرگ‌ترین غصه‌ام می‌توانست جدایی از آن‌ها باشد. اما من که دانسته بودم زندگی همواره در تغییر است باید تحمل می‌کردم. تازه، می‌توانستم در باغ شیخ همه چیز را از نو شروع کنم. حُسن کار در این بود که مادری خوشبخت و پدری تازه می‌داشتم معامله منصفانه‌ای بود، فقط اگر می‌توانستیم الیاس و دایه را هم با خودمان ببریم، دیگر هیچ‌چیز کم نبود. دو

هفته به سرعت برق گذشت. مادرم از صبح زود تا دیروقتِ شب در تدارک امور بود و ما باهم دو کلمه هم حرف نزدیم نمی‌دانم چرا سعی می‌کرد نگاهمان تلاقی نکند. من، اما در تمام لحظات از او جدا نمی‌شدم و چشم از او برنمی‌داشتم. حس غریبی با نزدیک و نزدیک‌تر شدن رفتن او قرارم را آشفته بود. تا آن‌جا که کهگاه آرزو می‌کردم که قاصدان شیخ هرگز نیایند. اما چه زود پیدایشان شد. صبحی تاریک و روشن رسیدند. باید عروس خانم را همان روز می‌بردند تا برای مراسم عقد روز بعد آماده شود. قرار شد آیا همراه آن‌ها برود، اما بعد از مراسم باز گردد. من مراسم باشکوهی را در باغ شیخ مجسم می‌کردم که چندین شاه و ملکه در آن حضور دارند و مادرم با لباس‌های جواهرنشان ستاره‌ی مجلس است. از فکر این‌که درچنان مجلسی‌نیستیم، اشکم‌جاری شد. برعکس صبح‌خواستگاری، روزی خاکستری ابری و غمگین داشتیم. دایه خانم و سایر افراد خدمه بغ کرده بودند و ساکت و بی‌اشتیاق آخرین لحظات سفرِ آفتابِ باغ را تدارک می‌دیدند. فقط آیاجان بر اعصابش مسلط بود. مادرم بسیار دست‌پاچه می‌نمود. نزدیک ظهر عاقبت ما که مانده بودیم، دیدیم که آن‌ها با چه تعجیلی ناقه‌ها را بار زدند و اسب‌ها را سوار شدند و راه افتادند. هیچ‌کس باور نمی‌کرد. چه زود اتفاق افتاد. من مثل عنکبوتی تنها به میله‌های دروازه بزرگ چسبیده بودم و کاروان را از پشت نظاره می‌کردم. نمی‌دانم چرا ناگهان تمام امیدها از ذهنم برای یک تغییر خوب نقش بر بسته بودند. سخت غمگین بودم. دلم نمی‌خواست بی‌ما برود. بغضی پرفشار و بدون‌گریه راه نفسم را بسته بود. همان‌طور که دورتر می‌شدند، همه‌جا تیره‌تر می‌شد. خورشید باغ و زندگی من در پشت ابرهای آینده‌ای مبهم دور می‌شد و من جز این دوری و آن حس مرموز، نه چیزی می‌دیدم و نه چیزی می‌فهمیدم. کاروان حامل عروس شیخ از پس خود ابری از غبار برانگیخته بود و مادرم داشت دم به دم در این غبار ناپدیدتر می‌شد. ناگهان آرزو کردم که ای کاش همهٔ جانم فریاد شود تا بتواند جهان را از امواج رنجی که بر می‌تافتم، پُرکند. نمی‌دانم چه‌قدر ایستاده بودم، اما فشار دست الیاس بربازویم، چنان مرا از جا پراند که بیچاره هراسان گفت:

بیگم‌جان! یک عالمه وقت است که این‌جا ایستاده‌ام. می‌خواهم دروازه را

قفل کنم، اما شما تکان نمی‌خورید. ترسیدم چیزیتان شده باشد.

با دیدنش موجی از آسایش وجودم را فراگرفت. تا همین چندی‌پیش ـ قبل از صدور دستور منع ولگردی من در باغ از سوی آیاخانم ـ نیمی از روز را به قلمدوش او می‌گذراندم و بقیه را در حالی‌که لباده‌اش را با دستان کوچکم می‌گرفتم، به چرخیدن در باغ. از روز تولد شمس‌الدین، توجه پدر و مادرم فقط به او معطوف بود و چنان بود که از عشق روزافزون من به باغ و الیاس، نه تنها نگران نبوده، که ظاهراً خوش‌حال هم بودند. پدرم از مادرم دوازده پسر خواسته بود و من یکی، اگر زیادی نبودم، بی‌تردید کافی بودم. تنها لطف خاصی که پدرم در حق من کرد، این بود که وقتی بی‌بی‌جان پدر و مادرم را متوجه تنهایی من کرد و آیاخانم از ولگردی من در باغ نالید، دستور داد برایم از بازار برده‌فروشان قونیه کنیزی هم‌سن‌وسال بخرند تا درخانه همبازی داشته باشم و در باغ هم کم‌تر دنبال الیاس ول بگردم. این چاره‌جویی در ابتدا چندان موفق نبود. زیرا من کنیزم را دوست نداشتم. بوی مخصوصی می‌داد و زبان مرا هم اصلاً نمی‌فهمید. مرتب گریه می‌کرد و اگر کسی در اطراف نبود، حتی بدش نمی‌آمد که به نحوی نفرتش را به من بفهماند. پناهگاه من در آن خانه هم‌چنان کنار پرمحبتِ الیاس پیر و آغوش بی‌بی‌جان بود. با این همه من پدر و مادرم را می‌پرستیدم و هرچند خوب می‌دانستم که نباید زیاد دوروبرشان بپلکم، کوچک‌ترین توجه آن‌ها وجودم را غرق شادمانی می‌کرد. هیچ بغضی نسبت به هیچ کدام‌شان نداشتم و همهٔ گناه‌ها را به گردن برادرم شمس‌الدین می‌انداختم و همه‌ی خشمم متوجه او بود، من حتی گناه مرگ پدرم را نیز به حساب او نوشته بودم. زیرا خوب به یاد دارم در سال طاعون ـ سالی که مرگ سیاه بسیاری از آشنایانمان راکشت ـ برادرم چندان از زردآلوهای باغ خورد که گرفتار درد شکم شد و پدرم از ترس طاعون و این‌که مبادا طبیب دیر برسد، خود او را بر ترک اسبش نزد حکیم ایرانی ـ شیخ کسری همدانی ـ به قونیه برد و اگرچه برادرم شفا یافت، اما او خود بیمار بازگشت و دیگر هرگز از بستر بیماری برنخاست. دارو و درمان حکیمان خاص سلطان و شخص شیخ کسری هم که یک هفته‌ی تمام، شبانه‌روز بالای بستر او نشستند و مراقبت کردند، مؤثر واقع نشد. دایه خانم می‌گفت پدرت از انبان خود به یک

طاعونی فراری از حلب آب داده و گرفتار شده است. این کابوسی بود که تا مدت‌ها رهایم نکرد.

صدای الیاس دوباره مرا به خودم آورد و من آرام در جاده‌ی شنی با او به طرف ساختمان به راه افتادم قطره‌های درشت باران با صدای بلند شروع به باریدن کردند. دلم می‌خواست دل تنهایم را میان دانه‌های سخت شن‌های جاده که با ولع باران را می‌مکیدند می‌انداختم تا بتوانم پایم را رویش بگذارم تا راحتم بگذارد. همه‌جا خلوت بود. باغ مثل خانه‌ی ارواح شده بود. شمس‌الدین را لالایش به گردش برده بود که صحنه‌ی رفتن مادر را نبیند. آیاخانم با مادر رفته بود تا او را برای حجله‌ی شیخ آماده کند. کنیزم نیز که همیشه مثل روحی سیاه، بی‌صدا و با فاصله دنبالم می‌افتاد، دیگر دیده نمی‌شد. می‌توانستم باور کنم که او از همه غمگین‌تر است. دایه خانم هم از صبح گم شده بود. از روز خواستگاری که قرار شد بماند به خانه‌ی شیخ نرود، آدم دیگری شده بود. او حق داشت. پس از آن همه سال خدمت، نباید پیر و وامانده تنها می‌ماند. فکر می‌کنم آن روز اولین باری بود که به حال دختری که دیگر پدر نداشت و مادرش را هم از او می‌گرفتند، به همراه باران گریستم و دایه را به خاطر سخن لغو چندین و چند ساله‌اش که تنها «راه عزت و امنیت خانوادهٔ ما ازدواج مادر است»، لعنت کردم. حالا فهمیدم که او چه‌گونه هم خودش و هم ما را گرفتار کرد. اولین بار بود که در آن شامگاه تیره‌وتار با پوست و گوشتم یتیمی را حس می‌کردم. غمی گنگ و سنگین و طاقت‌فرسا فشارم می‌داد؛ غمی که تا آن روز حتی یک لحظه هم تجربه‌اش نکرده بودم. حتی در زمان مرگ پدرم؛ در آن روزها که من یک هفته‌ی تمام مدهوش در بستر بیماری افتاده بودم، شاید مادرم و آیا و الیاس و دیگران فکر می‌کردند که من از غصهٔ مرگ پدرم بیمار شده‌ام. آن‌ها حتی امروز هم نمی‌دانند که در آن روز آخر بهار که ناگهان صدای شیون غیر انسانی فضای باغی را انباشت که صاحبش فرمان یافته بود، چه اتفاقی افتاد. آن‌ها نمی‌دانند که هیچ‌کس به فکر آن دختر بچهٔ تنها و خیالاتی نبود که نیمی از ساعات بیداری‌اش را در آن باغ پرسه زده بود. شاید همه چنارها و افراها و سپیدارهای باغ بهتر می‌دانستند که برای او چه اتفاق افتاده است تا خودش. او فقط می‌دانست حادثهٔ بسیار عظیمی پیش آمده که در

فهم بشر نمی‌گنجد و این که بزرگ‌ترها آن همه غوغا به پا کرده‌اند، حاصل همان حادثه است. او گریه می‌کرد. اما نه از مرگ پدر، فقط چون ترسیده بود، و چون دامن هرکس را که می‌گرفت خود را از دستش خلاص می‌کرد. حادثه‌ای تازه و عظیم رخ داده بود که هرچه بود، نمی‌خواستند او در آن سهمی داشته باشد. باید از خانه به باغ می‌زد. او همواره همهٔ کدورت‌های خانه را در باغ همراه قاصدک‌ها با یک فوت به دور دست‌ها فرستاده بود. آن روز هم مثل همیشه از عمارت پرضجه‌وشیون بیرون زد و بعد از چرخی دور استخر بزرگ، با پشت دست اشک‌هایش را پاک کرد و مثل همیشه با آن فرشته‌ی تمام سنگ که شاید هزار سال بود وسط استخر می‌کوشید خوشه‌ی انگوری را به دندان بکشد اما خروج آب از دهانش، مجال همین کار را هم از او گرفته بود، همدردی کرد. بعد از گیلاس‌ها برای خودش گوشواره‌ای ساخت و با برگ‌های شمعدانی ناخن‌هایش را گلی کرد و چند تا غنچهٔ نیلوفر را با صدای خنده‌دارشان ترکاند و به دنبال پروانه‌ای زرد از این کرت به آن کرت و از این جوی‌وآن‌جوی پرید تا به میعادگاه محبوبش رسید: آلاچیقی که پدرش مقابل توتستان انتهایِ باغ برای مادرش بنا کرده بود تا هر بهار وقت رسیدن توت‌ها کراخاتون زیبایش در آن‌جا بیارامد و باغبان‌های عاشق در سبدهای بید، همه رنگ توت برای بانوی محبوبشان ببرند تا او با ناز از آن میوه‌های شیرین بخورد و گوش بسپارد به صدای آب چشمه‌ای که از کنار سنگی بیرون می‌آمد و آوازخوانان به حوضی می‌ریخت با کاشی‌های فیروزه‌ای ایرانی و پس‌از سیراب کردن نیلوفرهای آبی و پیچک‌های آلاچیق به برکه‌ی کوچک مقابل راه می‌گشود که همیشه پر از قورباغه‌های پرسروصدا و سنجاقک‌های رنگارنگ بود. آن‌جا دنیای او بود؛ بهشت او بود. اما آن روز آن‌جا هم غمگین می‌نمود. فشاری ناپیدا ـ اما محسوس ـ در فضا بود. نمی‌توانست مثل هر روز سر خود را گرم کند. چیزی گلویش را می‌فشرد، می‌خواست باز هم گریه کند، اما دیگر نا نداشت. آفتاب اگرچه وسط آسمان بود، اما در هیچ‌چیزی باز نمی‌تابید. حتی جویبار کوچک و پرپیچ وخمِ میان چمنزار دیگر نمی‌درخشید.

خم شد، یکی دو تا از توت‌های خشکیده‌ی روی زمین را که همیشه

شیرین‌تر از توت‌های تازه بودند، برداشت و خورد. اما نه، این توت‌ها هم به شیرینی و خوش‌مزگی قبل نبودند. با رخوت خود را روی تابی انداخت که برای شمس‌الدین بر درخت انجیر وحشی عظیمی تعبیه کرده بودند. ناگهان چیزی مثل برق از کنار گوشش گذشت. از ترس جیغی زد و به سرعت از تاب پایین پرید. اطرافش را نگاه کرد. تازه وقتی سیاهی یک بار دیگر صفیرزنان از کنار گوشش گذشت، با تعجب دید که پرستوی آشنای خودش است. از یکی دو ماه پیش هر روز مواظبش بود. پرستو گوشهٔ سقف آلاچیق آشیانه می‌ساخت. الیاس گفته بود که او و جفتش خانهٔ خود را می‌سازند تا یکی دو ماه دیگر بچه‌هایشان را توی آن بزرگ کنند. پرستوها هیچ‌گاه این‌قدر پایین پرواز نکرده بودند. خیلی عجیب می‌نمود. ناگهان متوجه شد که دو موجود بسیارکوچولو پشت تاب روی زمین شنی افتاده‌اند و دنیا را روی سرشان گذاشته‌اند. تازه فهمید که چرا پرستوها دور سرش می‌چرخند. جلوتر رفت. بچه پرستوها بودند. بیچاره‌ها حتماً می‌ترسیدند که او آن‌ها را لگد کند. اما او از آن‌ها مواظبت می‌کرد، خیلی بهتر از خود پرستوخانم. شاید اصلاً آن‌ها را خدای مهربان برای او فرستاده بود. برای او که آن همه عاشق بود. برای او که آن همه تنها و غمگین بود. حالا می‌توانست با آن‌ها دوست شود. اصلاً می‌توانست مادرشان باشد. پرستوها می‌توانستند دوباره در آن لانه‌ی گرم و نرم تخم‌گذاری کنند و بچه‌های فراوان دیگری بیاورند. این بی‌تردید هدیهٔ خداوند باغ برای او بود.

عجیب است که امروز دلم می‌خواهد از آن ماجرا باکسی سخن بگویم و بگویم که آن دختر بچهٔ تنها و خیالاتی من بودم. من بودم که قصد تصاحب بچه‌پرستوها را داشتم . . . به اطرافم نگاه کردم. هیچ‌کس نبود. الیاس را صبح دیده بودم که توی ایوانِ آینه دستارش را برداشته و خاک برسرش مالیده و شیون می‌کند. روح سیاه پوست من نیز با چشمان گنده و دهان باز در تالار به آشوب چشم دوخته بود و دیگر مثل سایه دنبالم نبود. تکلیف بقیه هم که روشن بود. پس با ترس و تردید آهسته خم شدم و جوجه‌ها را که می‌لرزیدند برداشتم. چه‌قدر پرسروصدا بودند. چه نوک‌های تیزی داشتند، با همه‌ی ناتوانی چندان نترس بودند که دست بچه‌ی آدم را گاز می‌گرفتند. با آن‌که به راحتی در مُشت

بسته‌ی من جا می‌شدند، ولی زورشان زیاد بود و مرا می‌ترساندند. به‌خصوص که حالا پدرشان هم آمده بود و دور سرم می‌چرخید. چیزی نـمانده بـود کـه چشم‌وچارم را کور کند. پریدم درون آلاچیق و در را بستم. درزها و مـنفذهای آلاچیق چندان فراخ بودند که پرستوها بتوانند وارد شوند، ولی می‌دانسـتم کـه آن‌ها هرگز این کار را نمی‌کنند. جوجه‌ها را روی زمین نزدیک حوض کاشی رها کردم، اما فوری پشیمان شدم. چیزی نمانده بود که توی نهر کوچک دور حوض بپرند و خفه شوند. سبدی را که جای سفره و ظرف‌های آلاچیق بود، برداشتم. آن را روی نیمکتی خالی کردم و جوجه‌ها را تـویش گـذاشـتم و درش را بستم. پرستوها خود را به در و دیوار آلاچیق می‌زدند. خیلی ترسیده بودم، اما من آن کوچولوها را می‌خواستم، به آن‌ها احتیاج داشتم و تصمیم نداشتم به هیچ قیمتی از دستشان بدهم. بچه‌دار شدن دوبارهٔ پرستوها کاری نداشت، اما معلوم نبود که من دوباره کی می‌توانستم به راحتی صاحب دو تا جوجهٔ زیبا باشم. تازه، ایـن آرزویی بود که من از خیلی پیش به آن فکر کرده بودم. سبد را جلو پایم گذاشتم. روی نیمکت دراز کشیدم و چشم به جوجه‌ها دوختم که بدون لحظه‌ای توقف جیک جیک می‌کردند. مثل این‌که به من بدوبیراه می‌گفتند. مهم نبود؛ زمان لازم داشتیم تا باهم دوست شویم. آن‌قدر محو جوجه‌ها در آلاچیق ماندم که نمی‌دانم کی خوابم برد. وقتی دوباره از سروصدای پرستوها و جوجه‌ها بیدار شدم، بـا استیصال متوجه شدم عصر است و سخت گرسنه بودم. از آلاچیق بیرون رفتم. در را بستم و با سرعت به طرف ساختمان دویدم. پرستوها تـا قسـمتی از راه صفیرزنان دنبالم کردند. خیلی می‌ترسیدم، ولی باید می‌رفتم. هم خودم نیازمند غذا بودم و هم باید برای جوجه‌ها خوراک تهیه می‌کردم. نمی‌شد در آن موقعیت آن‌ها را به خانه پر از شیون و زاری برد.

همه‌جا را دنبال الیاس گشتم. هیچ‌جا نبود. از یکی از نوکرها پرسیدم، گفت: رفته قونیه برای تهیهٔ مقدمات مراسم فردا. خدایا چه‌کار کنم؟ از کی بپرسم کـه بچه‌های پرستو چه می‌خورند؟ وارد آشپزخانه شدم. پر از هیاهو و آمدوشد بود. هرچه را برای خودم و پرستوها مناسب تشخیص دادم، توی یک کیسه‌ی ادویهٔ هندی ریختم که دم دست بود. کنیزم را پیدا کردم و او را کشان کشان به طـرف

آلاچیق بردم. ترجیح می‌داد بایستد و آدم‌های جورواجور و کالسکه‌های پرزرق‌و برق و سواران عجیب‌وغریب را نگاه کند. به‌آلاچیق که رسیدیم، هوا گرگ‌ومیش بود. او را جلو در ایستاندم و حالی‌اش کردم که وظیفه دارد پرستوها را با یک شاخه‌ی بلند از اطراف آلاچیق براند. ضمناً مواظب باشد که آن‌ها چشم‌هایش را درنیاورند. برخلاف من، او نه از تاریکی می‌ترسید و نه از پرستوها.

بدون آن‌که در خوراندن یک قطره آب یا یک دانه کنجد بو داده به جوجه‌ها، موفقیتی داشته باشم، مدتی با آن‌ها کلنجار رفتم. سکوت و تاریکی همه‌جا را گرفته بود. از خستگی و ناامیدی و گرسنگی داشتم از پا درمی‌آمدم. اشتها نداشتم. قبل از این‌که جوجه‌ها غذا بخورند، ممکن نبود بتوانم چیزی بخورم. دیگر نه قورباغه‌ها صدا می‌کردند نه پرستوها. سکوت وهم‌آوری همه‌جا را فراگرفته بود. کم‌کم هراس به جانم وهم انداخت. باید به کوشک باز می‌گشتم، اما طوری‌که کسی متوجه جوجه‌هایم نشود. کیسه و سبد را برداشتم و بیرون رفتم. کنیزم خوابش برده بود و از پرستوها خبری نبود. او را بیدار کردم. سبد را به دستش دادم و باهم کورمال کورمال به طرف خانه راه افتادیم. گاهی سایه‌ای سیاه به سرعت از بالای سرمان می‌گذشت، اما نزدیک نمی‌شد. مثل این‌که از کنیزم می‌ترسید. صدای جوجه‌ها هم از بعد از ظهر ضعیف‌تر شده بود، ولی قطع نمی‌شد. به عمارت رسیدیم. اهل خانه و میهمانان با سکوت پر وقاری در تالار نشسته بودند. در سایه روشن شمع‌ها و چراغ‌ها هیچ‌کس متوجه من و کنیزم و سبد دستش نشد. به اتاقم که خیلی با اتاق پدرومادرم و شمس‌الدین فاصله داشت، رفتم. کنیزم شمع‌ها را روشن کرد و جوجه‌ها را بیرون آوردیم. دانه و آب و شیر را جلو آن‌ها گذاشتیم و کنیزم که گویا تازه متوجه ماجرا شده بود با چشمان درشتش بیش از پیش نفرت حواله‌ام می‌کرد. سعی کردم نگاهم را از نگاهش بگردانم. نمی‌دانم چه‌قدر طول کشید تا خسته و گرسنه و درمانده روی فرش از هوش رفتم. سحر که از درد دست‌های کرخ شده در زیر بدن و با هیاهوی خدمه و رفت‌وآمدی که برای بردن پیکر پدرم به مزار خانوادگی‌مان در جریان بود از خواب پریدم، هنوز آفتاب درنیامده بود. درست در لحظه‌ای که چشمانم را باز کردم، یاد جوجه‌ها افتادم. دیگر جیک‌جیک نمی‌کردند. اتاق نیمه تاریک بود. با

احتیاط پا برمی‌داشتم. معلوم نبود کجا رفته‌اند. پرده را کنار زدم و در نور آبی‌رنگ سحرگاهی دو تا گلوله‌ی سیاه دیدم که جلو پایم میان پرده و دیوار افتاده‌اند. نشستم و هردو را در دست گرفتم. نمی‌توانستم آنچه را می‌دیدم باور کنم. آن‌ها مرده بودند، هر دو . . .

من‌که همه‌چیز برایشان گذاشته بودم. من که دوستشان داشتم. من که می‌خواستم برایشان رختخواب ابریشمی با تورهای صورتی بدوزم. من‌که می‌خواستم بگویم الیاس برایشان خانهٔ چوبی زیبایی مثل خانهٔ آدم‌ها ـ قشنگ و گرم و جادار ـ بسازد. من که می‌توانستم هرچه دوست دارند برایشان فراهم کنم. چرا مرده بودند، چرا به این زودی؟ من چه‌کار باید می‌کردم که نکرده بودم؟

صدایی نهیبم زد که شاید نمرده باشند. مثل کفشدوزک‌ها که گاهی الیاس نشانم می‌داد که چه خوب خود را به مردن می‌زدند. باید هرچه زودتر آن‌ها را نزدیک لانهٔ پدر و مادرشان بگذارم. شاید با دیدن آن‌ها زنده شوند. کنیزم مدهوش از خواب، گوشه‌ای مچاله شده بود. تصمیمم را گرفتم. شالی بردوشم انداختم، آن‌ها را دوباره توی سبد گذاشتم و با احتیاط پایین رفتم و از در پشت عمارت به سرعت به طرف آلاچیق دویدم. در مه صبحگاهی به هرچه نگاه می‌کردم، شبحی می‌شد که دارد مرا تعقیب می‌کند. بالاخره خودم را رساندم. رفتم بالای درخت گیلاس نزدیک لانهٔ پرستوها. در سبد را باز کردم و آن‌ها را به شاخه‌ای که هم به لانه‌ی پرستوها از همه نزدیک‌تر بود و هم گربه‌ها به آن دسترسی نداشتند، آویختم و به سرعت بازگشتم. برای اولین بار از خلوت بودن باغ می‌ترسیدم. اضطراب داشتم و از خودم بدم می‌آمد. زبانم مثل یک لنگه کفش بزرگ توی دهانم بود. فکر می‌کردم چیزی از پشت دنبالم کرده است. هرچه نگاه کردم اثری از پرستوها ندیدم. یعنی توی لانه خوابند؟ نه! ممکن نیست. این کشمکش زیاد طول نکشید، نزدیک عمارت الیاس را درست زیر پنجرهٔ اتاقم دیدم. او هم مرا دید منتظر بودم بپرسد صبح به آن زودی آن‌جا چه می‌کنم. اما چیزی نگفت. داشت با یکی از خدمه حرف می‌زد. دیدنش همیشه به من آرامش می‌داد. به طرفش رفتم چیزی در دستش بود و داشت راجع به آن با هیجان حرف می‌زد. توی دستش را نگاه کردم. پرستوی مادر را با نشانی‌هایی که خودش یادم

داده بود ـ اما این بار بی‌جان و با نوک خونین ـ شناختم. نمی‌دانم از چه مرده بود: از غصه، از خشم، یا از یأس. اما هرچه بود، من قاتل او و بچه‌هایش بودم. الیاس اصلاً سر درنمی‌آورد که جنازهٔ پرستو آن‌جا چه می‌کند. اما آن را به فال بد گرفته بود و داشت به مستخدم می‌گفت، مطمئن است که چشم بدی یا نفرینی یا جادویی بسیار کاری، اطراف خانه پر می‌زند و باید ـ قبل از آنکه حادثهٔ شوم دیگری پیش آید ـ همین امروز خون بریزند. من دیگر نه می‌دیدم و نه می‌شنیدم. پرده‌ای قرمز جلوِ چشمانم را گرفته بود و هرچه در معده داشتم، داشت از حلقم بیرون می‌زد. هنوز نمی‌دانم چه‌گونه و با چه نیرویی بازگشتم و سبد را از درخت گیلاس برگرفتم و جوجه‌ها را گم‌وگور کردم و وارد عمارت شدم و از پله‌ها بالا رفتم، فقط یادم می‌آید که از روی کنیزم که جلوِ در اتاقم هنوز خواب بود رد شدم، . . . و می‌گفتند وقتی دوباره چشمانم به نور روز باز شده یک هفته‌ای بوده که از غصهٔ مرگ پدرم در حال اغما بوده‌ام. مادرم، بی‌بی‌جان، آیاخانم و حتی الیاس آن‌جا بودند. خوش‌حالی‌ها می‌کردند و یکی‌یکی خدا را شکر می‌کردند که بالاخره خون اسب پدرم که جلوِ دروازهٔ بزرگ باغ قربانی شده است، چشم بد را دور کرده است و من زندگی دوباره یافته‌ام. اما تردید دارم که پدرم ـ اگر زنده می‌بود ـ مرگ مرا از ریختن خون اسبش دردناک‌تر می‌دانست.

چند روز طول‌کشید تا کم‌کم همه‌چیز یادم‌آمد. دوباره همان احساس‌کشندهٔ گناه روحم را تسخیر کرد. هیچ‌کس نپرسید که آن روز صبح زود توی باغ چه می‌کردم. هیچ‌کس نپرسید که واقعاً چرا تا دم مرگ رفتم. شاید اگر می‌پرسیدند، مقدمه‌ای می‌شد برای این‌که جرأت کنم و قصه را بگویم. شاید از بار گناهی که دیگر هرگز رهایم نکرد، خلاص می‌شدم. هنوز هم پس از سال‌ها همان کابوس وحشتناک به سراغم می‌آید. تا مدت‌ها بعد از مرگ پدرم که تقریباً هرشب گرفتارش بودم. پرستوها هیچ وقت در آن نبودند. اما همیشه داستان تازه‌ای بود که عاقبت به باغ متروکی ختم می‌شد که پشت باغ ما بود با صدها درخت خشکیده که من همیشه آن‌جا گیر می‌افتادم و هرچه فریاد می‌زدم صدایی از گلویم بیرون نمی‌آمد و الیاس بی‌اعتنا به من در نزدیکی‌ام ایستاده بود و با یکی از خدمه بحث می‌کرد و سبدی که از توی آن مار سیاهی سر برآورده بود دستش

بود. مار خود را به سمت من می‌کشید و من با فریادهای بی‌صدا می‌دویدم. اما باغ و مار انتها نداشتند. وقتی از خواب می‌پریدم بدنم سرد و خیس از عرق بود، می‌لرزیدم و خیلی طول می‌کشید تا به خود بیایم که خواب دیده‌ام. هربار پس از چنین خوابی چند روز بدحال می‌بودم.

بعد از آن ماجرا ـ گذشته از شب‌های بدی که گذراندم ـ روزهای بهتری داشتم. بیماری و کابوس‌های شبانه ـ که همه را به حساب مرگ پدرم می‌گذاشتند ـ عشق غریزی مادرم را به من شکوفا کرد. او به‌جز درگیری با سوگ سنگین همسر محبوبش، بقیه‌ی همّ خود را صرف سلامت من می‌کرد و تقریباً بیشتر وقتش را با من می‌گذراند. برایم عروسک‌هایی با لباس‌هایی شبیه لباس‌های خودش ـ که دیگر هرگز آن‌ها را نپوشید ـ می‌دوخت و سعی می‌کرد کنیزم را وادار به حرف زدن کند و کوشید تا فشار «بکن، نکن» و رفتار خشن آیاخانم ـ که می‌خواست از من بانویی تمام عیار، مثل مادرم بسازد ـ کاستی گرفت. مهم‌تر این که، همهٔ درس‌ها به طور کامل تعطیل بودند. از جلسات درس حتی بیش‌تر از امرونهی آیاخانم بیزار بودم؛ چون باید چندین ساعت دو زانو و بی‌حرکت می‌نشستیم. حساب لالا هم روشن بود. هروقت می‌خواست شمس‌الدین را ادب کند، کف دست مرا ترکه می‌زد، به خصوص در درس تجوید قرآن. در این جلسات من اگر درست هم ادا می‌کردم، به بهانه‌ای باید آن‌قدر ترکه می‌خوردم تا شمس‌الدین عاقبت تلفظ درست حروف و کلمات را بیاموزد، و حالا همان لالا که فدایی پدرم بود، از مرگ او چنان از پا درآمده بود که من و شمس‌الدین چند صباحی از صحبت‌های کسل‌کننده جلسات و درس عذاب‌آورش خلاص شده بودیم و در ته‌دل آرزو می‌کردیم که زودتر بمیرد تا ما کاملاً راحت شویم. روزهای آزاد و زیبای پس از مرگ پدر طعم عشق مادری را به من چشاند و من دیگر تا مدت‌ها رنگ غم را ندیدم.

پس از بهبودی من، اوضاع تقریباً به حال سابق باز گشت. فقط مادرم در پیلهٔ عزاداریش فرو رفت و مرا به باغ و الیاس و دایه و کنیز و آیاخانم واگذاشت. اما من مزه‌ای زیر دندان داشتم که ازلی و ابدی بود. دیگر فهمیده بودم مادر داشتن یعنی چه و بس خوش‌حال بودم که مادری دارم. حالا دیگر از عشق او مطمئن

بودم و می‌دانستم هنگام نیاز به دادم خواهد رسید. دیگر هیچ‌کس و هیچ چیز نمی‌توانست آن خوش‌حالی را از من بگیرد. حتی اگر او باز وقتش را زیاد با من نمی‌گذراند، مهم نبود، اصل این بود که او آنجا بود و من حسّ‌اش می‌کردم. خدا نکند که این شیخ کوچک بخواهد مادرم را دوباره از من بگیرد.

آن روزها گاهی فکر می‌کردم اگر شمس‌الدین باعث مرگ پدرم نشده بود، شاید داستان پرستوها و مریضی من فرصتی می‌شد تا به او هم مثل مادرم نزدیک‌تر شوم. اگر طعم عشق پدر را هم می‌چشیدم، دیگر چیزی کم نداشتم. این خلأ، تنها حفرۀ سیاه زندگی من بود. هنوز حالی‌ام نکرده بودند که عشق حق مسلم مردان است و مادرم را نیز، همسرش ـ چه پدرم باشد و چه هرکس دیگر ـ از من خواهد گرفت و مرا پشت ابر و غبار بادها و خاک پای کاروان تنها خواهد گذاشت.

فردای آن روز را تا پاسی از شب در انتظار بازگشت آیاخانم گذراندم. هرگز نمی‌دانستم که حضور این زن خشن و تنومند در فضای خانه برای ما منشأ چه امنیتی است. شاید اگر او نمی‌بود، فقدان پدرم برای همۀ ما محسوس‌تر می‌شد. حالا که این را فهمیده‌ام، دیگر روزهای سراسر امنیت و نعمت و خوش‌بختی را میان دیوارهای باغ پشت‌سر گذاشته‌ام، بی‌آنکه به قدر کافی نسبت به آن روزها آگاه بوده باشم.

دیگر از اقامت ما در این‌جا بیش از چند صباحی باقی نمانده است. قرار براین است که باغ ـ یعنی میراث شمس‌الدین ـ به همین صورت نگاهداری شود. در واقع عزم شوهر مادرم که می‌گویند مردی بلندنظر و امانت‌دار و بی‌اعتنا به ثروت ماست براین است که همه چیز به همین صورت دست نخورده نگاهداری شود تا وقتی که شمس‌الدین مکلف شود و ارث را تحویل بگیرد. دربارۀ حق من هرگز سخنی رد و بدل نشد. اما من آسوده خاطر بودم. زیرا الیاس گفته بود، چه بخواهند و چه نخواهند، من از این‌جا سهمی می‌برم و او دور آن را برایم دیوار خواهد کشید و برایم در آن بوته‌های یاس و یاسمن‌های سرخ رونده و درختان میوه خواهد کاشت و تا آخر عمر باغبان من باقی خواهد ماند. این حرف‌ها به من امنیت می‌داد و آینده‌ام را به بوی یاس و یاسمن‌های سرخ می‌انباشت.

عزیمت مادرم اما، مثل سنگی که به برکه‌ای آرام پرتاب شود، یک باره همه چیز را می‌آشفت.

به دنبال بی‌بی‌جان گشتم. او تنها کسی بود که حال مرا می‌فهمید. خودش هم مثل من و به‌همان اندازه غمگین بود. گفتند دیده شده که به طرف اُرُسی می‌رفته است. من اُرُسی را دوست داشتم. پر بود از گندم و برنج و آرد و بُنشن و حبوبات دیگر، و تا چشم کار می‌کرد انباشته بود از خمره‌های سرکه، میوه‌های خشک، و ذغال و هیزم و روغن چراغ و صندوق‌های ظرف و لباس و پارچه؛ بوی زندگی می‌داد و همواره سرشار بود از تکاپو. آنجا در واقع انباری بود برای پشتیبانی مطبخ و سفره‌خانه و میهمان‌خانه. فقط از موش‌های گنده‌اش خیلی می‌ترسیدم، اما آن روز آن‌قدر غصه‌دار بودم که موش‌ها را فراموش کردم. شتابان به سوی اُرُسی دویدم. می‌دانستم در کدام قسمت باید دنبالش بگردم، همیشه در آغاز فصل سرما یا گرما، وقتی بی‌بی، لباس‌ها و رختخواب‌ها را جابه‌جا می‌کرد، من دور و برش می‌پلکیدم؛ بالاخره هم گوشه‌ای میان رخت‌خواب‌ها خوابی شیرین در انتظارم بود و بیچاره به زحمت پیدایم می‌کرد. بارها در حین کار مثل این‌که با خودش حرف بزند گفته بود این‌جامه‌خواب‌ها عجب مخفی‌گاه گرم و امنی است برای آدم‌های قهر. آخر او خودش به قول آیاخانم خیلی قهرو و زودرنج بود بعدها پس از زندگی در حرم فهمیدم که زودرنجی از خصوصیات ایرانی‌هاست.

درست در همان‌جا که فکر می‌کردم، پیدایش کردم. همیانه سوزن‌دوزی کهنه‌اش را که گمانم یادگار روزهای جوانی‌اش بود در دست داشت و دنبال چیزی می‌گشت. گونه‌ها و گرهِ چارقدش خیس اشک بودند، چهره‌اش نورانی شده بود. تا مرا دید رویش را برگرداند، اما گریه‌اش شدت گرفت. پریدم در آغوشش گرفتم و صورتش را بوسیدم و گفتم: بی‌بی‌جان مگر چه شده؟ از این دنیا که نمی‌رویم، فقط چند فرسخ آن طرف‌تر زندگی می‌کنیم . . . گریه‌اش بازهم شدیدتر شد. غصه‌های خودم از یادم رفت. اندام نحیفش مرا به یاد جوجه‌ها انداخت. نفرت از شیخ، نفرت از مادرم و نفرت از آن ازدواج، یک باره درجانم جوشید، اما به روی خودم نیاوردم. گفتم: بی‌بی‌جان این‌جور نخواهد ماند. ما به زودی تو را هم خواهیم برد. قول می‌دهم، فقط باید جای راحتی برایت فراهم شود. فعلاً شاید

اینجا راحت‌تر باشی. شاید اصلاً من و شمس‌الدین آنجا نمانیم و بـه بـاغ برگردیم. برای همین است که الیاس هم مطمئن و راحت پذیرفته است که از ما جدا شود.

بینی‌اش را که قرمز شده بود سخت فشرد و باچشمانی که غم همه‌ی دنیا توی‌شان بود، مدتی مرا نگریست. با این‌که تردید از سکناتش می‌بارید، عاقبت گفت:

من برای جدایی شما گریه نمی‌کنم؛ به حال خودم گریه می‌کنم. مثل قـاب دستمال کهنه‌ای دورم انداختید. الیاس یک مرد است. با آن‌که سنش از من بسیار بیش‌تر است، هنوز کاری را که دوست دارد از او نگرفته‌اند و می‌تواند هرجـای دیگری که بخواهد کار بگیرد. می‌تواند زن بگیرد. می‌تواند بچه داشته باشد. اما من عمرم را بالای پدرت گذاشتم. جگرگوشه‌ام بود. وقتی جوان مرگ شد، دل به تو و مادرت بستم که حالا دارید مرخصم مـی‌کنید. مـرا دیگر عـزرائیل هـم نمی‌گیرد. با این دست‌های کج و معوج فاتحهٔ کار را هم باید خواند. از جوانی که به دنبال شوهرم ناگزیر شدم یارودیار و همهٔ خانواده‌ام را ترک کنم. بعد هم ترک‌ها پسرانم را کشتند. چیزی نگذشت کـه شـوهرم بـه بهانهٔ ایـن کـه دیگر تحمل گریه‌وزاری مرا ندارد، زن دیگری گرفت و به امان خدا لخت رهایم کرد. حالا هم شما حقم را کف دستم گذاشتید. قربان حکمت خدا با این زن آفریدنش. از این پس باید همین‌جا تنها بنشینم تا کلاغِ عزرائیل چشم‌هایم را درآورد و عاقبت از این مصیبت زندگی خلاصم کند.

هرچه خواستم حرفی بزنم، هیچ کلمه‌ای نیافتم. او را از نو در آغوش فشردم و زمزمه‌ای در گوشم گفت هشدار!

حرم

روزهای انتظار دراز و پایان‌ناپذیر بودند. برای اولین بار دریافتم که ساعت، معیار زمان نیست. لالا هم بامن هم‌عقیده بود. می‌گفت خداوند می‌فرماید: یک روزگاه می‌تواند هزار روز شود. سن ناپدری‌ام که می‌گفتند سی وشش ساله است، پنجاه ساله، و الیاس راکه می‌گفتند شصت ساله است هزارساله می‌دانستم، و هر روز انتظارم برای پیوستن به مادرم از یک سال هم بلندتر می‌نمود.

چه‌قدر تشنهٔ اسرار هستی و معماهایی بودم که آن روزها یکی پس از دیگری ذهنم را مشغول می‌داشتند. یادم آمد لالای شمس‌الدین با چشمانی که پیری از یادشان رفته بود، مرا می‌نگریست و برخلاف گذشته به من که شاگرد خوبی برایش شده بودم، می‌گفت: این شیخ مخزن همهٔ علوم زمان است. سال‌ها در دمشق و حلب تحصیل علم کرده است و کامل‌ترین کتاب‌خانهٔ قونیه را در خانه و مدرسه‌اش دارد. بعد به هر دوِ ما توصیه می‌کرد که تا وقتی‌که تکلیف اقامت خودش روشن نشده است، از فرصت پیش آمده استفاده کنیم و با شکرگزاری در پیشگاه الهی که توفیق هم‌خانگی با چنین عالمی را نصیب ما کرده است، از خود او و ازکتاب‌هایش فیض ببریم. می‌گفت سؤالی در عالم و علم مدرسه نیست که این مرد پاسخش را در چنته نداشته باشد. با عشقی که لالا به پدرم داشت، شاید اگر مادرم به غیر از شیخ با کس دیگری ازدواج می‌کرد، او ما را ترک می‌گفت. اما حالا بسیار هم در وجد بود. افتخار همدمی با دانشمندترین عالم شهر ـ که هموطنش نیز بود ـ نصیبش می‌شد و دعای هر شبش این بود که روزگار او را هم از توفیق سکونت درگوشه‌ای از مدرسهٔ شیخ بهره دهد.

تقویم باغ ورق می‌خورد: گیلاس‌ها تمام شدند، زردآلوها آمدند و رفتند. گوجه‌ها به قرمزی شمعدانی‌ها می‌درخشیدند. سیب‌های رسیده یکی یکی توی استخر می‌افتادند و شب‌ها ما را بیدار می‌کردند. لپ انارها کم‌کم گلی می‌شد و عطر به‌های رسیده زنبورها را مست می‌کرد. اما هنوز دنبال ما نفرستاده بودند. من دیگر داشتم شک می‌کردم که به ما راست گفته باشند. شاید این مرد اصلاً ساکن قونیه نباشد. شاید او مادرم را به آن سرزمین دور دستی که زادگاه پدرم و دایه‌خانم و لالاهم هست، برده. شاید دیگر هرگز او را نبینیم. شاید آن روز پیام یأس‌آلود یاس‌ها متوجه همین هشدار بوده است یادم آمد که بعد از خواستگاری بعضی وقت‌ها چگونه الیاس با نگاه تیره و سنگین و پُراندوه مرا می‌نگرد. مستأصل بودم و هرچه از هرکس می‌پرسیدم، با بی‌حوصلگی جواب می‌داد: «این‌قدر عجول نباش، باید جای شما آماده شود». اوایل پیش خودم خانه‌ای مجسم می‌کردم در میان باغی بزرگ با دیوارهای بلند که در گوشه‌ای از آن داشتند برای ما ساختمانی کوچک می‌ساختند و من خوش‌حال بودم از این‌که ما مجبور نبودیم با آن عقاب پیر زیر یک سقف زندگی کنیم که مادر من جانشین دخترش شده بود. حد اقل ما جای او ونوه‌هایش را تنگ نمی‌کردیم. اما نمی‌دانم چرا حالا به رفتن مادرم به ایران بیش‌تر باور داشتم؛ به خصوص این‌که آیا خانم - تنها کسی که از طرف ما همراه مادرم برای مراسم عقد رفته بود - دایم وعده‌های دروغ می‌داد و در مقابل سؤالات من پیرامون خانه و باغ شیخ، به سکوتی اسرارآمیز متوسل می‌شد و این شک مرا به این که ماجرا باید به غیر از این حرف‌ها باشد، تشدید می‌کرد. حالا بیش از این که از او درباره مادرم و خانه شیخ بپرسم، راجع به ایران می‌پرسیدم و او مرا به دایه‌خانم که هنوز با همه قهر بود حواله می‌داد. دایه خانم که از توجه من نسبت به وطن آبا و اجدادش بی‌هیچ پیش فرضی خوش حال می‌شد، با حوصله جایش را صاف می‌کرد، چشمان آرزومندش را به دوردست‌ها می‌دوخت و برایم تعریف می‌کرد که موطنش چه‌قدر زیبا و آباد و پربرکت است و برای همین است که خاکش همواره زیر سُم ستوران دشمن مهاجم، غبارِ چشمِ گریانِ مردمش بوده و عصری نبوده است که ایرانیان را خاطری آسوده بوده باشد و با نفرت می‌گفت: هروقت هر بیابانگردی تنبانش را

بالا بکشد و بر گُردهی اسبی بپرد، عزم خاک زرخیز و مظلوم ایران را خواهد کرد تا انبانش را از نان مردم آنجا پر کند.

شنیدن خاطرات تلخ و شیرین دایه‌خانم از دوران کودکی‌اش تا زمان مهاجرت به همراه شوهرش ـ که گویا در دربار سلجوقی کاره‌ای بوده است ـ برایم بسیار سرگرم‌کننده بود. اما اکنون اخبار جسته گریخته‌ی وطنش خاطرم را جمع می‌کرد که شیخ نمی‌تواند مادرم را به ایران برده باشد. زیرا می‌گفتند مرزهایش بسته است و مغولان هم‌چنان مشغول قتل عام مردم‌اند. پس مادرم همین جاست . . . اما چرا همه چیز این همه مرموز است؟ چرا در این مدت حتی یک بار به دیدن ما نیامد...؟ شاید بلایی برسرش آمده است. دیگرحتی ننه‌جی هم از شهر به دیدن ما نمی‌آید تا خبری از او بگیریم. راستی چرا دیگر ما را به حمام مرمر نمی‌برند و و در حمام کوچک خانه استحمام می‌کنند؟ بله حتماً رازی در کار است که ما نباید از آن سر دربیاوریم.

هفته‌های درازی به همین منوال گذشت. عاقبت در غروبی سخت سنگین قاصدی غریبه از راه رسید و پیام آورد که فردا روز رفتن است. از قونیه خواهند آمد و ما را ـ یعنی من و شمس‌الدین و آیا و اوجی را ـ به خانهٔ تازه‌مان خواهند برد. لالای پیر را هم مژده داد که حضرت شیخ به اصرارِ بانو جا و مقامی هم برای وی درنظر گرفته که به زودی آماده خواهد شد. اما توصیهٔ اکید بانو این است که هرچه ممکن است بار کمتری برداریم. آه از نهاد آیا درآمد. روزهای متوالی را صرف بستن لوازمی کرده بود که هم خودش می‌پسندید و هم فکر می‌کرد زندگی آینده‌ی مادرم را زینت می‌بخشند. دست‌کم ده صندوق، فقط به پارچه و لباس و وسایل قیمتی اختصاص داده بود. بار و بندیل را که نگاه می‌کرد، بد و بی‌راه می‌گفت و همه چیز را با پا به گوشه‌ای پرت می‌کرد. قاصد بیچاره عقب عقب از در تالار بیرون رفت و برای من هم مسجل شد که دیگر هیچ امیدی برای بردن بی‌بی‌جان و الیاس وجود ندارد؛ و تازه همین‌که به ما و اوجی و آیا اجازه داده‌اند، باید خوش‌حال باشیم، وگرنه ممکن بود چند سال دیگر هم مثل این چند ماه بگذرد و کسی نتواند اعتراض کند. آیا مثل پلنگ می‌غرید و این‌طرف و آن طرف می‌رفت. از همان روزی‌که بعد از مراسم از خانهٔ شیخ برگشته بود، دیگر هیچ

اثری از همهٔ اشتیاقش برای ازدواج مادرم و آن همه داستان که در محاسن خواستگارش سرهم کرده بود، خبری نبود. فقط مثل کسی‌که خود را در وقوع اتفاقی مقصر بداند، سعی می‌کرد به روی خود نیاورد تا مبادا سرزنش شود. اما امروز عنان اختیار را از دست داده بود و به زمین و زمان بد و بی‌راه می‌گفت. خود را هم لعنت می‌کرد و با همه ـ به‌خصوص با شریک جرمِ مظلومش دایه‌جان ـ بداخلاقی می‌کرد و با طعنه می‌گفت: خوش باش که همین‌جا می‌مانی! تمام روز وسایل مورد علاقهٔ من و برادرم را به انتخاب خودش کم و زیاد کرد، بی‌آن‌که از ما بپرسد خودمان چه می‌خواهیم. هیچ‌کس را در برابر بداخلاقی‌های او زهرهٔ آن نبود که حرفی بزند یا معترض شود. فقط وقتی کیسهٔ کرباس ادویه هندی کنیز مرا با خشونت از دستش قاپید و با تمسخر همهٔ مایملکش را روی فرش ریخت واز میانِ چند میوه کاج و چند سنگ گرد و براق و یکی دو دست لباس کهنه من و یک عروسک پارچه‌ای که خودم به او داده بودم، فقط لباس‌ها را دوباره توی کیسه کرد به دست او داد و حتی از لگد کوبیدن به گنجینهٔ کنیزک بیچاره صرف‌نظر نکرد، دیگر کاسهٔ صبرم لبریز شد. با یک جست برسر نوکری پریدم که داشت خنزرهای اوجی را از روی قالی جمع می‌کرد. او را به طرفی هول دادم و وسایل کنیزک را که مثل باران بهار اشک می‌ریخت و از ترس کتک با وحشت سرش را با دستانش پوشانده بود جمع کردم و دوباره توی کیسهٔ او ریختم و به دستش دادم؛ درحالی‌که با نفرت به آیا نگاه می‌کردم که با چشمان ناباور آن‌جا ایستاده بود و شاهد اولین قیام زندگی من بود.نمی‌دانم در چهره‌ام چه خواند که صدایش درنیامد. فقط نگاه غضبناکی به کنیزک بیچاره کرد؛ روی پا چرخید و رفت. نگاه حق‌شناسانهٔ اوجی را نمی‌توانستم تحمل کنم. این کار به خاطر او نبود؛ به خاطر رفتار بد آیا بود که دیگر تحملش را نداشتم. این روزها البته من و اوجی هم می‌رفتیم تا کم‌کم باهم انس بگیریم و دوست شویم. وقتی کوچک‌تر بودم، اصلاً از او بدم می‌آمد. شامهٔ من که در آغوش باغ با بوهای خوش طبیعت پرورش یافته بود، قوی بود واو بوی عجیبی می‌داد. من مرتب از دستش فرار می‌کردم. گویا بیچاره خودش هم این را فهمیده بود که همیشه فاصله‌اش را با من حفظ می‌کرد. بعد از مرگ پدرم

شیفتهٔ مهربانی‌های مادرم شد و بیشتر دنبال او می‌پلکید. روزی که مادرم به خانهٔ شیخ رفت، گم شد و تا شب پیدایش نکردند. همه فکر کردیم فرار کرده است. اما روز بعد اتفاقی او را توی کتهٔ ذغال یافتند، درحالی‌که چشمانش از گریه به هم آمده بود. این عشق او به مادرم، ناگهان حس هم‌دردی و هم‌دلی عمیق مرا نسبت به او برانگیخت. دیگر از رفتار قبلی خود احساس شرمندگی می‌کردم و دایم سعی داشتم گذشته را جبران کنم. اولین راه برای ایجاد رابطه، انتخاب یک اسم برای او بود. توی خانهٔ ما او را به خاطر سکوت و موهای فرفری و رنگ پوستش «قره گل» صدا می‌کردند، ولی من این اسم را دوست نداشتم. او با همهٔ تلاش مادرم هنوز نه می‌توانست فارسی حرف بزند و نه ترکی. فقط گاهی به زبانی که ما اصلاً نفهمیدیم کلماتی می‌گفت و گاه نیز به زبان ما چند کلمهٔ ضرور را با لهجه‌ای که فهمیدنش سخت بود ادا می‌کرد. وقتی با زحمت به او فهماندم که می‌خواهم با اسمی که او دوست دارد صدایش کنم، به فکر فرو رفت. خیلی دلم می‌خواست بدانم برخاطرش چه چیز خطور می‌کند. عاقبت با چشمانی که می‌درخشید گفت: اوجی! چند دفعه تکرار کردم که مطمئن شوم درست ادا می‌کنم. فکر می‌کنم اسمی بود که پدر و مادرش رویش گذاشته بودند. از آن پس دیگر کسی او را قره‌گل صدا نکرد. رابطهٔ ما هم به تدریج انسانی شد و نمی‌دانم چه‌اتفاقی افتاده بود که دیگر بوی او را نمی‌فهمیدم.

و حالا هم از این‌که اجازه داده بودند او را با خودم ببرم، خوش‌حال بودم. روز موعود، نزدیکی‌های ظهر فرستادگان حرم آمدند. اشتیاق دیدن مادر و خانهٔ جدید، غم جدایی از بی‌بی‌جان و ترک باغ و ندیدن الیاس را از یادم برده بود. با عجله راه افتادیم. نزدیک دروازه، الیاس خود را به من و شمس رساند که دوپشته روی اسب کوتوله‌ای سوارمان کرده بودند. اسب را نگه داشت. زانو زد، ابتدا چکمهٔ شمس‌الدین را بوسید و سپس گوشهٔ دامن مرا گذاشت روی چشم راستش. وقتی آن یکی چشم خیسش را با نگاهی تیره و سنگین به من دوخت، دلم ریخت توی سینه‌ام. نزدیک بود از اسب بپرم پایین و برگردم. درست مثل روز خواستگاری، نگاه غریبی داشت. حسی گم در درونم بیدار شد. این مرد که تمام عمرش را به باغبانی و خدمت مخلصانه در خانوادهٔ ما گذرانده بود، چیزی

شوم می‌دانست. دهانم را باز کردم تا حرفی بگویم. اما او فوری چشمش را به زمین دوخت و نشان داد که اصلاً نمی‌خواهد کلامی رد وبدل شود. در حالی‌که زیر لب دعا می‌خواند، تسبیحش را به گردن من انداخت و با دستارش که همیشه به زیبایی برسر می‌بست، چشمانش را خشک کرد. دستی به پشت اسب زد که ما را از جا کند و فرصت نداد حرفی بزنم. من سرگشته و حیران تا وقتی‌که او دیگر دیده نشد، به عقب می‌نگریستم. معمای نگاهش به شدت مشوّشم کرده بود. پدران او به خانوادهٔ پدران من خدمت‌ها کرده بودند و خود او فقط سرباغبان و سرمستخدم و امین و پیشکار پدر و مادرم نبود، بلکه عضوی از خانوادهٔ ما بود که به اصرار خودش درون دایره‌ای بسته، به انزوا و با ابتدایی‌ترین امکانات زندگی می‌کرد و کسی را به جز من به خلوت او راه نبود. هیچ‌کس نمی‌دانست که چرا همیشه تنهاست و فقط به ضرورت حرف می‌زند. اما این را می‌دانستند که او پارساترینِ پارساها است. اهل خانه از ابهت نگاه عجیب او غافل نبودند. از چشمانش و از همهٔ وجودش نیرویی عجیب ساطع بود که گاه حتی آیا را هم که از پدرم نیز نمی‌ترسید، می‌ترساند و به سکوت و ادب وا می‌داشت. من استثنای زندگی او، و شاید غیر از باغ تنها شادی زمینی او بودم. حالا داشتم بی‌خیال و بی توجه، تنها رهایش می‌کردم. شاید آن اندوه وهم‌آور و آن نگاه عجیب به خاطر خودش بود. یادم آمد که هرگاه مادرم به تنهاییَ او اشاره می‌کرد و می‌خواست به وضعش سروسامانی بدهد، می‌گفت: بیگم‌جان، سلالهٔ خراسانی‌ها را عادت به تنهایی و آوارگی است. سروسامان، ما را بیش‌تر بی‌قرار می‌کند. دلم به سختی فشرده شد. سعی کردم با نگریستن به اطراف غم الیاس را فراموش کنم. باغ را پشت‌سر گذاشته بودیم. مزارع پاییزی درو شده را نیز با خرمن‌های طلایی پشت‌سر گذاشتیم. باغ‌های ییلاقی و پرشکوه نوّابِ قونیه را هم در نوردیدیم چیزی نگذشت که باغ‌های قدیمی را نیز با دیوارهای بلند و عمارت‌های کوچک میان‌شان، یکی پس از دیگری رد کردیم و من که تصور می‌کردم خانهٔ شیخ باید یکی از آن‌ها باشد حال که می‌دیدم کاروانمان توقف نمی‌کند، به وحشت افتادم. کم‌کم داشتیم به حاشیهٔ شهر و محله‌های ترک‌های تازه به دوران رسیدهٔ قونیه با خانه‌های پرزرق وبرق می‌رسیدیم. غروب نزدیک بود که ما به دیوارهای شهر

قدیم که جای‌جای فروریخته بود رسیدیم. باغها دیگر تمام شدند. این راه را همیشه برای حمام می‌آمدیم، اما من نمی‌دانم چه‌گونه هیچ وقت این دیوار و این برج و باروهای قدیم و نیمه ویران را ندیده بودم. حتی سربازان ترک که با لباس‌های ترسناک خود آن بالا توی برجها ایستاده بودند، هیچ وقت توجه مرا جلب نکرده بود. نمی‌دانستم آن‌ها از چه مراقبت می‌کنند، اما هرچه بود، حضورشان بیش‌تر احساس ناامنی القا می‌کرد تا امنیت. کاروان دم‌به‌دم به بافت قدیم و دلگیر شهر که در گذشته داخل یک ارگ بزرگ بنا شده بود، نزدیک‌تر می‌شد و ما بی‌آنکه به مقصد رسیده باشیم، همچنان در تیرگی دلگیر غروب، میان کوچه‌های تنگ و زیر نگاه کنجکاو رهگذران به پیش می‌رفتیم. آنجا برای اولین بار فهمیدم که درس خواندن فایده‌هایی هم دارد. لالا در کتاب‌ها برایمان خوانده بود که قونیه در زمان رُمی‌ها قلعه‌شهری ییلاقی، و به لحاظ آب فراوان و خاک بارور و هوای خوب و درختان میوه و باغ‌های زیبا و عمارات باشکوه معروف بوده و چون در گذرگاه شرق به غرب واقع شده بود، پناهگاه مردمانی بوده است که از مقابل شمشیر جهانگشایان وحشی صحراهای شمال شرقی می‌گریخته‌اند و هم از این‌رو به تدریج بزرگ و بزرگ‌تر شده است تا عاقبت در زمان سلاطین ترک به پایتختی سبز و آباد و پربرکت بدل شده نگین ارزروم نام گرفته است. حالا کاروان ما داشت همچنان در کوچه‌های تنگ این «نگین» که قصه‌های فراوان در دل داشت به رفتن ادامه می‌داد. هرلحظه به تعداد بچه‌ها و جوانانی که دنبال کاروان ما راه افتاده بودند، افزوده می‌شد. اضطراب من قابل توصیف نبود. فقط وقتی در چشمان رهگذران که باید خود را به سختی به دیوار می‌فشردند تا ما رد شویم، بارقه‌ای از آشنایی و احترام می‌دیدم، کمی آرام‌تر می‌شدم و تهوع ناشی از دل‌شوره‌هایم تسکین می‌یافت. به نظر می‌آمد بیش‌تر رهگذران می‌دانستند ما که هستیم و به کجا می‌رویم و اگر کسی نمی‌دانست، درگوشی آگاهش می‌کردند. اما من به یک واقعیت دردآور پی برده بودم؛ و آن اینکه، اگر خانهٔ شیخ یکی از این بیغوله‌های پر از موش کور داخل قلعهٔ قدیم نباشد، قطعاً یکی از باغ‌های قونیه هم نیست. موش‌های قلعه واقعاً از گربهٔ ما بزرگ‌تر بودند و اصلاً نمی‌ترسیدند. کنار دیوار، روی دوپا نشسته بودند و

مثل مردمان رهگذر ما را نگاه می‌کردند. با این‌که قیافهٔ خیلی جالب و خنده‌داری داشتند و سر شمس‌الدین را هم گرم کرده بودند، باز آرزو داشتم هرچه زودتر از این کوچه‌های باریک دور شویم و به قونیه‌ی زیبا و روشنی که من همیشه در راه حمام مرمر دیده بودم، برسیم. ما برای حمام هیچ‌گاه از میان قلعه عبور نمی‌کردیم. نمی‌دانم چرا کاروانسالار این راه تنگ و دلگیر را انتخاب کرده بود. به دیوار جنوبی قلعه رسیدیم و بالأخره در انتهای خیابانی پهن و پردرخت که جویباری پرآب هوای آن را طراوت می‌داد، مقابل یک درِ چوبین بزرگ و زیبا که سراسر با نوشته‌هایی کنده‌کاری شده بود، ایستادیم. من داشتم از خوش‌حالی این‌که خانهٔ شیخ همان‌طور که حدس می‌زدم، یک باغ است، بال درمی‌آوردم. از بالای دیوارها درختان تنومند چنار سر برآورده بودند. می‌دانستم هرجا ایرانی باشد، چنار هم هست. دور دیوار باغ ما را هم چنار کاشته بودند. توی دلم قند آب می‌شد. حتماً زیر این درختان، نهرهای آب هم جاری است. جای الیاس خالی. صدای دو رگه و خستهٔ کاروانسالار را شنیدم که به آیاجان می‌گفت: شما، بی‌بی خانم و کنیزک را ببرید بالا ـ کوچه تنگ است باید پیاده بروید ـ امیر زاده و بقیه با من. همین‌که ما را از اسب کوتوله پیاده کردند، چشمانم با چشمان شمس‌الدین ـ برادر کوچک و رقیب زندگی‌ام ـ تلاقی کرد برای اولین بار در تمام عمرمان نگاهمان به هم گره خورد، یعنی نگاه او نگاه مرا متوقف کرد. التماس می‌کرد و چشمانش تبدار می‌نمود. تازه متوجه شده بود که باید از ما جدا شود: او از یک در و ما از در دیگر. برادر زیبا و ظریف من ـ علی‌رغم تلاش‌های لالا برای این‌که از او جوانی پر ابهت و صلابت بسازد ـ هم‌چنان رنگ پریده و لاغر و شکننده بود. رو به‌روی من ایستاده بود و از این که تنها و بدون ما از آن دروازه‌ی بزرگ وارد زندگی تازه شود، می‌ترسید. دلم برای اولین بار به حالش سوخت. ساکت بود و ملتمسانه نگاهم می‌کرد. بعد از رفتن مادرم، من تکیه گاهش شده بودم. اما احساس مسؤولیتی چنان سنگین و آن هم در نبود لالا ـ نخستین بار بود که در وجودم بیدار می‌شد. دست‌های نرم و لاغر و سردش را که به ماهی مرده شبیه بودند، در دست‌هایم فشردم و ناگهان خواهر و برادر شدیم. نگاهش از پشت اشک‌های تب‌دار، سخت مرا به چالشی موهوم می‌خواند و توأمان قدرت و

اعتماد می‌بخشید. چه گونه می‌توانستم او را متقاعد به رفتاری کنم که خودم هم دلیلش را نمی‌دانستم، چرا ما باید از در بالا برویم و او از آن درِ عظیم پر ابهت؟ در گوشش زمزمه کردم: «نترس داداشی! مادر آن‌جا منتظر توست، مگر نمی‌خواهی پیش او باشیم؟». نگاه مستأصلی به دروازهٔ کنده‌کاری شده که می‌گفتند در مدرسه است، انداخت که مرا هم کنجکاوتر کرد. از پشت دیوار همهمه‌ای مردانه می‌آمد ـ اصواتی مرموز، مثل صدای بادهای آخر پاییز که برگ‌ها را به هم می‌ریزند و ذهن آدم را گرفتار وسوسهٔ اتفاقات ناشناخته می‌کنند. به شمس‌الدین حق دادم. من هم نمی‌توانستم تنها وارد آن دروازه شوم و چرایش را هم نمی‌دانستم فقط حس می‌کردم آن سوی این ظاهرِفاخر جهانی ناشناخته ومتفاوت با دنیای ما پنهان شده است. آیا داشت به زحمت از الاغی که زیر وزن سنگین او گوش‌هایش آویزان شده بود پیاده می‌شد. همه جرأتم را به کار گرفتم و با صدایی بلند و مطمئن به‌اوگفتم: به آن‌ها بگو شمس‌الدین هنوز مکلّف نشده؛ او بچه است و ما باید خودمان او را به مادر تحویل بدهیم. اول باور نمی‌کردم که وسط آن خیابان و میان ده‌ها نفر از مردم کوچه و بازار که ما را محاصره کرده، این صدای من باشد که به آسمان رفته است. اما آشکارا دیدم که آیا خانم از تذکر فقهی من لبخند رضایت نثارم می‌کند جای لالا خالی. اما نوکرهای شیخ که نه به زن‌ها گوش می‌کردند و نه نگاه، بدون توجه به حرف من با علامت دست‌هایشان با عجله ما را به سمت کوچه‌ای که می‌گفتند آن طرف عمارت مدرسه است می‌راندند. من درحالی که خشم در وجودم زبانه می‌کشید، تقریباً با جیغ حرفم را تکرار کردم. کاروانسالار تنومند که بخشی از سبیل‌های رو به آسمان تابیده‌اش را در تمام طول راه از پشت سرش دیده بودم و حالا عمامهٔ بزرگ و سفیدش در تضاد با تیرگی غروب او را وحشتناک‌تر هم کرده بود، بی آن‌که ما را بنگرد، غرید که «تصمیم با ما نیست. نواب در حیاط مدرسه منتظر ایشان هستند، نه در حیاط حرم». سرم را بالا گرفتم و پیکر نحیف برادرم را به خود فشردم. با وجدانی ناراحت که چرا تا کنون به خاطر حسدی بی‌جا به این موجود شکننده بیش‌تر نپرداخته‌ام، آستین آیاخانم را با خود کشیدم و هردو ـ سرد و بی‌اعتنا به چشم‌غره‌ها ـ او را تا پشت آن در بزرگ بدرقه کردیم و بعد زیر نگاه‌های کنجکاو

مردم به دنبال نوکران راهی کوچهٔ بالا شدیم. آیاخانم برای این‌که جایگاهش را به رخ بکشد، بی‌درنگ و آمرانه به کاروانسالار برای مراقبت از صندوق‌ها سفارش‌های غضبناکی کرد. او هم چشم‌غرهٔ ترسناک تحویلش داد و چیزی زیر لب گفت که همهٔ مردان شنیدند و خندیدند. آیاخانم با متانت تحمل کرد. اما من دلم می‌خواست کسی به این چاروادار بگوید که ما که هستیم. این میان پرده را ابداً نپسندیدم.

من نگران صندوق‌ها نبودم؛ نگران پیچی بودم که ما را دوباره از آن خیابان پهن زیبا به کوچه‌ای تنگ ـ یعنی آخرین کوچهٔ جنوبی قلعه ـ کشاند؛ نگران دیوارهایی بودم که دوباره چندان بلند شدند که هیچ چناری از پشت‌شان سرک نکشیده بود؛ نگران درِ حقیر و چرکی بودم که نوکرها آن را به آیاخانم نشان دادند و رفتند، و من شنیدم که گفتند «در حرم» است ـ دری که مطمئناً نمی‌توانست به خوش‌بختی باز شود. ما عمارت مدرسه را دور زده بودیم و حالا داخل کوچهٔ بالا رو به‌روی در حرم خشکمان زده بود. بالأخره آیا خانم دستش را دراز کرد و کوبه را به صدا درآورد. بعدها فهمیدم هیچ زنی از در مدرسه، و هیچ مردی از در حرم حق عبور ندارد. درِ محقر باز شد و در میان چهارچوب زنی ایستاده بود که با همان اولین نگاه فهمیدم ایرانی است. ایرانی‌ها نگاه روشنی دارند. طرح چهره‌شان طوری‌ست که گویا همیشه لبخند می‌زنند، حتی اگر از کسی خوششان هم نیاید؛ و تو هیچ‌گاه نمی‌توانی مطمئن باشی دربارهٔ تو چه فکر می‌کنند. مثلاً چهرهٔ مادرم با همه‌زیبایی فقط وقتی‌که می‌خندد، روشنی می‌گیرد. اما دایه خانم این روشنی را در همهٔ حالت‌ها در چهره داشت، حتی حالا که با همهٔ ما قهر بود. آن‌قدر همه چیز مأیوس‌کننده بود که دیگر برایم فرق نمی‌کرد چه پیش می‌آید و آن زن کیست و کجایی است .آیاخانم و زن، تعارفاتی ردوبدل کردند و آیا با کمی زحمت از در تنگ و کوتاه داخل شد. پشت سرش من و اوجی وارد شدیم. و در برابرمان دهلیز تاریکی بود که از طاقیِ انتهایش نور مشعلی به چشم می‌خورد. دیگر همهٔ امیدهایم بکلّی قطع شد. پیش از آن‌که به سمت نور برویم، می‌دانستم دیگر باغی در کار نخواهد بود. اما اندک تصور گذرایی هم از خانه‌ای در انتهای آن دهلیزِ وهم‌انگیز و بدون باغ نداشتم. تنها دل‌گرمی‌ام دیدن دوباره مادرم بود که

پس از آن همه مدت، می‌توانست اندوهم را سبک‌تر کند. هنوز درِ کذایی را نبسته بودند که چیزی به سرعت برق از درون کوچه و با یک جست خود را به من چسباند. همه دسته‌جمعی چنان جیغی زدیم که از صدای یکدیگر بیش‌تر ترسیدیم. من ابتدا فکر کردم یکی از موش‌های بومی قلعه است. مثل صرعی‌ها می‌خواستم با تکان‌تکان خودم را از چنگال بختگی‌اش نجات دهم. اوجی یک باره به طرفم دوید، گویا چشمش در تاریکی بهتر می‌دید. درحالی‌که گردن جانور را گرفته بود، تکرار می‌کرد: سلطانه! سلطانه گربهٔ عزیز کردهٔ شمس‌الدین بود که قرار شده بود در باغ بماند. گفته بودند، این‌جا برای او جایی نیست. اوجی به زحمت گربه را از دامن من جدا کرد. واقعاً به سختی می‌شد باور کرد که آن جانور گلی و لیز که با چنگ و دندان با اوجی مبارزه می‌کرد همان گربهٔ سفید و ملوس ما باشد. حیوانکی از شدت عرق خیس خیس شده بود و خاک پشم‌های بلندش را پوشانده بود.آیاخانم که همیشه از او متنفر بود از فرصت استفاده کرد و خواست تلافی همهٔ دردسرهایی را که سلطانه تا آن لحظه فراهم آورده بود برسرش خالی کند. با زحمت هیکل گندهٔ او را نگاه داشتم تا حیوان خسته را زیر لگد له نکند. بیچاره معلوم بود تمام راه را دنبال کاروان ما دویده و نمی‌دانم چه‌طور از دست بچه‌های کوچه جان به در برده بود. حتماً از راه آب‌ها و بالای دیوارها خودش را رسانده بود و نمی‌دانستم چرا دنبال شمس‌الدین نرفته و دنبال ما آمده است. شاید چون کوچهٔ بالا خلوت‌تر بوده بیش‌تر احساس امنیت می‌کرده است به هر تقدیر نیمه جان و وحشی می‌نمود. با التماس از همه خواستم که به حال خود بگذارندش. به گوشه‌ای از دهلیز خزید و با چشمان درشت و سبزش از توی تاریکی مراقب ما بود. از صدای جیغ ما تمام ساکنان حرم به جلو دهلیز هجوم آورده بودند. سایه‌هایشان را می‌دیدم و صداهایشان را می‌شنیدم. همه باهم حرف می‌زدند و خیلی هیجان زده بودند. بالأخره خودمان را جمع و جور کردیم و در تاریک وروشن از پله‌ها پایین رفتیم. نگاهم به دنبال مادرم می‌گشت، اما به جای او که دلم برایش پر می‌کشید، یک خیل زن غریبه کوتاه و بلند با چهره‌های کنجکاو در برابر ما ردیف ایستاده بودند. هریک به طریقی پوسیده بودند. یکی از مو، یکی از چشم، یکی از پوست، و بیش‌تر -

یعنی همگی ـ از دندان. بدون خجالت و مستقیم ما را می‌نگریستند و بعضی‌هایشان حتی به لباس و سربند مرصع حریر من که خاک‌آلود و کثیف شده بود دست می‌کشیدند. زیر نور کم‌رنگ مشعل به ارواحی می‌مانستند که با دهان‌های خالی دارند به من لبخند می‌زنند.سراپای وجودم را ترس گرفت. آهسته از آیا پرسیدم پس مادرم کو؟ یأس و خستگی راه جای خود را به وحشتی بی‌تاب کننده آمیخته با میل به فرار داده بود. مستأصل چشم به دهان آیا داشتم. پیش از این‌که او از زن‌ها چیزی بپرسد، زن ایرانی که در را باز کرده بود با مهربانی مصنوعی گفت: بیگم جان در زاویه منتظر شما هستند. زاویه برایم اسم ناشناخته و عجیبی بود. نمی‌توانستم مجسم کنم به چه‌جورجایی زاویه می‌گویند. تاریک شده بود و از جزئیات حیاطی که تویش وارد شده بودیم، جز دیوارهای بلند و حوضی کوچک که آبش زیر نور پیه سوزها برق می‌زد با چند درخت قوزی اطراف حوض، چیز دیگری دیده نمی‌شد. آیاخانم مثل این‌که وحشت و غرابت درون مرا درک کرده باشد، دستش را دور شانه‌ام گذاشت و گفت: بی‌بی‌جان، این‌جا حرم است و خاتون در قسمت دیگری از خانه که اقامت‌گاه حضرت شیخ است ساکن است. بعد آهسته‌تر گفت: دعا کن برای ما هم جایی در آن طرف منظورکرده باشند. زن ایرانی و ما از جلو و بقیه اشباح از پشت سر به سمت آن بنا روانه شدیم. در انتهای حیاط بقیه ماندند و ما دوباره از چند پلهٔ تاریک بالا رفتیم. در برابرمان راهرویی دیدم که در انتهایش دری باز بود و نور مطبوعی از درونش راهرو را روشن می‌کرد. داشتم به صحنه‌های محتمل بعد می‌اندیشیدم که ناگهان سایه و سپس پیکر کشیدهٔ مادرم مثل یک فرشته توی چهارچوب در، ظاهر شد. سریع‌تر از تیر که از چله کمان رها شود، به سویش دویدم. مدت‌ها گذشت تا فهمیدم چرا او به جای این که آغوشش را به رویم بازکند، یک لحظه با وحشت دست‌هایش را روی شکمش گذاشت. خدا را شکر که آدم همه چیز را نمی‌بیند. وگرنه لحظه شیرین غرقه شدن در آن آغوش معطر، برایم چه تلخ می‌شد. پشت سر مادرم، شمس‌الدین درحالی که گوشهٔ سربند ابریشمی بلند او را در دست داشت، ایستاده بود. چشمانش از گریه سرخ بودند. با آن‌که بیش از دوازده سالش بود، اما چهره‌اش بسیار کودکانه می‌نمود. معلوم بود آن‌قدر بی‌تابی

کرده که ناگزیر او را پیش مادرم آورده‌اند. کاروانسالار گفته بود او و پسران شیخ پس از نماز مغرب در سفره‌خانه به ما می‌پیوندند. به غیر از زن ایرانی همگی وارد اتاق شدیم.جز ما کسی آن‌جا نبود. خوش‌حال بودم از این‌که مادرم را در خلوت می‌بینم، باید چیزی را حتماً به او می‌گفتم. دیگر صبرم تمام شده بود. خودم را به گردنش آویختم و با التماس گفتم: مادر! تو را به خدا برگردیم خانهٔ خودمان. من از این‌ها می‌ترسم، از این‌جا بدم می‌آید، من هرگز این‌جا نمی‌مانم ... بقیهٔ حرف توی دهانم خشکید. پشت سر مادرم جلو یک در، در انتهای تاریک تالار، غریبه‌ای با یک جفت چشم بزرگ و کنجکاو مرا می‌نگریست. برخلاف تصورم ما تنها نبودیم. با نگاه وحشت‌زدهٔ من، مادرم نیز به آن سمت نگریست و لبخندی پرمعنی زد. سپس با آرامش و وقار همیشگی‌اش گفت: «دخترم خانهٔ ما از این به بعد این‌جاست.» خم شد و آهسته‌تر گفت شما حالا خسته هستید و تنگ غروب هم رسیده‌اید. چیزی از خوب و بد این خانه نمی‌دانید. کمی صبر داشته باش. تو که این‌طور بی‌قرار نبودی. حالا شمس‌الدین را بگویی، هنوز بچه است. از تو انتظار بیش‌تری داشتم. بعد کمی عصبی خودش را از چنگ من رهاند و در حالی‌که دستم را با فشاری تنبیه‌دهنده می‌فشرد، به صاحب آن چشم‌های شیطان گفت: علاءالدین، پسرم بیا با خواهر تازه ات هم آشنا شو. شاید مادرم دست و پا می‌زد که تأثیر حرف‌های مرا از ذهن آن مهمان ناخوانده پاک کند. اما او اصلاً ناراحت به نظر نمی‌رسید. من در نگاهش هم هیچ اثری از دلگیری ندیدم. حتی به طرز نامحسوس کمی موافق هم می‌نمود. من از همان لحظه با او به یک حس توافق پنهانی رسیدم. ضمناً تنها موجود غیرترسناک آن خانه می‌نمود. صورتی پاک و معصوم و نگاهی زلال داشت.بالا بلند بود و برخلاف بقیه از همه وجودش گرما و سلامت و غرور می‌تراوید. مادرم با گلایه رو به آیا کرد و گفت: از بس این پسر بی‌تابی کرده، حضرت خداوندگار او را داده‌اند چلپی علاءالدین بیاورد این طرف. طفلک به خاطر برادر تازه واردش از ثواب نماز اول وقت امشب هم محروم مانده است. پسر نوجوان لبخند محجوبی زد و به جای پاسخ با چشمان نجیبش مادرم را عاشقانهٔ برانداز کرد. حسودیم شد. هیچ کس حق نداشت مادرم را بیش از من دوست بدارد. اما کاملاً مشخص بود که بین آن دو

رابطه‌ای عمیق برقرار شده است. این خاصیت مادرم بود، کسی از کنارش رد نمی‌شد که به او دل نبازد. غریبه نگاه حسودم را در هوا شکار کرد و دوباره همان لبخند نامحسوس را توأم با نگاهی دزدیاب نثارم کرد. ناگهان مار خشم در درونم صفیر کشید. او به چه حقی مرا این‌طور حقیرانه می‌نگریست؟ عجیب بود، با آن‌که خشمگین شده بودم، از او بدم نمی‌آمد. حس شیرین و غریبی از دیدن نگاه بی‌پروایش در درونم زبانه کشید. چنان‌که او ستبر و مطمئن و شوخ، اما آکنده از محبت کنار برادر رنجور و ترسیده و رنگ‌پریده‌ام ایستاده بود، باید که از او بدم نمی‌آمد. تضادی که به نفع او و در خدمت او بود.

خود را جمع و جور کردم و با گردنی راست چشم غره‌ای رفتم. او باز هم با همان لبخند کذایی جواب گفت. از خستگی نای مقابله نداشتم. رویم را برگرداندم و روی مخده‌ای نشستم که به شمس‌الدین نزدیک‌تر بود که اگرچه دلم به حقارتش می‌سوخت اما می‌خواستم به آن غریبه‌ی لوده بفهمانم که من احتیاجی به برادر تازه ندارم و همین یک برادر ـ هرچند بلغمی‌مزاج مرا بس است. سرم را برگرداندم و با مهربانی مبالغه‌آمیزی به شمس‌الدین گفتم: داداش یک مژده برایت دارم. حدس بزن چیست؟ در جواب نگاه خالی و گول او که اصلاً حوصله این بازی‌ها را نداشت، من داشتم با هیجان تعریف می‌کردم که چه‌گونه سلطانه دنبال ما آمده و حالا هم در دهلیز ورودی حرم قایم شده است که گویی چرتش پاره شد. نگاه ناباوری به اطراف انداخت و ناگهان مثل دانهٔ اسفند از جا پرید و به سمت دری که ما از آن وارد شده بودیم دوید. آیاجان با سرعت او را نگاه داشت و با اعتراض به من گفت، آخر حالا وقت این کارهاست؟ چه جوری آن‌جا توی تاریکی جانور را پیدا کنیم؟ با لجبازی بلند شدم و گفتم، خودم پیدایش می‌کنم. پیداکردن گربه در تاریکی کاری ندارد، چشم‌هایش برق می‌زند. پسر شیخ این بار از خنده ریسه رفت. خوش‌حال شدم که حرف بامزه‌ای زده‌ام. من هم صمیمانه با او خندیدم و او را بخشیدم. با خود گفتم گناه بزرگی نیست که یک نفر می‌تواند به راحتی بخندد. و همان لحظه که مغرور و با وقار یک برادر بزرگِ خوب، بلند شد، دست شمس‌الدین را که با آیا کلنجار می‌رفت، گرفت و پیه سوزی برداشت و در حالی‌که نگاه معنی‌داری به آیا خانم می‌انداخت باهم از

تالار خارج شدند، دیگر همه چیز برایم رنگ دیگر گرفت و من او را به برادری پذیرفتم. من در تمام عمر نیازمند چنان برادری بودم که مرا در مقابل آیا خانم و بقیه با شجاعت حمایت کند. دیدم که نگاه محبت‌آمیز مادرم نیز بدرقه‌ی راهش است و گویا متوجه کنجکاوی حَسَدآلوده من نیز شده بود. زیرا با حالتی آمیخته به پوزش گفت: «طفلکی به خاطر مادرش خیلی غصه خورده. همین است که دلم برایش می‌سوزد و سعی می‌کنم برایش کاری بکنم. بیچاره‌ها ـ او و برادر بزرگش ـ برای تحصیل در دمشق بوده‌اند که ناگهان مادرشان مریض می‌شود و خیلی زود از دست می‌رود. تأثیر این ضایعه هنوز هم در این بچه‌ها دیده می‌شود. باهم سازگار نیستند و این برادر کوچک‌تر خیلی تنهاست. باکسی هم نمی‌جوشد. گاهی فکر می‌کنم بچه‌ها در زمان مهاجرت پدر و مادرشان از ایران شاید چون خیلی کوچک بوده‌اند، از دربه دری‌ها و سختی‌ها صدمه روحی دیده‌اند و برای همین است که با دیگران و یک دیگر ناسازگارند. اگر دایهٔ بیچاره‌شان نبود، حتماً تا حالا یکی دیگری را کشته بود، باید ببینی چه‌قدر پدرشان از این که هر دو به من علاقه‌مند شده‌اند، خوش‌حال است. من هم خوش‌حالم و واقعاً دوستشان دارم. پدرشان ـ خداوندگار ـ هرچه می‌توانسته کرده، اما بی‌فایده بوده است. من اصلاً سر در نمی‌آورم که انسان به این بزرگواری، با این همه فضیلت، با این همه مهربانی و آرامش، چرا باید اسیرچنین مشکلی باشد. فقط می‌دانم که ما همه باید سعی کنیم جای خالی یک خانوادهٔ صمیمی و مهربان را برای این‌ها پر کنیم.

مادرم حرف می‌زد و من حواسم جای دیگر بود. خوش‌حال بودم که باز تنها شده‌ایم. حرفش را قطع کردم و ملتمسانه گفتم: مادر! نمی‌شود همه برگردیم باغ؟ این‌ها هم با ما بیایند همان جا؟ من این‌جا را دوست ندارم. آیاجان هم دوست ندارد، شمس الدین هم دوست ندارد.مادرم نگاهی پرمعنی به آیا کرد. اودست‌پاچه جواب داد «خاتون خدا را شاهد می‌گیرم که من به کیمیا چیزی نگفته‌ام. اما حالا که حرف شد، راست می‌گوید. دروغ چرا؟ من هم دوست دارم همه باهم توی خانهٔ خودمان باشیم.» حالت و رنگ مادرم ناگهان تغییر کرد. او را هرگز این‌طور ندیده بودم. او هیچ‌گاه اختیار از کف نمی‌داد. نگاه سختی به آیا کرد و برای این که من هم جوابم را گرفته باشم، نیم نگاهی از همان قماش هم به من

انداخت انگشت سبابه‌اش را به سوی آیا گرفت و با صدای بلند گفت: «خوب حواستان را جمع کنید! زندگی مسخره نیست که هر روز بکش واکش داشته باشد. اولاً این شما بودید و حرف‌هایتان که مرا عاقبت وادار به ازدواج کرد. من اصلاً چنین قصدی نداشتم، شما بودید که هر روز بساطی تازه برایم پهن می‌کردید، حالا هم باید تحملش کنید. من ابداً گله‌ای ندارم و از این ازدواج بی‌اندازه راضی‌ام. اما اگر رضایت هم نمی‌داشتم، همهٔ حیثیت آن مرحوم را در طبقی از این خانه به آن خانه نمی‌کردم. حالا هم همگی بدانید، مرا فقط مرگ از این خانه بیرون می‌برد؛ سرکار را هم ـ خانم کوچولو! انشاءالله اگر لیاقت کافی نشان دهید، همسر آینده‌تان! شما هم آیاجان مختارید، می‌توانید برگردید در باغ بمانید. دایه خانم منتظر یک اشارهٔ من است که جای شما را بگیرد و دلم نمی‌خواهد دیگر هیچ‌گاه دوباره در این باره چیزی بشنوم. آیای بیچاره دهانش را باز کرد تا چیزی بگوید، اما دیر شده بود. از در پشت تالار صداهای مردانه‌ای به گوش می‌رسید. مادرم به سرعت شال ابریشم سفید بلندی را که تا زانویش می‌رسید به خودش پیچید و نگاهش را که مملو از احترام وانتظار بود به در کوچکی دوخت که در انتهای تالار بود. نمی‌دانم چرا خوشم نیامد و ناگهان وجود خود را آن‌جا زیادی دانستم. دلم می‌خواست بروم بیرون فقط نمی‌دانستم به کجا. ناگهان با مادرم غریبه شده بودم. همهٔ حالاتش برایم تازگی داشت. این آن کسی نبود که من می‌شناختم. مثل این‌که موجود دیگری در جسم مادرم حلول کرده بود. همهٔ شوقم برای با او بودن به یک باره رخت بربست. حالا این باغ بود که دوباره در وجودم می‌تابید. در باز شد و دو مرد جوان وارد شدند. نمی‌توانستم باور کنم که یکی از آن دو، همان شیخی است که در خانهٔ خودمان دیده بودم. دیگری هم پسر بزرگش بود که برای شیخ ـ از بس حالا سرحال و جوان به نظر می‌رسید ـ به برادر کوچک بیش‌تر شبیه بود. شیخ با مهربانی حال مادرم را پرسید و تا چشمش به من افتاد، صورتش غرق در خوش‌حالی صمیمانه شد و خوش‌بختانه کمی تأثیرات نامطلوب لحظات پیشین ذهن مرا زدود، جواب سلاممان را بلندبالا داد و با حالتی پدرانه مرا کنار خودش نشاند. دلم می‌خواست می‌توانستم فرار کنم. گویا متوجه بی‌قراری من شد. دست‌هایش را

که از حد معمول داغ‌تر بودند، روی شانه‌ام گذاشت و گفت: دختر جان به خانهٔ خودتان خوش آمدید. راه سخت که نبود؟ مثل دفعهٔ پیش حضورش چنان جذبه داشت که به سختی می‌توانستم نگاهم را بالا ببرم با تکان سر گفتم: نه. گفت: آن برادر دیگرت را که حتماً دیده‌ای، باید همین جاها باشد این یکی هم بهاءالدین محمد پسر بزرگ و یار و یاور ماست.

از این یکی که اصلاً خوشم نیامد، به‌خصوص وقتی با صدای گستاخ و حاکمانه‌ای از مادرم پرسید: این علاءالدین کجاست؟ مادرم ماجرای سلطانه را واگویه کرد. او با خشمی ساختگی گفت: آخر این وقت شب کدام ... و ناگهان با نگاه سنگین شیخ، حرفش را قورت داد و با دلخوری سرش را پایین انداخت. شیخ گفت: بانو ضیافت شام امشب چه می‌شود؟ مادرم آسوده‌خاطر و خوش‌حال از این که حالا آیا خانم دوباره دم دستش بود نگاهی پرمعنی به او کرد. او نگاهی گیج به اطراف کرد و عاقبت دست اوجی را گرفت و کشان‌کشان با خود برد. برای اولین بار در زندگی دلم برای آیا سوخت. حالا حتماً باید با همهٔ خستگی‌ها به آن حیاط برگردد و با خدمهٔ شیخ هم‌کاری کند، آن هم در همان اولین شب ورود. نمی‌دانستم چرا خدمهٔ شیخ خودشان نمی‌توانستند بساط شام را ترتیب دهند. لابد مادرم تمام این مدت خودش سفره را آماده می‌کرده است. مادرم اصلاً با کار خانه آشنا نبود و در آن جا هم نباید از آشپز و سفره‌دار و سایرین خبری بوده باشد. فقط نمی‌دانستم چرا با آن همه سختی، خوش‌بخت و راضی به نظر می‌رسید.

قبل از آن‌که دوباره در افکار بد غرقه شوم علاءالدین و شمس‌الدین ـ در حالی‌که گربه‌ی کثیفش در آغوشش لمیده بود ـ از در وارد شدند. بهاءالدین نیم‌خیز شد. خداوندگار با فشار دستی برشانه‌اش او را سرجایش نشاند؛ با متانت تازه واردها را نزد خود خواند و نشانید. از نو نگاه سنگینش را نثار نایبش کرد و علاءالدین را به خاطر نجات حیوان ستود. بعد خودش حیوان عرق آلوده را با احتیاط از برادرم گرفت و با مهربانی روی زانویش گذاشت و شروع کرد با زبانی شیرین به او بد و بیراه گفتن. سلطانه با چشم‌های زیبایش، چند لحظه او را به تردید نگریست، اما بعد ـ گویی منتظر این احوال‌پرسی صمیمانه باشد ـ آهسته

آهسته جواب داد، آن هم با ناز و کرشمه‌ای که همه را به خنده واداشت. در تمام مدت شام گربه روی پای راست شیخ نشسته بود و با او هم لقمه بود، و من نمی‌توانستم آنچه را می‌دیدم باور کنم. دیدگان مادرم هم ازلذت نظاره این صحنه خمار شده‌بود. باهمهٔ خستگی متوجه شدم که علاءالدین نگاه‌های پیروزمندانه‌ای به‌بهاءالدین می‌اندازد که از چشمانش آتش می‌بارید. هرچه پیش می‌آمد، هیجان داشت. حیف که شمس‌الدین خیلی زود از خستگی سرش را روی زانوی مادرم گذاشت و به خواب رفت. شاید این اولین خواب آرام او بعد از آن همه مدت بود. اما من که حالا حس غربت از وجودم رخت بربسته بود، بیداربیدار بودم و خوشبین‌تر به روابط و به آینده می‌نگریستم.

شام خانوادگی صمیمی، زیر نگاه‌های گرم و مهربان شیخ، همراه با شیطنت‌های پسر کوچکش علاءالدین حالم را خیلی بهتر کرده بود. عاقبت من هم در اولین شب ورود به خانهٔ تازه خوابی آرام و عمیق و رضایت‌بخش را در کنار مادر دلبندم تجربه کردم.

هنوز هوا تاریک بود که به صدایی بیدار شدم. مدتی طول کشید تا فهمیدم صدای اذان است. صدا تا رگ و پی‌ام نفوذ می‌کرد و مثل ریسمانی از نور ذهنم را با آسمان‌ها پیوند می‌داد. نخستین بار بود که در عمرم چنان احساسی را تجربه می‌کردم. اذان همهمه‌ها و آمدوشدهایی را هم برانگیخته بود. من در آن ساعت‌ها فقط باصدای جاروی باغبان‌ها اُخت بودم، اما صداهای دیگری به گوشم می‌رسید. توی رخت‌خواب نشستم و وقتی در تاریک روشنِ اتاق چهرهٔ شمس‌الدین را که هنوز خواب بود تشخیص دادم، تازه یادم آمد کجا هستیم. بستر مادرم خالی بود و اوجی برخلاف همیشه پایین پایم نخوابیده بود. صدای زیبای مؤذن مثل حریر گل‌بهی از روزن سقف سرریز می‌کرد. و من و افکارم را با درو دیوار و چیزهای دیگر در خود می‌پوشاند. نمی‌توانستم فکرم را متمرکز کنم. یعنی مادرم کجا رفته بود؟

دوباره سرم را روی بالین یله کردم و کوشیدم بخوابم. اما دیگر خوابم نبرد. وقتی صدای خش‌خشَ لباس مادرم را شنیدم، با این‌که خوش‌حال شدم، چشمانم را بستم. آمد لحاف شمس‌الدین را صاف کرد و کنار من دراز کشید و

چشمان زیبایش را بـه سـقف دوخت. نـمی‌دانست بـیدارم. از لای چشـم اورا زیرنظر داشتم. هیجان روزی که در پیش بود، ذهنم را انباشته بود. دیروز را هم اصلاً در ذهن نداشتم به مژگان بلند مادرم، و عاج صورت و گردن و بازوانش که حالا پریده رنگ‌تر می‌نمودند، نگریستم. خدایا آیا تو تاکنون زنی زیباتر از مادر من آفریده‌ای؟ چه قدر دوستش داشتم. درکنار او بودن را حتی در آن خانهٔ زشت، با همهٔ دنیا عوض نمی‌کردم. ناگهان نمی‌دانم چه کرده بودم که رویش را به طرف من گرداند.غافلگیر شده بودم، سخت خجالت کشیدم. آهسته پرسید: چرا نمی‌خوابی؟ با دست‌پاچگی و لکنت، دنبال توضیح قـانع‌کننده مـی‌گشتم . . . عاقبت گفتم:

ـ مادر! چرا باید دخترها شوهر کنند؟ بعد شوهرشان بمیرد و به قول شما از این خانه به آن خانه شوند؟ چرا نباید تا آخر عمر پیش کس وکارشان بمانند؟

لبخندی زد و به طرف من چرخید، دستش را روی گونه‌ام گذاشت. چه‌قدر دستش برعکس همیشه زبر و سرد بود. گفت: داری از خودت می‌گویی؟

غافل‌گیر شده بودم. پدرم بارها زیرکی و فراست مادرم را ستوده بود، اما من اولین بار بود که خودم را به طور جدی در بند تیزهوشی‌اش گـرفتار مـی‌دیدم. هرچه دست و پا زدم، فروتر رفتم.

خودش نجاتم داد. صورتم را به لطافت نسیم بهاران بوسید و گـفت: عـزیز دلم!من تا آخر عمر تو زنده نیستم. شمس‌الدین هم زن می‌گیرد و می‌رود دنبال زندگی خودش! این فکرها توی کلهٔ کوچک تو چه‌کار می‌کنند؟ چرا باید شوهر دخترها، مثل شوهر من بمیرند؟ من تو را به کسی نمی‌دهم که مردنی باشد. به قول دایه خانم «شاه بیاد با لشکرش، آیا بدم، آیا ندم»؛ به شرط این‌که دختر خوبی باشی. تو همیشه خوب بودی، اما حالا باید دقت کنی که ما همه در وضعیت تازه‌ای هستیم و کمی طول می‌کشد تا جا بیفتیم. ما که نباید آبروی پدرت را به باد دهیم. حالا که با آن همه تنهایی، خداونـد مـا را در سـایهٔ انسـان خـوب و مهربانی پناه داده است، باید همهٔ سعی‌مان را به کار ببندیم. زنـدگیِ ایـن‌جا بـا زندگیِ ما درکوشک تفاوت بسیار دارد. اولاً مقام ایشان به عنوان سرآمد علما و مفتی شهر، ایجاب می‌کند که خانواده‌اش نمونهٔ یک خانوادهٔ پارسا و متدین و

مسلمان باشد. پس ما باید سر و وضع و لباس و آداب و گفتارمان را با شأن او متناسب کنیم. دیگر این‌که، اگرچه ما همیشه مسلمان بوده‌ایم و هستیم، اما آن وقت‌ها بیش‌تر ماه رمضان مسلمانی می‌کردیم. حالا باید هر دوازده ماه مسلمان واقعی باشیم. تو هم باید یواش یواش نمازت ترک نشود. امروز چون مسافر و خسته بودی گذشت، ولی از فردا باید صبح، بعد از اذان، همراه دیگران نماز صبح را بخوانی. خلاصه این‌که شاید دیروز آخرین روزِ کودکی تو بود. تو از امروز که آفتاب سربزند، یک خانم تمام و کمال خواهی شد. فقط در این صورت است که زیر سایهٔ بلند این پدر تازه که می‌بینم تو هم او را پسندیده‌ای و متناسب با شأن والای او که اگر از پدرت بیش‌تر نباشد کم‌تر نیست، انشاءالله بتوانم تو را به موقع و شایسته به خانهٔ بخت بفرستم؛ خانه‌ای که در آن مثل یک شاه‌زاده‌خانم با خوشبختی و عزت زندگی کنی و بچه‌های زیادی بیاوری. چه دیدی دخترکم، شاید اصلاً ملکهٔ عالم شدی؛ چیزی کم نداری و چرا که نشوی؟ اصلاً بعید نیست. با منزلتی که این خانواده نزد سلطان کی‌قباد دارند، اگر سلطان بدانند که خداوندگار حالا دختری به کمال و جمال تو دارد، حتمی است که فرمان خواهند داد نام تو را در سیاههٔ اسامی دخترانی که شایستگی همسری با ولیّ عهدش را دارند، ثبت کنند. هردو خندیدیم. شوخی یا جدی خیلی از این فکر خوشم آمد. همیشه زندگی ملکه‌ها وقصرها و عروسی‌های هفت شبانه روزی‌شان ولباس‌ها و تاج‌هایشان که همه الماس‌نشان بودند، مرا به رؤیا فرو می‌بردند. این‌ها را از قصه‌های آیاجان می‌شناختم و حتی یک بار روزی که با پدر و مادرم برای سلام عید به قصر سلطان رفته بودیم با چشمان خودم ملکه عالیا را در حرم دربار دیده بودم و بدم نیامده بود که آدم ملکه‌ای باشد با آن همه جلال و شکوه و عزت و احترام، و چندین ندیمه با لباس‌های آراسته همیشه در اطراف آدم آماده‌ی انجام دستورات باشند و مردم هم از چپ و راست دایم تحسینش کنند. البته همان روز هم مادرم به نظر من از ملکه زیباتر بود. به روزهایی فکر می‌کردم که از صبح تا شب بالباس‌ها و جواهرات زیبا در معیّت ولیعهد با ده‌ها ندیمه در خیابان‌های پهن باغ‌های تودرتو با قوهای سیاه وسفید در استخرهای صد فواره و آبشارها و گل‌های نایاب وچرنده‌ها وپرنده‌های عجیب وغریب، مست ازعطر نارنجستان‌ها

راه خواهم رفت که مادرم گفت.

اما تا آن روز باید خیلی مواظب باشی. این دو سه ساله باید چنان شهرتی از کمال و جمال و عفاف تو در قونیه بپیچد که همهٔ امیرزاده‌های ایران و ترک و روم و بغداد برای خواستگاریت رسول روانه کنند. این دیگر یک شـوخی نبود. او جدی صحبت می‌کرد و می‌دانست از چه صحبت می‌کند. مگر نه اینکه خودش هنوز هم خواستگارانی از امیران و امیرزاده‌ها داشت.

خود را از شدت شوقی که نفسم را بند آورده بود به او چسباندم و گفتم قول می‌دهم، ولی شما هم قول بدهید هروقت آقای شیخ مسـافرت هسـتند مـثل امشب بیایید پیش من بخوابید و مثل الآن با من حرف بزنید تا...

نگذاشت حرفم را تمام کنم. با چهره‌ای کاملاً جدی گفت، اولاً «آقای شیخ» نه، باید ایشان را پدر خود بدانی و پدر هم صدا بزنی و اینجا هم کسی به ایشان «شیخ» نمی‌گوید. ایشان خـداونـدگار ایـن خـانـه هسـتند و «خـداونـدگار» هـم صدایشان می‌زنند.

از اینکه هر وقت مادرم می‌خواست راجع به او حرف بزند صورتش این‌قدر خشک و جدی می‌شد، خوشم نمی‌آمد. اما حلاوت وعده‌هایِ چند لحظه پیش چنان زیر زبانم بود که تلخی تعصب غیر ضرور او خیلی اثر نکرد. هـوا هـنوز روشن نشده بود. بوسه‌ای محکم و بلند از گونه‌های رنگ‌پریده‌اش گرفتم، بـا چشمانی آب‌دار از سر صدق و همان‌طور که دست‌هایم دور گردنش حلقه بود، مست از عطر وجودش و به امید خواب‌های خوش، چشمانم را بستم.

نزدیک ظهر بود که آیاخانم بیدارم کرد. تالار گوشه را بـرای ضیافت زنانه آراسته بودند نمی‌دانم برای معرفی ما بود، یا از نو مهمانی عروسی ترتیب داده بودند که سورش را نخورده بودیم. هرچه بود، میهمانی مهمی بود که همسران بزرگ‌زادگان همگی دعوت شده بودند و مقدماتش به دستور شیخ از چند روز پیش فراهم آمده بود. از اینکه میهمانی تا حدی به ما مربوط می‌شد، احساس رضایت و غرور کردم. می‌گفتند آشپز بسیار معروف قونیه را که از اهالی دمشق است، آورده‌اند، وقتی همه دور سفره نشستیم، علاوه بر غذاهای رنگارنگ که از بهترین و خوش‌مزه‌ترین و اشرافی‌ترین غذاهایی بود که می‌پخت، خوراکی هم

خاصهٔ عروس‌خانم تهیه دیده بود که خود شخصاً ظرفش را با آب و تاب بسیار بالای سفره، جلو مادرم گذاشت که با رنگ‌پریده در پرنیان آبی، فرشته‌سا و اثیری می‌نمود، اما نفهمیدم چرا تا درِ ظرف را برداشتند، ناگهان همان اندک خون هم از چهره‌ی مادرم گریخت و او مستأصل جلوِ دهانش را گرفت، نفسش به شماره افتاد و حالش به هم خورد. اما با ادب اشرافی که همیشه در هر حرکتش مشهود بود، خود را نگاه داشت و به سرعت از جایش بلند شد و خود را به اتاق خوابش که مجاور تالار بود رساند و ما همه از آن‌جا صدای استفراغ‌هایی را شنیدیم که گویی قرار بود جان مادرم با آن‌ها بالا بیاید. از وحشت فلج شده بودم. ناگهان تک‌تک داستان‌هایی که آن وقت‌ها دایه‌جان در شب‌های دراز زمستان‌های کوشک از توطئه‌های عجیب و باور نکردنی برای مسموم کردن سوگلی‌های حرم می‌گفت، از خاطرم گذشت. به‌خصوص که مات و مبهوت می‌دیدم همهٔ زنان به جای این‌که ناراحت باشند، به هم لبخندهای معنی‌دار می‌زنند و درگوشی حرف‌هایی ردوبدل می‌کنند و با دهان‌های پر از غذا و گاه بی دندان قهقهه سر می‌دهند. آشپز بیچاره که عرق از زیر چانه روی سینه‌های چاقش می‌ریخت، هاج و واج ایستاده بود. مطمئن بودم که این‌ها مادرم را مسموم کرده‌اند. دیگر نتوانستم تحمل کنم. بلند شدم دنبال آیاخانم به اتاق مادرم بروم، که نگهم داشتند. داشتم از ترس و خشم می‌مردم، چه برسر مادرم آورده بودند؟ چه آینده‌ای این‌جا منتظر ما بود؟ زن ایرانی که کراماناخاتون نام داشت و دایهٔ پسران شیخ بود، آشپز را دلداری می‌داد که موضوع ربطی به غذای او ندارد، بیگم خودش کمی ناخوش است. می‌خواستم بکشمش. عقاب پیر از آن طرف سفره با لبخندی مکارانه پرسید، حالا یکی به من بگوید این فلک زده چه پخته؟ آشپز با چهره‌ای کنف و معصوم وبا صدایی نازک که نزدیک به گریه بود، گفت: «خوراک چشم». هیچ نمانده بود که من هم به سرنوشت مادرم دچار شوم. آشپز شروع کرد با آب و تاب توضیح دادن این که صبح زود همان روز باچه زحمتی شخصاً چشم‌های تازه را در چندین قصابی از کاسه درآورده است و من داشتم بی‌هوش می‌شدم. این باید همان غذای جادوگرها باشد. وقتی مجسم کردم که از درون ظرف بالای سفره، ناگهان ده‌ها چشم خونین به مادرم زل زده‌اند، آشکارا لرزیدم.

تأمل جایز نبود، خود را از دست‌شان رهاندم و به طرف اتاق مادرم دویدم. آیا جلویم راگرفت و گفت برو سر سفره بنشین مادر! الآن همه راه می‌افتند می‌آیند این‌جا، میهمانی به هم می‌ریزد. چیزی نیست، زود خوب می‌شود. خودم می‌آورمش، تو برو. می‌دانستم زورم به آیا نمی‌رسد. با لب ولوچهٔ آویزان به سفرخانه برگشتم و با وحشت دیدم که ظرف خوراک جادوگرها با به‌به و تحسین و ملچ‌وملوچ پیرزنان بی‌دندان، از این دست به آن دست می‌گردد. از ترسِ چشم‌ها، سرم را با قلیه‌کدوی بشقابم گرم کردم و برای این‌که تویش بالا نیاورم، فکرم را معطوف باغ و کوشک و میهمانی‌های خودمان کردم که آشپزخانه‌اش هرگز رنگ چشم ندیده بود. دلم سخت شور می‌زد وبُغض سخت گلویم را فشار می‌داد. وقتی ساعتی بعد گذاشتند پیش مادرم بروم با ناباوری شنیدم که به من گفت، خوراک چشم غذای اشرافی‌است نه جادوگرها، و او هم مسموم نشده است، بلکه واقعاً کمی ناخوش است. حتی اگر این‌طور می‌بود هم، من دیگر هیچ اعتمادی به ساکنان آن خانه نداشتم. آن ترس مرموز دوباره در جانم رخنه کرده بود و سخت بی‌قرار بودم.

عصر که شد کرامانا پیش مادرم آمدو گفت تا جای شمس‌الدین را در دالان زاویه و اتاق من و آیا را در حرم آماده کرده‌اند و تا تاریک نشده است، باید اسباب و اثاثیه را ببریم و جا بدهیم. آیاخانم به مادرم که هنوز رنگ‌پریده بود گفت، احتیاجی به او نیست و خودش اول وسایل شمس‌الدین و بعد وسایل مرا مرتب می‌کند و آخرکار صدایمان می‌زند. بعد نگاهی پرمعنی به من انداخت و پابه‌پای کرامانا رفت. هول مرا از پا درآورد. پس ما فقط یک شب اجازه داشتیم این‌جا بخوابیم. از این پس من باید پایین پله‌ها، توی آن حیاط گود با آن پیرزن‌های چشم‌خور یک‌جا می‌خوابیدم. اصلاً اوجی کجاست که از دیروز پیدایش نیست چرا من باید بروم آن پایین؟ چرا شمس‌الدین باید در بخشی از عمارت که اخیراً مخصوص مادرم و خداوندگار آماده شده است، بماند، و نه من؟

فشار دست‌های مادرم را که گویی متوجه همهٔ این کلنجارهای درونی بود روی شانه‌ام حس کردم. با تحکم ملایمی گفت: عزیزم، این بخشی از قول و

قرارهای امروز صبح ماست. تو فقط باید پایین بروی، چون یک خانمی و می‌توانی توی حرم باشی. شمس‌الدین نمی‌تواند وارد آن‌جا شود، چون مرد است. این‌جا هم جا برای کس دیگری نیست. فقط یک تالار پذیرایی است با کتاب‌خانهٔ خداوندگار و یک اتاق برای من و پستوی سرِ پله‌های مدرسه که تا حالا انباری بوده و فعلاً برای شمس‌الدین که هنوز کوچک است و غریبی می‌کند، آماده‌اش کرده‌اند و اما او هم وقتی اتاق لالاتوی مدرسه حاضر شد، باید به آن‌جا نقل مکان کند، مثل پسران خداوندگار که هردو آن‌جا حجره دارند. حالا هم اخم‌هایت را بازکن و قولت را به یاد داشته باش. بعد با دستش معده‌اش را فشرد و چهره‌اش از درد درهم رفت. حالش خوب نبود و پای چشمش گود افتاده بود. حرف دیگری هم برای گفتن نمانده بود. ازکار شیخ خیلی خشمگین بودم. چرا او که می‌دانست این زن دو فرزند دارد، برای‌شان در همین بخش عمارت اتاق‌هایی دایر نکرده بود؟ در درونم غوغایی برپا شد. صبح وقتی به مادرم قول می‌دادم، فکر نمی‌کردم چه تعهداتی را قبول کرده‌ام. خداکند این آخرینش باشد. خدایا خودت کمکم کن تا بتوانم به قولم وفا کنم. کمک کن تا در آن دخمه، شجاعت زندگی با جادوگرها و خانم عقاب را داشته باشم.

با همهٔ دعاها، جرأت رفتن نداشتم و وقتی بقیه‌ی زن‌ها رفتند، من هنوز در تالار پیش مادرم بودم و خدا خدا می‌کردم که زود صدایم نکنند تا آن دقایق شیرین پایان نگیرند. اتاق که خلوت شد، شمس‌الدین و علاءالدین اجازهٔ ورود یافتند. سلطانهٔ برّاق و سفید و سرحال دنبال‌شان شیطنت می‌کرد. علاءالدین به برادرم در شستن او کمک کرده بود. چشمان هرسه از شادمانی برق زد. مادرم با حوصله و هیجان داستان غذای چشم را برای آن‌ها گفت، اما قسمت حال به‌هم خوردنش را حذف کرد. همه، به خصوص علاءالدین از ته دل خندیدند. چه قدر وجود این برادر تازه دل‌نشین بود. هنوز بیست‌وچهارساعت نگذشته بودکه او را ـ اگر نه بیش ـ دست‌کم به اندازهٔ برادر خودم دوست داشتم. کاش او هم داداش واقعی‌ام بود. اما ظاهراً تفاوت‌هایی درکار بود. چراکه هرچه سعی می‌کردم، نمی‌توانستم به خودم بقبولانم که این‌ها واقعاً برادر من‌اند. اما مهم نبود. مهم این بودکه من در آن خانهٔ غریب دوستی پیداکرده بودم. مادرم نیز خوش‌حالی‌اش را

از حسن رابطهٔ ما مخفی نمی‌کرد. جمعمان جمع بود. بعد از نماز عشاء، خداوندگار و پسر بزرگش نیز که مثل سایه به او چسبیده بود، به ما پیوستند. باز داستان غذای چشم گفته شد و مادر این بار پرحرارت و کامل صحنهٔ چشم‌های توی دیس و حال خودش را تصویر می‌کرد. خداوندگار خود یک پارچه چشم بود. چشمی که فقط به لبان گلناری مادرم دوخته شده بود. دوباره همگی باهم از ته دل خندیدیم. اما ناگهان چهرهٔ خداوندگار جدی شد و با نگرانی پرسید: خاتون شما که حتماً از آشپز دل‌جویی کرده‌اید؟ بیچاره تقصیر نداشته. من سال‌ها در بغداد و حلب و دمشق اقامت داشته‌ام. به راستی خوراک چشم گوسفند غذایی شاهانه است و او آن را برای شما تدارک دیده بوده است. مبادا بیچاره رنجیده باشد! باید به او می‌گفتند که حال شما مساعد نبوده و ربطی هم به غذای او نداشته است. فردا تحقیق کنید که رضایتش جلب شده باشد. چهرهٔ مستأصل آشپز یادم آمد و با همهٔ خامی، نکته‌سنجی این پدر تازه به حیرتم انداخت. انسانیت، رأفت و دقت او موجی از گرما به قلب یخ زده‌ام فرستاد. شب قبل گربهٔ کثیف را روی زانوانش ـ که لابد بالاترین جایگاه در آسمان آن خانه بود ـ نشانده بود و امروز دلش برای آشپزی می‌سوخت که هیچ کس از خندیدن به چهره‌ی هاج واجش دریغ نکرده بود. به‌راستی که او با همهٔ آدم‌هایی که من می‌شناختم، فرق داشت. شاید من هم گناه بزرگ او را که برایم اتاق جداگانه تدارک ندیده بود، ببخشم. به‌تدریج داشتم راز شیفتگی و خودباختگی مادرم را کشف می‌کردم. به او زل زده بودم که ناگهان به طرفم برگشت و نگاهم را شکار کرد. سرم را پایین انداختم و سرخ شده بودم. حس کردم دارد به مادرم نگاه می‌کند. لحظه‌ای بعد مرا مخاطب قرار داد و گفت: خوب، بیگم کوچولو! شما آیا زبان هم دارید؟ همه خندیدند و به من هم اصلاً برنخورد. می‌خواستم زبانم را دربیاورم تا ببینند که دارم، اما هنوز آن‌قدر خودمانی نشده بودیم. گفت: می‌دانم که داری. حالا می‌خواهم با صدای خودت بشنوم. اسم خوب دُردانه‌ی تازهٔ ما چیست؟ مادرم با نگرانی به من نگاه کرد. این نحوه از نگاه او همیشه مرا عصبی و مضطرب می‌کرد. با صدایی که گویا از ته چاه به گوش می‌رسید، گفتم: کیمیا خاتون.

ـ خاتون هم جزو نام شماست، یا خودتان محض احترام ضمیمه‌اش کرده‌اید حضرت علیّه؟

باز همه خندیدند، اما من نه. اولین بار بود که کسی اسمم را می‌پرسید و همیشه هم کیمیاخاتون صدایم کرده بودند. چشمان مستأصلم در یک دودو عصبی با چشمان علاءالدین که با عطوفت به من خیره شده بود گره خورد. صدای مادرم را شنیدم که از دور می‌گفت: جزو نام اوست، اما شما و ما او را کیمیا صدا می‌زنیم. خاتون از این اتاق بیرون، دوباره به آن ضمیمه می‌شود، باز دوباره همه خندیدند. شمس‌الدین بی‌قرار بود. گویا منتظر بود از او هم سؤالی شود. بدجنس حتی همین یک بار را هم نمی‌توانست مرا بیش‌تر در مرکز توجه ببیند. خوش‌بختانه در باز شد و با آوردن سفره غائله ختم شد. هنوز شام کاملاً تمام نشده بود که آیا نفس‌نفس‌زنان سر پله‌های انتهای راهرو پیدایش شد و به من علامت داد که بروم. اصلاً به روی خودم نیاوردم. خوش‌بختانه داخل تالار نمی‌شد، ظاهراً برای این‌که خداوندگار و پسرانش آن‌جا بودند. زمان لازم داشت تا آن‌ها را هم مثل پدرم درسته قورت دهد. او به جز کراخاتون محبوبش ـ از احدی رودربایستی نداشت. عاقبت مادرم متوجه او شد و خطاب به خداوندگار گفت: اگر اجازه بدهید کیمیا برود؛ دایه منتظر اوست. او هم با لبخند مهربان و اشارهٔ دست مرا مرخص کرد؛ جایی هم برای چانه زدن نبود. تنها از میان همه، علاءالدین با نگاهش گفت: «بمان». ظاهراً فقط او بود که حال مرا درک می‌کرد. شاید برای این‌که مادر او را هم ناخواسته گرفته بودند. اصلاً نمی‌خواستم بروم. کمی این پا و آن پا کردم. اما همه مشغول بودند. انگار هیچ اتفاقی نیفتاده است. مادرم با نگاهی سرد بدرقه‌ام کرد. فکر می‌کنم حتی نفس راحتی هم کشید. بیست‌وچهار ساعت بود که به او چسبیده بودیم. شاید حق داشت.

با چه حالی دنبال آیاخانم راه افتادم، خدا می‌داند. از پله‌ها وارد همان حیاط تاریک شدیم که حالا زیر نور پیه‌سوزِ طاقچه‌های دیواری کمی روشن شده بود، اما گودتر و ترسناک‌تر به نظر می‌رسید. آیا با کمی من‌من گفت: خانم‌جان اگر کاری داری با هم برویم. این‌جا خبری از بذار و وردارِ لگن نیست. اوجی را هم مکلف کرده‌اند فعلاً در مطبخ بخوابد و در کار آشپزی به ما کمک کند. ممکن

است شب جرأت نکنی بیرون بیایی. من هم خوابم سنگین است. این‌ها نجس و پاکی‌شان از زمین تا آسمان با ما فرق می‌کند. یعنی همه چیزشان با ما فرق می‌کند. آب‌خانه هم پایین پله‌های روبه‌روی مطبخ است. من زن گنده روز روشن هم می‌ترسم آن‌جا بروم تا چه رسد به نصف شب . . .

اما من دیگر گوشم به او نبود. از خشم خون توی گوش‌هایم صدا می‌کرد. پس از همهٔ فشارهایی که این مدت متحمل شده بودم این حرف ناگهان چون گازانبری حلقومم را چنگید چه کسی و به چه جرأتی گفته است که اوجی باید توی آشپزخانه کار کند؟ اوجی مال من است؛ اختیارش هم دست من است. حتی پدرم سندش را به اسم من خریده است. اوجی باید تا آخر عمر سایه به سایه من و گوش به فرمان من باشد. همه این را می‌دانند. چه کسی جرأت کرده است او را به کار دیگری وادارد؟ با فریاد گفتم: برو همین الآن اوجی را بیار. آیا، به آنی دستش را روی دهانم گذاشت و مرا به طرف دری که ظاهراً درِ اتاقم بود، هُل داد. وقتی موفق شد مرا هم به داخل اتاق بکشاند، در را بست و من شمعدان نقره مرصع سه شاخه اتاق مادرم در کوشک را دیدم که یک شمع بر آن روشن بود. صندوقم نیز با آینه‌ی بالایش نیز که مادرم آن را از یک تاجر ونیزی برایم خریده بود که سالی یک بار با خزان برگ‌ها بساطش را در باغمان می‌گسترد، در اتاق بود. این وسایل آشنا به من امنیت خاطر می‌دادند. خواستم به گردن آیا بیاویزم و او را از این که اثاثیه‌ی اتاقم را به این‌جا آورده است، ببوسم. مادرم نیز باید به هر دلیلی که من از آن سر در نمی‌آوردم، از قبول شمعدانِ اتاقش خودداری کرده باشد که من وارث آن بودم. گازانبر حلقومم را رها کرد اوجی اما، جای خود را داشت. مصمم و قاطع به آیا گفتم: یا برو اوجی را بیار، یا من دوباره برمی‌گردم بالا. با لحن التماس‌آمیزی که در او بی‌سابقه بود، گفت: بیگم‌جان، فدایت شوم، کولی‌بازی در نیار! خاتون شخصاً گفته‌اند که هرچه این‌ها می‌گویند باید گوش کنیم. من هم دلم خون است، اما مادرت حالش خوش نیست و نباید آزار ببیند. فعلاً دندان روی جگر بگذار تا ببینم چه باید بکنیم.

چه‌طور می‌توانستم ساکت بمانم وقتی فکر می‌کردم اوجی که همیشه پایین تخت برنزی من برفرش فیروزه‌رنگ می‌خوابید که روی آن برتابی پرداخته با گل

سرخ فرشته‌ای خندان بافته بودند، اکنون باید توی مطبخ خانه‌ای بخوابد که خدا می‌داند چه قدر تاریک و کثیف و پر از جانور است. چه کسی می‌توانست این‌جا چنین دستوری داده باشد؟ می‌دانستم که آب‌انبارها و مطبخ‌ها و هشتی‌ها به غیر از کوشک ما، معمولاً در زیر زمین ساخته می‌شوند و همیشه برای بچه‌ها ترسناک‌ترین جای خانه‌اند و تردید نیست که شب‌ها محل زندگی اجنه‌اند؛ کته‌های ذغال و هیزم که دیگر هیچ؛ همهٔ اهالی قونیه دست‌کم یک بار در آن‌ها جن دیده بودند؛ و حالا اوجی بیچاره که تازه چند صباحی بود غم اسارت خود را فراموش کرده بود، باید اسیر جن‌های زیرزمین این خانهٔ لعنتی می‌شد. افسوس که من به طرزی مرگ‌آور از تاریکی می‌ترسیدم، وگرنه همین که آیا خروپفش بالا می‌گرفت، می‌رفتم و می‌آوردمش. البته بازدارنده‌های دیگری نیز در ذهنم عمل می‌کردند. مثلاً قول و قرارهایم با مادر؛ خشم جنون‌آسایم سر ناهار به خاطر یک اتفاق ساده و چهرهٔ سرد و بیگانهٔ مادرم در توجیه مناسبات جدید، و تازه‌هایی از این دست. این بود که فکر کردم اوجی بیچاره یک امشب را باید‌هرطور شده در خدمت اجنه باشد تا ببینم فردا چه می‌توان کرد. عذاب وجدان هم داشتم؛ اگر از دیروز به فکر او افتاده بودم، شاید با مادرم راه چاره‌ای جسته بودیم.

دیروز و امروز از حمام و آشپزخانهٔ زیر پله‌های گوشه که به دستور خداوندگار برای راحتی مادرم ساخته بودند، استفاده کرده بودیم، اما کرامانا با جدیت به ما فهماند که آن بخش و همه امکاناتش اختصاصی است و ما باید از این پس از «مبال» حرم استفاده کنیم. پدر تازه‌ام، با آن‌که خانه و روش زندگی‌اش هیچ شباهتی به زندگی مردم اعیان قونیه نداشت، هوشمندانه و به سرعت، هرآنچه را برای رفاه حال مادر ناز پرورده‌ام مهم می‌دید، فراهم آورده بود و کرامانا کاملاً مواظب بود که کس دیگری از آن امکانات بهره نبرد. شاید خودش هم از این استثنا خشنود نبود. اما من طولی نکشید که دریابم اگر می‌توانستم به همه چیز آن خانه عادت کنم، این قسمتش دیگر واقعاً کابوس بود. لابد برای مادرم هم همین‌طور بوده است که برایش آب‌خانه و حمام مخصوص ساخته بودند. ما خودمان در باغ: حمام کوچک و زیبایی داشتیم با حوضچه‌های سرد و گرم که سوختش از اصطبل تأمین می‌شد. مادرم هر روز و بقیه‌ی ما فقط در زمستان‌های

پُربرف که نمی‌توانستیم به حمام مرمر شهر برویم از حمام باغ استفاده می‌کردیم. ما البته شهر و حمام مرمر را ترجیح می‌دادیم. برای خودش یک جشن کامل بود، با همهٔ خوش‌گذرانی‌ها و شکم‌چرانی‌هایش. خدمه از دو روز قبل بغچه‌ها و خوراکی‌ها را آماده، و مال‌ها را پیش از سحر راهی حمام می‌کردند و بقیه کارها با تاراباجی همه کاره‌ی حمام مرمر بود. من شبِ حمام از شوق خوابم نمی‌برد و روز بعد هم مستِ سبکی و بوی تمیزی خودم بودم. آیا توصیه می‌کرد یکی دو روز کم‌تر توی باغ پرسه بزنم تا تمیز بمانم. اما من همین که عطر گیس‌های بافته‌ام زوال می‌گرفت، دوباره توی خاک وخُل‌ها ولو بودم. حالا فکر می‌کردم همهٔ این‌ها متعلق به سال‌ها پیش است. این‌جا باید در صورت حاجت پا به آبریزگاه تاریکی می‌گذاشتم که بویش از چند متری احساس می‌شد، و چنان چاه دهان‌گشادی داشت که یک نفر به اندازه‌ی من به راحتی توی آن می‌افتاد. این کابوس هم بار همهٔ کابوس‌هایم شده بود. بعدها تصمیم گرفتم به توصیه‌ی آیا از غروب به بعد چیز آبکی نخورم و با آتش و آب هم بازی نکنم. به هرتقدیر آن شب دندان روی جگر گذاشتم و تن به رخت‌خواب غریبه و سفتی دادم که بوی ضُخم اما مطبوعِ صابون می‌داد و لحافش زردوزی و بالینش اطلس سرخابی بود. حداقل از این رخت‌خواب می‌شد فهمید که یکی سفارش مرا کرده است. شاید هم کار آیاجان خودمان بود. او سلیقه‌ی اشرافیش را همه‌جا یدک می‌کشید، به خصوص حالاکه خودش هم باید توی این اتاق می‌خوابید. صبح باز با همان صدای ملکوتی که مثل ریسمانی نقره‌ای، زمین و آسمان را به هم می‌پیوست، بیدار شدم. آیا زودتر بیدار شده بود. باهم سرحوض رفتیم، داشتم از کم‌خوابی می‌مردم. چندین شبح کوتاه و بلند توی حیاط باهم پچ‌پچ می‌کردند، یا زیر لب ورد می‌خواندند. نماز صبح برای من بیگانه نبود. تا یادم می‌آمد، ماه‌های رمضان که خانهٔ ما حال و هوای دیگری داشت، من هم با دیگران نماز صبح می‌خواندم. پدرم در این امور اصلاً سخت‌گیر نبود. مادرم هم که نومسلمان بود. با این همه ماه رمضان در خانهٔ ما مثل دیگر خانه‌های قونیه جدی و روحانی و پربرکت برگزار می‌شد و ما بچه‌ها خودمان را قاطی بزرگ‌ترها می‌کردیم و روزه می‌گرفتیم در این ایام صرف‌نظر از برکات پنهانی مثل میوه‌ها و پیاله‌های آب باغ در تابستان

یا برگه‌های زردآلو و کاسهٔ شوربای زمستان که توی آشپزخانه نصیبمان می‌شد، کنار سفره‌های رنگارنگ سحر و افطار نیز فیض می‌بردیم. اما برای وضو همیشه تابستان و زمستان، آفتابه لگن می‌آوردند و این شاید اولین وضوی من سر این حوض کوچک بود که پشت ماهی‌های قرمزش گاه زیر نور پیه‌سوزها برق می‌زد. نمازی غلط و بی‌حضور قلب و اجباری خواندم و خودم را پرت کردم توی رخت‌خواب. شاید من تنها زن حرم بودم که حق داشتم بعد از نماز بخوابم. بقیه باید بلند می‌شدند و هر یک به وظایفش می‌پرداخت. البته پیرها اصلاً وظیفه‌ای نداشتند و چون خوابشان نمی‌برد، کارشان از همان اول صبح پرحرفی وفضولی به کار این و آن بود. خدا را شکر که فعلاً از ما غریبی می‌کردند و وارد اتاقمان نمی‌شدند. باید طوری رفتار کنم که همیشه این‌طور باقی بماند. متوجه شدم که کم‌کم دارم در این‌جا شروع می‌کنم به طراحی آینده‌ام. خدایا چه‌قدر با دختر کوچکی که دیروز به این‌جا آمده بود، فاصله داشتم. یک جریان متمرکز و هوشمند داشت درون من بیدار می‌شد و او با بی‌خیالی‌هایش، مثل بادبادکی که رها شده باشد، از من فاصله می‌گرفت. می‌دیدم که خاطره آن باغ ایرانی هم دارد با همان بادبادک‌ها یله معلق زنان دور و دورتر می‌شود این‌جا دختر خوانده‌ی مفتی عالی‌قدر قونیه، موقوف بر زمین حرم، در میان آن همه غربت، کوفته از کسالت دیوارهای خشتی ستبرِ آفتاب‌کُش، او را می‌پاید که می‌رود تا لابه‌لای ابرها برای همیشه از دیدها پنهان شود.

خواندن نماز و صرف ناهار در سفره‌خانهٔ حرم که دو اتاق بزرگِ تودرتو بود، به سادگی برگزار شد. پس از غذا، وقتی چرت شیرین همه را در غلتاند، من به عادت پرسه‌های بعد از ظهر در باغ، از اتاقم بیرون رفتم و روی پله‌هایی که به درِ بالا ختم می‌شد نشستم. باید حیاطی را که قرار بود ـ یا بهتر بود ـ تحملش کنم، برانداز می‌کردم. صدای خرخر پیرزن‌ها ـ آهسته و بلند ـ از همهٔ ایوان‌ها به گوش می‌رسید و رازناکی وهم‌انگیز حیاط را تشدید می‌کرد.

همه چیز ماسیده و ازلی به نظر می‌رسید. گویا این حیاط با صدای وزوز زنبورهایش بر شاخه‌های تاکِ آراسته به خوشه‌های لاغر پنگ پنگ که باخستگی سالیان خود را به ستون ایوان سپرده بودند و آن مارمولک‌ها که روی کنگره‌ها

آفتاب گرفته و مگس‌های بزرگِ لاجوردی براقی که نشسته بر سنگ لبه‌ی حوض با حوصله آب می‌خوردند را می‌پاییدند و دیوارهایش با بوته‌های رونده‌ٔ گل سرخ که فقیر و آفتاب نادیده با ریسمان‌های کنفی کلفت به میخ‌طویله‌ها قلاب شده بودند، جلوه‌گاهی از پوچی آفرینش بود .از آن گل‌های سرخ که نه سرخ بلکه صورتی بودند و عطرشان با هویت خانوادهٔ ما عجین بود، ما هم در باغ داشتیم. می‌گفتند پدر بزرگم آن‌ها را از ایران آورده و کاشته است و از آن‌جا که بوی مادرم را می‌دادند، من خوش‌حال بودم که دست‌کم یک عنصر آشنا توی آن حیاط غریب یافته بودم. در کنار حوض، قطعه سنگی که با غربت من مأنوس‌تر می‌نمود، مرا به خود می‌خواند. وقتی نزدیکش شدم، معلومم شد مجسمه‌ی حیوانی شبیه شیر است. او شاید میراث رومی‌هایی بود که صدها سال پیش صاحبان اولیهٔ زمین این خانه بوده‌اند و لابد آن قدر سنگین بوده که علی‌رغم همهٔ تغییرات و ماجراها، نتوانسته‌اند تکانش بدهند. کاش می‌توانست حرف بزند. از او خوشم آمد، که آن‌همه صبور زیر درخت‌ها لم داده بود. چشمان سنگی و سردش هشیار برق می‌زد. رویش نشستم و آرامش بی‌دلیلی حس‌کردم، حس‌کردم من و او دوستان خوبی خواهیم شد. اگر این دیوارها آن‌قدر بلند نبودند که دیدن یک ذره آسمان گردن آدم را به ستوه آورد و اگر اوجی را رها می‌کردند که با من باشد، شاید می‌توانستم این دو سه سال را در این‌جا طاقت بیاورم تا شاهزاده بختم از راه در رسد و مرا از میان این قلعه برباید. و سوار بر ترک اسب او به درود گویم به همه این کسالت‌ها. مادرم به من قول داده بود و او هرگز حرف بی‌اساس نمی‌زد. سلطانه لب حوض نشسته بود و داشت ماهی‌ها را دید می‌زد. دُمِ بلند و پشمالویش مثل علم تکان می‌خورد. ناگهان به جستی خف کرد و با چشمان سبز و درشتش به من و بعد به سایه‌ای که روی زمین حرکت می‌کرد نگریست. طول کشید تا فهمیدم سایه از پشت بام بلندی است که می‌گفتند پشت بام مدرسه است، به سرعت برخاستم و چندان عقب عقب رفتم تا توانستم سر مردانه‌ای را روی پشت بام ببینم. یک قدم دیگر که برداشتم، صدای جیغ سلطانه که دمش را لگد کرده بودم، یک زرع از جایم پراند. همیشه توی دست‌وپا بود. دوباره به بالا نگریستم، اما حیف که دیگر، دیر شده بود. در این بعد از ظهر بلند و کسالت‌بار،

او، هرکه بود، در یک چیز با من شریک بودکه باعث شده بود من به این حیاط و او به بالای بام کشانده شود: بی‌قراری. حوصله‌ام واقعاً سـررفته بـود. از تـوی آشپزخانه صدای آهسته‌ی ظرف و ظروف می‌آمد. من تقریباً مطمئن بودم کـه اوجـی آنجـاست، ولی از پنجره‌های سـیاه تـهدیدآمیز و ورودی تـاریک و حفره‌مانند زیرزمین می‌ترسیدم، نمی‌دانستم آنجا چه چیزی مـنتظرم است و گرنه حتماً پایین می‌رفتم. شاید اصلاً اوجی آنجا نبود. برای جلوگیری از ایـن وسوسه‌ها بلند شدم و به اتاقم رفتم که صدای خرناسهٔ آیا آن را پُرکرده بود. دَمَر توی رخت‌خوابم افتادم و شمد را تا بالای سرم کشیدم و متکای خنک و سفت را روی کله‌ام گذاشتم و با دو دست از دو طرف نگاهش داشتم. نمی‌خواستم هیچ چیز ببینم، بشنوم یا حس کنم. دلم می‌خواست می‌توانستم حتی فکر هم نکنم. این روزها فکرها مثل مورچه اسبی‌های تو تستان مغزم را مـی‌خوردند. هـوا بـا آنکه پاییز بود، خنک نشده بود و گرما و خشکی، کسـالت آدم را چـند بـرابـر می‌کرد. با خودم گفتم، این‌طور نمی‌شود اگر قرار باشد این‌طوری کسل باشم تا دو سه‌سال دیگر حتماً دیوانه می‌شوم. کاری باید کرد. عصر به خودم جرأت دادم و بدون اجازه آیا پله‌های اقامتگاه مادرم راگرفتم و رفتم بالا. درِ راهرو مثل همیشه باز بود، اما درِ تالاری که به اتاق مادرم راه داشت، بسته بود. یک دهلیز تاریک با یک در کوچک در سمت چپ پله‌ها بود که تا آن لحظه ندیده بودم. ایـن بـاید همان دری باشد که به مدرسه می‌رود و اتاق شمس‌الدین هم باید انتهای همین دهلیز باشد. وضع آن بیچاره هم خیلی بهتر از من نبود. نمی‌دانم چرا یک اتاق به من و برادرم نمی‌دادند که حداقل باهم باشیم. خواستم به آن سمت بروم، ولی خیلی تاریک بود. بعد از ماجرای پرستوها از تـاریکی مـی‌ترسیدم. در چنین فضاهایی همیشه مرغی با منقاری بلند دور سرم مـی‌چرخید و مـی‌خواست چشمانم را درآورد. مردد ایستادم. اگر درِ تالار باز بود، حتماً به آن طرف می‌رفتم. ولی فکر کردم شاید خداوندگار آنجا باشد. روی آخرین پله نشسـتم تـا بـلکه اتفاقی بیفتد. همین‌طور هم شد. خیلی طـول نکشید کـه درِتـالار بـاز شـد و شمس‌الدین بیرون آمد. حسد، همهٔ جانم را به آتش کشید و هُرم آن نه پیراهن برادرم، که دامن مادرم راگرفت. او بود که این وضع را برایم درست کرده بـود و

حالا هم فقط مواظب پسرش بود. بدون توجه به شمس‌الدین به آن سمت دویدم و خودم را توی اتاق انداختم. مادرم با رنگِ پریده خودش را روی مخدّه‌ها یله انداخته بود. نمی‌توانست غذا بخورد و هر روز به وضوح نزارتر می‌شد. با تعجب به سوی من برگشت. زیر نگاهش همهٔ آنچه را که می‌خواستم به او بگویم، فراموش کردم. ذهنم را کاویدم تا مگر بهانه‌ای برای ورود حمله‌آسایم بیابم. وقتی با صدایی که به سختی شنیده می‌شد، پرسید: «کیمیاجان چیزی شده؟». و نیم‌خیز شد، گفتم: مادر من اوجی را از وقتی که این‌جا آمده‌ام، ندیده‌ام. می‌خواهم بگویی او را زود بیاورند. مادرم با تعجب پرسید: از کی تا حالا اوجی برای تو این همه مهم شده؟ حرصم درآمد. با صدایی وحشی و بلند گفتم: چون مال خود خودم است. مادرم به زحمت جلوِ تعجبش را گرفت و به آرامی گفت: خدا به تو ببخشدش، ولی حالا چند روزی کار دارد. بعد می‌گویم بیاورندش پیشت. چنان که گویی باورم شده باشد که اصلاً به این قصد پیش مادرم آمده‌ام، با لجبازی گفتم: نه، من همین حالا می‌خواهم بیاید؛ همین حالا! مادرم کمی بی‌حوصله مرا برانداز کرد و با تحکم گفت: بیا این‌جا بنشین. جلوتر رفتم و در جایی که نشان داده بود، وسط یک گل قالی ایرانی و آشنا نشستم. گفت: «کیمیا خاتون! اولاً مواظب باش که قولت فراموشت نشود؛ ثانیاً اوجی باید اول مسلمان شود. این‌ها معتقدند که او کافر و نجس است و نمی‌تواند این‌جا زندگی کند مگر این‌که مسلمان شود». من ارتباط این کلمات را نمی‌فهمیدم و تا آن موقع هم فکر می‌کردم همهٔ مردم تازه یا کهنه مسلمان‌اند. پرسیدم: کافر یعنی چه؟ مادرم با بی‌حوصلگی جواب داد: یعنی خدانشناس! اما من به گوش خود شنیده بودم که اوجی به خدا قسم می‌خورد و گاهی دعا هم می‌خواند. نگران از بی‌حوصلگی مادرم، فقط پرسیدم: حالا چه‌کار باید بکند؟ چند روز طول می‌کشد؟ گفت: یادت باشد که او یک کنیز است. همان‌طور که همه‌چیزش با ما فرق دارد، مسلمان شدنش هم کمی بیش‌تر کار می‌برد. تا آمدم بپرسم چه کاری؟»، که ناگهان باز حالش بد شد و چیزی نمانده بود که دل و روده‌اش را بریزد توی لگن پهلوی دستش.

هراسان و بی‌حرکت ایستاده بودم و به موجود نزاری که حالا در این برزخ

بی‌کسی تنها تکیه‌گاه من بود، می‌نگریستم. او با بی‌حالی سرش را روی پشتی مِخدّه‌هایش گذاشت و چشمانش را بست. به سختی می‌شد باور کرد که دیگر جانی در بدن دارد. نمی‌دانم چه‌قدر آن‌جا نشستم. احساس بی‌وزنی، بی‌هویتی و بی‌تعلقی اراده‌ی حرکت را از من گرفته بود.

نمی‌دانستم اگر بلند شوم، کجا باید بروم. فقط این را به خوبی می‌دانستم که در آن اتاق ناخواسته و زیادی‌ام. با این همه، همان‌طور بی‌وزن نشستم و به مادرم زُل زدم که عمدی یا غیرعمد چشمانش را بسته بود. نمی‌دانم چه قدر گذشت که صدای نفس‌های آیا ـ که باز به هن‌هن اِفتاده بود ـ مرا به خود آورد. با احتیاط وارد اتاق شد. چند دقیقه بی‌حرکت همه چیز را بررسی کرد و بعد با چشم اشاره کرد که بیرون بروم. وقتی کنارش رسیدم، با خشمی شدید و بی ملاحظه که بین ما سابقه نداشت، مچ دستم را گرفت و با خود از پله‌ها پایین کشید. آن قدر یکه خورده بودم که به فکر مقابله هم نیفتادم. وقتی هردو به اتاق من رسیدیم، او در را بست و رهایم کرد. از شدت بغض نفسم گرفته بود، روی صندوق نشست و پلک‌هایش را روی هم گذاشت و صبر کرد تا کمی نفسش بالا آمد. بعد نگاهی سخت به من که آماده بودم مثل پلنگ رویش بپرم، انداخت و با جنباندن انگشت سبابهٔ چاقش گفت: این آخرین بارت باشد خانم کیمیا خاتون که همین‌طور سرت را می‌اندازی پایین و می‌روی آن طرف! از این به بعد هروقت خواستی از این کارها بکنی، باید قبلاً مرا خبرکنی. اگر صلاح باشد، البته عیبی ندارد. تمام خانه را دنبالت زیرورو کردم. اصلاً فکر نمی‌کردم که این همه بی‌نزاکت بار آمده باشی.

تا آن لحظه هیچ‌وقت، حتی وقتی پرستوی مرده را توی دست‌های الیاس دیدم، این همه احساس بدبختی و استیصال نکرده بودم. از نو، و این بار بیش‌تر فهمیدم ایستادن برسر قولی که به مادرم داده‌ام، چه قدر سخت است. آیا خانم همیشه سخت‌گیر و دقیق و خشن بود، اما رفتارهای تازه‌اش، آن هم با منِ سرگشته و بی‌پناه، خارج از تحمل می‌نمود. احساس کردم دارد به من همان‌گونه امرونهی می‌کند که در باغ اوجی و سایر خدمه از او انتظار داشتند. نمی‌دانم احساسات جریحه‌دار و غریب من منشأ آن تصور بود یا انگیزه‌ای دیگر، اما

هرچه بود، خشم کورکنندهای درونم زبانه کشید. اگر موقعیت گـذشتـه مـیبـود، می‌توانستم گریه‌کنان و جیغ‌زنان تا اتاق مادرم بدوم و حق این دایهٔ گستاخ و خرفت را کف دستش بگذارم. اما حالا آن روزها مرده بودند و آن مادر و دختری هم که من می‌شناختم، می‌رفتند تا در وادی سایه‌ها گم شوند، اصلاً شاید دیگر مادری در کار نبود. آن زن مریض‌احوالِ بالای پله دیگر قادر نبود برای من کاری بکند، شاید هم خودش مسبب همهٔ این گرفتاری‌ها بود و من ابله را بگو که به او قول داده بودم برایش دختر خوبی باشم. من دیگر این خوب بودن را برنمی‌تافتم. نفهمیدم چه‌طور به طرف آن هیکل صد منی جست زدم و از روی صندوق هُلش دادم پایین. تا بجنبد افتادم رویش و با قدرت تمام مشت‌بارانش کردم. اولین بار بود که از وحشی‌گری خودم لذت می‌بردم. من بـایـد خـودم حقـم را از ایـن‌هـا می‌گرفتم. بیچاره چشمانش از حیرت همهٔ صورتش را پُرکرده بود و پستان‌های گنده‌اش بالا و پایین می‌شد. با دو دستش گونه‌هایش را پوشانده بود و پیاپی می‌گفت: «بزن! بزن! دستت درد نکند! بارک‌الله همین را کم داشتم» برای هردو ما چنین صحنه‌ای غریب و ترس‌آور بود. اشک‌هایش را دیدم که روی گونه‌هایش می‌غلتیدند. من هم از شدت خشم توأم با احساس گناه زدم زیر گریه و اشک‌هایم که دو روز پشت دریچهٔ چشمم منتظر مانده بودند، راه گرفتند. و با دریغ بسیار دریافتم که بازوانم را جز کمر چاقالوِ آیا پناهی نبود. دست‌هایم را دورش حلقه کردم و او نیز با تردید دست‌هایش را باز کـرد و درآغـوشـم گـرفت. هـر دو تـا می‌توانستیم باهم گریستیم. بدن‌هایمان با ارتعاشات تند، دلتنگی‌های خود را با هم‌دردی خالص تقسیم می‌کردند. آب بینی‌ام را یواشکی با پر چارقدش پاک کردم و کوشیدم تا از فرصت پیش آمده برای صعود به دیوار بـلنـد رازداری او استفاده کنم: آیاباجی! مادرم چه‌ش شـده؟ چرا این‌قدر مـریض است؟ او کـه خوبِ‌خوب بود. دلم برایش شور می‌زند. نمی‌شود برگردیم باغ؟ شـایـد آب و هوای این جا برایش خوب نیست. باز هردو زار زدیم. چشمانش بارانی از ترحم بر سرم بارید و باکلافگی خود را از دستم رهاند. چارقدش را باز کرد و شروع کرد با حالتی عصبی خود را باد زدن. اما ناگهان مثل این‌که تصمیم تازه‌ای گرفته باشد، همهٔ آثار عطوفت از چهره‌اش پاک شد و با لحنی بازاری که برایم تازگی داشت،

گفت: «کی گفته مادرت مریض شده»، حالش خیلی هم خوب است. ویار که مریضی نیست، ده روز دیگر تمام می‌شود . . . پس او هم از مادرم دلگیر بود!

می‌دانستم ویار، یعنی این‌که مادرم قرار است، مادر یک بچه‌ی دیگر هم بشود. همین را کم داشتم. آستین آیا را چسبیدم و باز نمی‌دانم با کدام منطق پرسیدم: به این زودی؟ لبخند تمسخرآمیزی چهره‌اش را بدجنس کرد و گفت: زودی دیری نمی‌خواهد. کار یک شب است . . . و ناگهان گویی جسارتی کرده باشد دهانش را گرفت و فوری افزود: یعنی وقتی خدا بخواهد . . . کار خدا که زود و دیر ندارد مادر. مشیّت‌اش براین است. چک و چانه هم ندارد، این‌جا را راست می‌گفت. دانسته بودم که مشیّت خدا چک و چانه ندارد. حال هم مشیّتش براین بود که دنیای من به هم بریزد. این هم بخشی از آنچه بود که باید اتفاق می‌افتاد و از دست هیچ‌کس هم هیچ کاری ساخته نبود. فکر کردم سؤالی را که می‌خواستم از مادرم بپرسم و نشد، حالا از آیاخانم بپرسم، زیرا حالا او سر آن داشت که پرده از رازها بردارد.

ـ آیاجان! مادرم گفت چند روزی طول می‌کشد تا کار مسلمانی اوجی تمام شود. قرار است بعد از آن بیاید پیش ما. مگر مسلمانی چه‌قدر کار دارد؟

حدسم درست بود. آیا اول به طرف در نگاه کرد. بعد صدایش را پایین آورد. گفت. باید صبر کنند تا عایشهٔ دلاک که این‌کاره است از زیارت برگردد و او را ختنه کند. من می‌دانستم ختنه یعنی سه‌چهار هفته جشن و سرور. ختنه‌سوران مفصل شمس‌الدین در باغ هرگز از یادم نمی‌رود، اما هرچه به حافظه‌ام فشار آوردم از ختنه سوران خودم و این که کسی از مراسم آن سخنی گفته باشد، چیزی در یاد نداشتم. نمی‌دانم چه حالتی گرفته بودم که دوباره امواج هم‌دردی از چشمان آیا متصاعد شد. آمد کنار من نشست و گفت: کیمیاخاتون! خیلی چیزها توی این عالم است که تو نمی‌دانی. این‌قدر نترس، چیزی نیس. من را هم وقتی دختر بودم ختنه کردند. بیچاره ننه‌ام که یونانی بود، خیلی می‌ترسید، اما پدرم عرب بود. عرب‌ها این رسمشان است یک خرده درد دارد، ولی بعد خوب می‌شود و آدم یادش می‌رود. عوضش تا آخر عمر هوس شیطانی به سرش نمی‌زند؛ مثل من. این‌طوری خیلی بهتره. دندان خراب را باید بکشی تا یک عمر

درد نکشی و یک عمر بوی گند ندهد.

توضیحات آیا دشواری‌ام را بیش‌تر کرد. ربط منطقی این حرف‌ها را نمی‌فهمیدم و نمی‌توانستم هم نپرسم. آیاجان اصلاً نمی‌فهمم! ختنه شدن اوجی و مسلمانی‌اش چه ربطی با دندان خراب و مادر و پدر تو دارد؟ دوباره کلافه شد و چارقدش را که تازه بسته بود، باز کرد و گفت:

ـ کیمیاخاتون! تازگی‌ها خیلی زیاد سؤال می‌کنی. آدم پشیمان می‌شود برایت چیزی بگوید. من چه می‌دانم؟ صبر کن انشاءالله بزرگ که شدی و شوهر کردی، از او بپرس.

بازهم نفهمیدم. با هرجواب آیا سؤالی تازه در ذهنم شکل می‌گرفت، اما او قبل از آن که من دهانم را دوباره بازکنم، با همهٔ سنگینی مثل فرقی از جا جست و گفت: باید بروم. هزارکار داشتم. دوساعت دنبالت گشتم تا پیدایت کردم. بعد هم که قشقرق راه انداختی. حالا هم که مرا سؤال‌پیچ می‌کنی. پس من بیچاره کی به کارها برسم؟ و رفت.

همان‌جا روی زمین دراز کشیدم و به تیرهای سقف چشم دوختم که می‌ترسیدم از لای پوشال‌هایش به ناگاه ماری سر بکشد. سقف خانه‌ی ما سراسر با چوب‌های منقش زیبا تخته‌کوب بود و من ساعات طولانی با نگاه کردن به نقش‌هایش خیال‌پردازی می‌کردم. حالا چه‌طور می‌توانم این‌جا دوام بیاورم؟

* * *

چند روز گذشت تا بالأخره لالای شمس‌الدین را از باغ به مدرسه آوردند وجایش دادند و این برای من که میان آن دیوارها رهایم کرده بودند، یک خوش‌بختی عظیم بود. ورود او دست‌کم سه روز هفته را برای من معنی‌دار کرد. یعنی وقتی از خواب بیدار می‌شدم، می‌دانستم چه‌کار دارم. او این سه روز را به کتاب‌خانه‌ی خداوندگار می‌آمد و تمام صبح را به ما درس می‌داد. در ذهن من هم دیگر آن نفرت گذشته از ساعات درس عمل نمی‌کرد. به خصوص در این خانه

لزوم استخدام معلم سرخانه را برای یک دختر نه باور داشتند و نه موجه می‌شمردند. مادرم اما، خوش‌بختانه مقاومت کرده بود و حالا تنها تفریح زندگی من ساعات درس بودند. خواندن و نوشتن به عربی و فارسی در کنار قرائت قرآن و فقه و اصول و صرف و نحو، گاه سخت بود و گاه آسان‌تر، اما همگی برای کشتن وقتِ بی‌نهایت من، نعمتی بودند. به‌خصوص وقتی لالا سرحال بود و داستان‌های کلیله‌ودمنه را می‌خواند. گاهی آن‌قدر غرق ماجراهای موش و لاک‌پشت و آهو و شیر و خرگوش می‌شدم که یادم می‌رفت کجا هستم. به محض این‌که درس و مشق پایان می‌گرفت، جهنم واقعی زبانه می‌کشید. کسالت روحم را تکه‌پاره کرده بود و نمی‌دانستم چه باید بکنم. وقت آن‌قدر کُند می‌گذشت که گاهی بعد از ظهرها فکر می‌کردم زمان توی آن حیاط گود به دام افتاده است و پیش نمی‌رود؛ دنیا هم دیگر برای همیشه بعد از ظهر خواهد ماند. با این همه ترس من بیش‌تر از ساعات غروب بود. با کَنده‌شدن آخرین پنجهٔ زرد و لاغر آفتاب از بالای بلندترین دیوار حرم تا وقت تاریکی، روحم مثل مرغ سرکنده خود را به در و دیوار جانم می‌کوفت. به خصوص روزهایی که مامیِ پیر می‌آمد و روی پله‌های جلوِ اتاقش می‌نشست و بلند بلند با صدایی که گویی از وادی مرگ می‌آید، اورادی آشنا و ناآشنا ـ شاید در مرثیهٔ دخترش ـ می‌خواند و اشک می‌ریخت. این مامیِ پیر شاید شوم‌ترین و بداخلاق‌ترین موجودی بود که خدا آفریده بود. با همه چیز و همه‌کس مخالفت داشت. خُلقش دست در دست چهره و چشمان عقابی‌اش چنان رعبی در حرم برانگیخته بود که گویی دیوارها هم خود را از برابر او عقب می‌کشیدند و با آن‌که به ملاحظهٔ خداوندگار، و متانتِ رفتاری و اصل و نسب مادرم هنوز به خود اجازه نداده بود که مستقیماً به حریم ما دخالت کند، با این همه، فتوای نجس بودن اوجی و این‌که باید یک ماه از مسلمانی‌اش بگذرد تا اجازه داشته باشد از آشپزخانه بالا بیاید، از او بود؛ و هم او بود که بی اعتنا به تملک من برکنیز شخصی‌ام دستور داده بود که او و آیاجان باید، هم نظافت کنند و هم آشپزخانه را بگردانند تا جبران کار اضافه‌ای بشود که ازدواج دامادش به حرم تحمیل کرده بود. او البته با ورود خدمه، حتی خدمه‌ی خانه‌زاد خانوادهٔ ما نیز به بهانهٔ تنگی جا، جداً مخالفت کرده بود، اما آیا می‌گفت،

در واقـع او از تـرس ایـن‌که بـا اضـافه شـدن خـدم و حشـمِ مـادر مـن، دوران فرمانروای‌اش در حرم به پایان برسد، چنین منعی تراشیده است. او مادر همسر متوفای خداوندگار و مادر بزرگ پسران او بود و همراه دخترش با کاروان سلطان ولد ـ پدر خداوندگار ـ از بلخ به قونیه مهاجرت کرده بود. هرچند خداوندگار از سر انسانیت و حق‌شناسی نسبت به همسر جوانمرگش، حتی پس از ازدواجِ با مادرم که خود سال‌ها خانهٔ بزرگی را اداره کرده بود، تلویحاً عنوان رئیس حرم را برای مامی حفظ کرده بود، ولی او که لقبش کِرای بزرگ بود، خود را مالک‌الرقاب کلِ خانه می‌دانست و ناشاد بود از این‌که هنوز یک سال از مرگ دختر جوانش نگذشته، زن دیگری ـ آن هم زنی مثل مادر من ـ جای او را گرفته است. وقتی دخترش زنده بود، خداوندگار دل‌مشغولی‌های دیگری به غیر از مسایل خانگی داشت و دست‌کم بیش از ده سال از زندگی مشترکش را در سفر گذرانیده بود و دختر او را با دو بچه‌ی ناسازگار تنها گذاشته بود. او که آن روزهـا هـمیشه بـه تحصیل علم بیش از هر کار دیگری بها می‌داد، حالا چرا باید بـه ایـن سـرعت ازدواج کند و این همه هم به این زن تازه‌اش عشق بورزد و تازه عروس خـانم همان اول کار حامله هم باشد. این بود که همهٔ کارش شده بود مرثیه خوانـی. مونس و هم‌دردش هم همان زن ایرانی‌تباری بود که کراماناخاتون و دایهٔ هر دو پسر خداوندگار بود. این زن عاشقانه پسرها را بزرگ کرده بود و ظاهراً چنان غرق مسایل و مشکلات این دو برادر ناسازگار بود که اصلاً کاری به کـارهای دیگـر نداشت، مگر این‌که به پسران مربوط باشد یا مستقیماً از مامی دستوری صادر شده باشد. فوج زنان باقی‌مانده نیز از منسوبین خداوندگار و همراهان روزهای مهاجرت او بودند، مثل شبح زندگی می‌کردند و بیش‌ترشان صرفاً برای این‌که از گرسنگی نمیرند آن‌جا نگاهداری می‌شدند. بعدها وقتی من متوجه نوعی انزجار پنهان خداوندگار از زن‌ها شدم که خوش‌بختانه شامل همهٔ زنان ـ از جـمله زن اولش و مادر من ـ نمی‌شد، اصلاً تعجب نکردم. کسی‌که تمام سال‌های عمرش را در میان پیکرهای فرسوده و شخصیت‌های شبح‌مانند چنان زنانی به سـر بـرده باشد که حیاتشان بار سنگین و ناخواستهٔ زندگی او بوده باشد و جز درد و غم و حسرت و حسادت و نفرت دست‌آوردی نداشته باشند، چـه‌طور مـی‌توانست

احساسی غیر از این داشته باشد. دلیل محکم من برای این باور، احترام و ملاحظه‌ای بود که بعدها دیدم او نثار همین کراماناخاتون، مادر من و چند زن استثنایی دیگر می‌کند که در زندگی‌اش نقش مطلوب داشتند. آیاخانم از قول کراماناخاتون می‌گفت که گوهرخاتون ـ دختر مامی و زن متوفای خداوندگار ـ با همه‌ی عشق بی‌چون و چرایش به همسر عالیمقام خود، زن نگون‌بختی بوده است. ده سال اول ازدواج را در دربه‌دری و هجرت از ایران تا ارزروم ـ از این شهر به آن شهر ـ سیر کرده و ۸ سال باقی‌مانده را نیز در تنهایی و غربت با دو کودک ناسازگار، و دور از شوهر محبوبش ـ که برای تحصیل به دمشق و حلب رفته بوده است ـ گذرانده و بعد هم از یک بیماری سخت درگذشته، درحالی‌که سی و اندی سال بیش‌تر نداشته است. مامی براین عقیده بود که دخترش دق مرگ شده است. چراکه دوری همسر و ناسازگاری دو پسرش ـ که بعدها آن دو را نیز برای تحصیل علم از او جدا کرده و به شام فرستاده‌اند ـ برایش قابل تحمل نبوده است. همواره از جوان‌مرگی او می‌گفت و همین مایهٔ اشک و آه و نفرین دایمی او بود. البته همه در حرم حال او را درک می‌کردند؛ حتی خود خداوندگار ـ ک هر لحظه بیش‌تر غرق درکارِ تدریس و وعظ و منبر می‌شد و هر روز بیش‌تر فضای خانه‌ای راکه این زنان در آن تنفس می‌کردند، مسموم می‌پنداشت ـ او را رعایت می‌کرد.

برگ انار بن‌های کوتوله‌ی دور حوض رو به زردی داشتند، واین شاید تنها اتفاقی بود که با ما از گذشت زمان می‌گفت. این‌جا حدوث، انتظاری زوال گرفته بود. برای اهل حرم حوادث با کوبه‌ی در بالا شروع می‌شدند، وقتی خیاطی می‌آمد یا بنداندازی، یا به ندرت زن آشنایی از همسایگان، یا حمامی‌ها... و من تا مدت‌ها بیهوده هر روز صبح به امید حادثه‌ای خوشایند یا ناخوش، از رخت‌خواب بیرون می‌شدم. دیگر حمام رفتن هم ـ که آن روزها سرگرمی پرماجرایی بود ـ در چهره‌ی وظیفه‌ای شاق و عبوس رخ می‌کرد. در چنبره‌ی آداب این خانه ـ که از لحظه‌ی خروج تا وقتی که می‌خواستی تن به فضای بخارآلود و نیمه‌تاریک خزینه بسپاری، مجبور بودی با صدها ورد و دعا و فوت، دست به استغفار برداری و از کوچک‌ترین خطا در تلفظ و ترتیب کلمات بپرهیزی، وگرنه عقوبت جهنم و آویخته شدن از مو و چاه ویل و دندانِ مارها

منتظرت بودند ـ و چنین بود که جایی برای تفریح باقی نمی‌ماند. البته این روزها لالای شمس‌الدین، برای تقویت روحیه او بارها گفته بود که روحِ انباشته از ترس، هرگز مزرعهٔ سنبله‌های زرّین امید نخواهد شد. ترس مردابی است که در آن فقط مارهای سیاه و ترنجیده‌ی دروغ و پستی و خودفروشی نمو می‌کنند؛ و من تصمیم داشتم ـ حتی به قیمت مرگ ـ از چیزی نترسم، مگر از تاریکی که کاریش نمی‌توانستم کرد.

حرم روزهای جمعه نسبت به روزهای دیگر پُرجنب و جوش‌تر بود. آشپزخانه از صبح در تکاپوی تهیه خوراک‌هایی بود که، از جانب خداوندگار پس از نماز جمعه میان طلاب و نمازگزاران توزیع می‌شد و می‌گفتند که برای بسیاری از طالبان پیر و جوان که از دورترین دیار برای کسب فیض از منبر خداوندگار به مدرسه می‌آیند و همان‌جا به زندگی در حجره‌ها تن در داده‌اند، تنها خوراک درست و حسابی است‌که می‌خورند. کلیهٔ مخارج طلبه‌ها از محل موقوفات پدر خداوندگار که بنیادگذار مدرسه بود، و نیز از نذورات روزافزون مردم تأمین می‌شد که اگرچه پُرشمار نبودند، اما مؤمن و وفادار بودند. قونیه شهر گرانی بود و تأمین همان سه وعده غذای ساده، همراه با مخارج مدرسه و شهریهٔ مدرسین، چندان دشوار بود که خداوندگار برای کمک به هزینهٔ جاری آن‌جا گاه حتی‌از مایحتاج شخصی‌خود و خانواده‌اش نیز چشم‌پوشی می‌کرد و این یکی از دلایل زندگی بی‌اندازه سادهٔ آن خانه بود. جمعه‌ها بیش‌تر اوقات مارا با بقیهٔ خانواده برای صرف صبحانه در حضور خداوندگار، به تالارِ گوشه می‌خواندند زیرا که او در آن روزها دیرتر از خانه بیرون می‌رفت. ساعاتی پس از صرف صبحانه همه برای شرکت در نماز جمعه تالار را ترک می‌کردند. برای این کار مردها در حیاط (مسجد) و زن‌ها روی بام می‌نشستند، با این شرط که از کوچه دیده نشوند. من از تعریف خاطرات زن‌ها برای هم، دانسته بودم که پس از نماز همه‌ی زن‌ها درجای خود روی نمدها می‌نشستند و به وعظ خداوندگار که به چاشنی امثال و شعر و حِکَم آمیخته است، گوش می‌کنند؛ سپس راضی و سرحال برای کمک به توزیع ناهار پایین می‌آمدند و پی برده بودم که پشت بام باید تنها نظّاره‌گاه زنان حرم به دنیای خارج باشد، و هرچه این زنان خاطره از

جهان و اطرافشان دارند، اعم از شکست و پیروزی سرداران آمدن و رفتن سلاطین ، عروسی و عزاداری، بهار و پاییز و نمی‌دانم چه و چه ـ همه حاصل دیده‌بانی پشت بام است که راه پلهٔ تاریکی داشت و من حتی جرأت نگاه‌کردن به آن را نداشتم. یکی از آرزوهایم این بودکه دلی به دریا بزنم و یکی از روزها بالای بام بروم و دنیا را سیرِسیر نگاه‌کنم.

پس از نماز ظهر جمعه، میان طلبه‌ها و فقیرانی که می‌گفتند آواره‌های جنگی‌اند و از صبح زود پشت در مدرسه جمع می‌شوند، غذا توزیع می‌شد، اما خود خداوندگار غالباً به دستگاه سلطانی دعوت می‌شد تا در مراسم ناهارِ جمعه که در ایوان خاص برای ویژگان و دانشمندان و شعرا ترتیب می‌یافت شرکت‌کند.

بعد از ظهر، همه از خستگی گوشه‌ای می‌غلتیدند و جالب‌ترین قسمت روز از غروب تا پاسی از شب گذشته بودکه خداوندگار ساعاتی را میان کلیهٔ افراد مقیم حرم و خانواده سپری می‌کرد و برعکس روزهای دیگرکه بعد از نماز ظهر و مغرب، بزرگان شهر در رقابت باهم او را از همان منبر به محل خود می‌بردند و هیچ‌کس نمی‌توانست او را در خانه بیابد، میثاق جدی خود را برای گذران غروب‌های جمعه با خانواده نمی‌شکست و لابد می‌دانست که تا چه اندازه حضور هرچند اندک او برای انسجام جمعی که تنها پیوندشان با هم وابستگی به او بود، اهمیت داشت. این بودکه علی‌رغم فشار اهل مدرسه و شهر و دعوت‌های متعدد، جمعه بعد از نماز مغرب، همیشه خداوندگار با ما بود و دلِ همه را با شوخی، نوازش، تعریف یا دلسوزی به دست می‌آورد.گاهی هم مجبور می‌شد به درد دل‌ها گوش بدهد و درحالی که کسالت از چهره‌اش می‌بارید خود را به اندازهٔ کافی متمرکز و علاقمند نشان می‌داد و با اندرزهای کاملاً مربوط و مفید گوینده را از غم و درد می‌رهاند. بسیار نیز پیش می‌آمد که حکایاتی به عنوان شاهد می‌آورد که هیچ وقت تکراری نبودند و من نمی‌دانم چه‌گونه همهٔ آن‌ها در سر یک انسان می‌گنجند، اما ما همواره از شنیدن آن‌ها محظوظ می‌شدیم. او در تمام روم و شامات و ایران به سبب بیان گرم و کلام شیرین و استفادهٔ به جایش از شعر و مثل و حکایت اشتهار داشت. یک بارکه نزدیک‌تر به او بودم، همهٔ جرأتم را جمع کردم و از او پرسیدم: از کجا این همه قصه

آموخته‌اید؟ ابتدا خواست مثل همیشه باشوخی جواب دهد اما بعد با نگاهی عمیق که کاملاً تغییر موضع در آن مشهود بود، با عطوفت گفت: مثلاً از همین کلیله‌ودمنه که به شما درس می‌دهند. فرزندم، وقتی تو همهٔ آن را خوب یاد گرفتی و تمام‌کردی، اگر زنده بودم، مأخذ بعدی را هم برایت فاش می‌کنم. همین اشاره‌ی دوپهلو ـ که می‌توانست قابلیت مرا به بازی بگیرد ـ انگیزه‌ای شد برای ولع من به خواندن جدی‌تر و مشتاقانه‌تر کلیله‌ودمنه. در جواب با نگاهی او را و خود را به چالش خواندم: من کتاب را خیلی زود تمام خواهم کرد خواهید دید.

همیشه به رغم جایی که مطابق رسم خانواده در بالای سفره برای مردها منظور می‌شد، من سعی می‌کردم به طریقی مجاورت تقریبی خداوندگار را از دست ندهم. زیرا شام‌های خانوادگی جمعه‌ها از منظر دیگری هم برای من فرح‌بخش بودند. من و برادر تازه‌ام علاءالدین که همان بالا می‌نشست بدون هیچ اشاره‌ای، همزمان باهم، موضوعات خنده‌دار را می‌گرفتیم و ریسه می‌رفتیم. شاید در تمام زمان صرف شام و بعد از آن دو کلمه بین ما ردوبدل نمی‌شد، اما همان نگاه‌های پرتفاهم و پنهانی‌مان دربارهٔ اتفاق‌های خنده‌دار، مرا غرق در شادی می‌کرد. مثلاً یکی از زن‌ها اصلاً دندان نداشت و وقتی می‌خواست هر غیرمایعی را بخورد با صورتش حرکاتی می‌کرد که شاید برای دیگران ترحم‌آمیز بود، ولی ما را به شدت می‌خنداند، به خصوص وقتی نگاهمان می‌کرد و لبخند ملیحی هم می‌زد، البته ادبِ سفره اجازهٔ خنده نمی‌داد و من باید سرم را همیشه پشت مادرم که استثنائاً زانو به زانوی خداوندگار می‌نشست، قایم می‌کردم. یکی دیگرشان بلافاصله و بدون استثنا بعد از شام، هنوز سفره جمع نشده، همان‌طور که مؤدب نشسته بود خوابش می‌برد و صدای خروپفش بالا می‌گرفت. بسیار پیش می‌آمد که کسی با ولع دستش را دراز می‌کرد تا غذایی بردارد، ولی دیگری پیش‌دستی می‌کرد، قیافهٔ بور اولی ما را از خنده روده‌بُر می‌کرد. شاید در میان همهٔ اهل سفره، فقط من و علاءالدین، و گه‌گاه شمس‌الدین، این منظره‌ها را می‌دیدیم. بهاءالدین فقط بلد بود به ما چشم غره برود و زیر لب برادرش را تهدید کند. نمی‌فهمیدم چرا به جای آن کارها در تفریح ما شرکت نمی‌کند. برای همه‌ی اهل حرم ریسه رفتن ما بچه‌های ـ به قول مامی ـ لنگ‌دراز، خیلی عادی و

طبیعی بود، جز برای این جوان بدخُلق. شاید فکر می‌کرد به او می‌خندیم. البته گاهی هم پیش می‌آمد که لب و لنج آویزان او خندهٔ ما را تشدید می‌کرد.

رابطه‌ی نشاط‌انگیز من و علاءالدین به همین لحظات محدود می‌شد، اما یک روز کشف بزرگی کردم. روی شیر سنگی نشسته بودم که باز سایه بعد از ظهر خانه پیدا شد این‌بار بی‌هیچ حرکت اضافی و با بی‌اعتنائی به طرف اتاقم رفتم و از آن جا به ناگاه چرخیدم و او را با یک نگاه شکار کردم. علاءالدین بود که به‌سرعت برگشت و گریخت. جمعهٔ بعد که تصادفاً خیلی نزدیک هم نشسته بودیم، یعنی او در منتهای فوقانی سفره بود و من در همان بالا سرِ کُنج، از شلوغی استفاده کردم و پرسیدم: چرا هروقت روی بام می‌بینمت، فرار می‌کنی؟ صورتش مثل لبویی که توی حمام تعارف‌مان می‌کنند سرخ و بنفش شد. بعد بلافاصله گفتم: من یک روز می‌آیم بالا، باید خیلی قشنگ باشد. اما حیف که از راه پله‌ها خیلی می‌ترسم. یک روز بیا پایین و مرا با خودت ببر. نگاه محجوبش را با چنان هراسی به دور سفره چرخاند که وادار به سکوت شدم. نفهمیدم نگران چیست، یا من چه حرف بدی زده‌ام. به جز کرامانا خاتون هم ـ که همیشه شش دانگ حواسش متوجه این دو پسر بود ـ کسی متوجه ما نبود. بهاءالدین نیز سرگرم خوردن غذا و گوش دادن به حرف‌های پدرش بود.

بیچاره کرامانا، پسرها را که وصلهٔ جانش بودند، خیلی کم می‌دید. پس از مرگ گوهرخاتون، وقتی آن‌ها تحصیلاتشان را در شام تمام کرده و بازگشته بودند، هردو را از دایه جدا کرده بودند و در حجره‌های مدرسه اسکان داده بودند. فقط گه‌گاه بهاءالدین به حرم می‌آمد، آن هم وقتی دلش از جای دیگر پُر بود. در این‌جور مواقع هم با کراماناخاتون یا با مامی جر و بحث راه می‌انداخت و گریه یکی را در می‌آورد و می‌رفت. اما علاءالدین کم‌تر پیدایش می‌شد، آن هم صرفاً برای دیدن دایه و مادر بزرگ و سایر زنان که همه او را مثل بچهٔ خودشان دوست داشتند. می‌گفت درس و کارهای مدرسه رخصت نمی‌دهند. این بود که کرامانا از هیچ فرصتی برای تماشای این دو جوان که حاصل عمرش بودند، نمی‌گذشت. گاه که پسرها از آن سوی سفره حالش را می‌پرسیدند، یا با او شوخی می‌کردند، غرق در سرور می‌شد و با صدای بلند قربان صدقه‌شان می‌رفت؛ چنان محکم هم

به سینه‌اش می‌کوفت که فکر می‌کردم استخوان‌هایش می‌شکنند. من هیچ دلیلی برای آن همه نگرانی و شرم حضور علاءالدین سراغ نداشتم. او بعد از پدرش محبوب‌ترین فرد آن گروه بود. چرا باید آن همه نگران باشد؟ و چرا باید جواب مرا ندهد؟ زمان لازم بود تا بدانم.

آن شب سرانجام باران به انتظار همهٔ مردم پاسخ داد. تا صبح ناودان‌ها آواز خواندند، و صبح با آنکه نمی‌شد بیرون رفت و اتاق نیز چنان تاریک شده بود که باید شمع روشن می‌کردیم، حال خوبی داشتم. من همیشه عاشق باران بودم. همان نیمه شب که شروع شد، عطر آن بیدارم کرد و یک باره همهٔ غم‌های دنیا از دلم رفت. باران تا ظهر ادامه داشت. بعد ابرها پراکنده شدند و خورشید درخشیدن گرفت و حتی چهره عبوس حیاطِ ما را غرق لبخند کرد.

بعد از ناهار با آن که هوا دیگر گرم نبود، همه رفتند توی چرت بعد از ظهر و من هم مثل همیشه رفتم توی حیاط. الیاس یک سبد کوچک از میوه‌های خشک باغ برایم فرستاده بود که آن را هم با خودم بردم. هوای عیاشی داشتم. بوته کوچک یاس سفید هنوز با سماجت گل می‌داد. باغچه قانع باران خوردهٔ حیاط حال و هوای عجیبی داشت. من حتی صدای قهقههٔ ماهی‌های قرمز حوض را که مست باران و آب تازه بودند می‌شنیدم. فضا آکنده بود از بوی بهشت.

شیر سنگی که حالا باهم دوست شده بودیم، سیر آب خورده بود. بی‌پروا از خیس شدن برپشتش نشستم و سبدم را روی زانوهایم گذاشتم. داشتم فکر می‌کردم جشن را چه‌گونه شروع کنم که باز همان سایه روی زمین لغزید. به سرعت برگشتم. خودش بود. این بار فرار نکرد. با دست اشاره می‌کرد. نمی‌فهمیدم چه می‌گوید. بلند شدم و دستم را سایه‌بان چشمانم کردم تا درست‌تر ببینم. ظاهراً هوای پس از باران جان او را نیز به عصیان خوانده بود. می‌گفت بیا بالا. من حالی‌اش کرده بودم که از تاریکی پله‌ها می‌ترسم. فریاد زدم: من می... به آنی دستش را وحشتزده به علامت سکوت را روی لبش گذاشت و باز به طرف پله‌ها اشاره کرد. با تردید به آن سمت رفتم. سوراخ خشتی سیاه مثل اژدها دهان باز کرده بود. حتماً ده‌ها پرستو و خفاش هم تویش بودند. ایستادم و با استیصال بالا را نگاه کردم. بعد دست‌هایم را به نشان ناتوانی و شرم بالا بردم که

ناگهان سبد میوه‌ها از مچ دستم تا انحنای آرنج سُر خورد و میوه‌های خشک ریختند. از یکه‌ای که خوردم باز مثل روز اول دیدارمان ریسه رفت و اشاره کرد که خودش پایین می‌آید. میوه‌ها را جمع کردم و چشمان بی‌تابم را در تاریکی به انتظارش دوختم. زودتر از آن‌که فکر می‌کردم، جلوِ طاقی پیدایش شد. با سرعت آستین گشاد بالا پوشم را گرفت و مرا به دل تاریکی کشید.

چشمم هیچ‌جا را نمی‌دید. با آن که از انتظار صفیر پرستوها در آزار بودم، فشار دستش موجی نا آشنا را روانه جسم و جانم می‌کرد. دلم خواست پله‌ها پایان‌ناپذیر بودند. دیگر خفاش‌ها و پرستوها را از یاد برده بودم. حسی مطبوع و ناشناخته، همراه با گرمای سیال دست‌های او از مخمل آستینم می‌گذشت و قلبم را به شیرینی می‌لرزانید. تنها یک پیچ که بالا رفتیم، دریچهٔ ورودی پشت بام پدیدار شد. قبل از این‌که خارج شویم، گفت چشم‌هایت را ببند. بستم. باز آستینم را گرفت و آهسته مرا برروی بام هدایت کرد. چیزی نگذشت که در نقطه‌ای ایستاد و گفت: حالا چشم‌هایت را باز کن. حدس می‌زدم که با غیرمنتظره‌ای روبه‌رو خواهم شد، اما نه تا به این حد. از دیدن آنچه روبرویم بود نزدیک بود از شوق فریاد بزنم. پشت بام‌های سفالین سرخ و باران خوردهٔ قونیه که از چند ذرعی خانهٔ ما - یعنی مرز شهر جدید با قلعه - تا افق گسترده بودند و میان‌شان، جا به جا سروها گردن کشیده بودند با درختان افرا و بلوط‌های تناور که آخرین برگ‌های طلایی و خیس خود را به نور آفتاب سپرده بودند، جهان تازه‌ای بود که او به من هدیه می‌کرد. آهسته روی پا چرخیدم. شمال در دامنهٔ کوه‌ها با پرده‌ای از برف تازه، دنیای زرد و سبز و اُخرایی و ارغوانیِ باغ‌های قونیه را با گنبدهای شسته‌ای که فیروزه‌ای آن‌ها این‌جا و آن‌جا نور آفتاب را انعکاس می‌دادند، هوس پرواز را درونم بیدار کرد. خوب می‌دانستم که باغ ما در همان سوهاست. شاید آخرین ردیف درختان - قبل از کوه - متعلق به باغ ما بود. او با انگشت نقطه‌ای از آسمان را نشان داد که داشت پایهٔ رنگین کمانی را می‌بلعید و با کمی یأس گفت: دیر رسیدیم، تمام شد. بعد دست‌هایش را به امتداد شانه‌هایش گشود و گفت: این‌قدر بود . . . از این سر صحرا تا پشت کوه‌ها! حیف شد. اگر زود می‌آمدی، همه‌اش را می‌دیدی.

رنگین‌کمان هرسال دست‌کم ده بار میهمان باغ ما بود و دیدارش در همان ایوان خانه میسّر می‌شد. اما چه فایده، این‌ها همه متعلق به صدها سال پیش بودند. مهم این بود که من در آن لحظه در آن بلندا بودم و سراسر قونیه در برابر چشمانم زیر نور آفتاب می‌درخشید. او حریصانه براندازم می‌کرد و من از این حالت او دچار اضطرابی گنگ می‌شدم. دست پاچه شده بودم. این اولین بار بود که روبه‌روی هم تنها ایستاده بودیم. با صدایی که به سختی بیرون می‌آمد گفتم:

ــ خیلی زیباست. اما من از این راه پله‌ها می‌ترسم.

ــ چرا؟ ترس ندارد. توی راه‌پله‌ها چه خبر است که می‌ترسی؟

ــ نمی‌دانم، ولی می‌ترسم. دلم می‌خواست بگویم «مهم نیست. تو را به خدا باز هم مرا این بالا بیاور. من از آن حیاط متنفرم و بعد از ظهرها حوصله‌ام سر می‌رود. این‌جا خیلی قشنگ است و من حاضرم تا شب همین جا بنشینم»، اما در عوض با صدایی مغرور که برایم تازگی داشت، گفتم: می‌شود بازهم مرا بیاوری این‌جا؟

ــ البته، اما نه خیلی زیاد. من حالا دیگر بزرگ شده‌ام. خوب نیست، ممکن است به پدرم شکایت کنند پیش‌تر هر روز بعد از درس و ناهار، تا نماز عصر می‌آمدم این بالا ؛ آخر همه ـ هم در حرم و هم در مدرسه ـ خواب بودند و من حوصله‌ام سر می‌رفت. اما حالا دیگر کمی تفاوت دارد و مناسب نیست این‌جا بپلکم.

ــ چه تفاوتی؟ پشت بام آمدن چه مانعی دارد؟

ــ من دیگر پسربچه نیستم و خوب نیست روی بام ول بگردم.

ــ من فکر می‌کنم تو بی‌خود نگرانی. پشت بام که فقط برای پسربچه‌ها نیست. طوری نگاهم کرد که فهمیدم می‌خواهد چیزی بگوید، اما درنگ کرد و چشمانش را به زمین دوخت بی اراده سبدم را به طرفش گرفتم. چند بادام و برگه‌ی زردآلو برداشت و بعد گفت: این هم از پشت بام که دلت می‌خواست ببینی. اما لازم نیست به هیچ کس بگویی، خوب نیست. می‌دانستم هر سؤال و جوابی بیهوده است و مطمئن بودم که تذکراتش بی‌سبب نیست. آن قدر نشستیم که دیگر هیچ نشانی از رنگین کمان برآسمان نماند. بعد گفت: خوب حالا باید

بروی، من هم همین‌طور. هروقت شد دوباره صدایت می‌زنم. سپس با خندهٔ مخصوصش گفت: به شرط این‌که از این خوراکی‌ها با خودت بیاوری. چه شرط آسانی! الیاس آن قدر از این‌ها فرستاده بود که آیا جا برای پنهان کردنشان نمی‌یافت، و چون خسیس بود، تقسیمشان هم نمی‌کرد. هرچه داخل سبد مانده بود، خالی کردم توی جیب پیراهنش و هردو مست و راضی راهی شدیم، او از پلکان مدرسه و من به سوی حیاط. وقتی پا به صحن حیاط گذاشتم، تازه متوجه شدم که تذکرات او دل مرا هم به شور انداخته است؛ اما حسنش این بود که تاریکی را بدون هیچ ترسی پشت سر گذاشته بودم.

همه هنوز خواب بودند و غیبت بلند من هیچ واکنشی برنینگیخت و من که هنوز نمی‌خواستم به اتاقم بروم، رفتم سراغ شیر سنگی و به زحمت سلطانه را ـ که از باران خیس شده بود و با بالا آمدن آب حوض برای ماهی‌ها با امیدواری بیش‌تری نقشه می‌کشید ـ گرفتم وروی زانوهایم نشاندمش و درحالی که نمی‌دانستم به چه فکر کنم، پشتش را نوازش کردم. چه‌قدر به من خوش گذشته بود. حال تازه و غریبی داشتم. به قول بی‌بی‌جان توی دلم قندآب می‌شد.

آن شب خواب رنگین‌کمان دیدم و تمام بعد از ظهر فردا را روی شیر سنگی به انتظار او نشستم، اما خبری نشد. خدا را شکر که سلطانه به هر دلیلی حیاط حرم را به حیاط مدرسه ترجیح می‌داد و آن‌جا بود، وگرنه دق می‌کردم. او در اصل گربهٔ شمس‌الدین بود، ولی فکر می‌کنم چون طلاب بچه‌سال مدرسه اذیتش می‌کردند، به این جا پناه می‌آورد. شاید هم به خاطر ماهی‌ها می‌آمد. به هر صورت او در آن غربت کم‌کم مونس من شده بود.

از اوجی همچنان خبری نبود و من ترسو در این آرزو که بتوانم از پله‌هایی که از حیاط به زیرزمین می‌رفت و می‌گفتند به آشپزخانه و انبار ختم می‌شود پایین بروم و او را ببینم، می‌سوختم. ترسم تنها از تاریکی هم نبود، چندین بار در خواب دیده بودم موجودات موهومی آن پایین منتظر آدم‌ها بودند. از این رو حتی جرأت نگاه کردن به آنسو را نداشتم. خدا را شکر که اجازهٔ استفاده از آبریزگاه ارسی برای من صادر شده بود وگرنه زندگی از این‌هم برایم مشکل‌تر می‌شد چون گاهی فکر می‌کردم حتی صدای ضجه و مویهٔ قربانیان را از آن‌جا

می‌شنوم، بخصوص شب‌ها که همه‌جا ساکت بود.

بالأخره بعد از چند روز انتظار سخت دوباره سایه پیدایش شد و آمد مرا برد. این بار به سمت دیگر پشت بام رفتیم که در آن‌جا درخت عظیم گردویی شاخه گسترده بود. گویا این درخت، تنها درخت میوه مدرسه بود و هنوز هم در شاخه‌های بالایی آن گردوهایی زیر آخرین برگ‌های پائیزی مخفی بودند. علاءالدین می‌گفت پدر بزرگش نهال آن را به زحمت در گلدانی از ایران آورده است. در این سمت باید خیلی مواظب می‌بودیم که از مدرسه دیده نشویم، یا از شوق یافتن گردو سقوط نکنیم. با تعجب و غصه فهمیدم که من از او شجاع‌ترم، دستِ‌کم در بالارفتن از درخت. او گردوها را پیدا می‌کرد و من می‌رفتم و می‌کندم. در سبد من البته مغز گردو هم بود، اما این گردوها مزه‌ی دیگری داشتند. من از سماجت‌شان نیز خوشم می‌آمد که توانسته بودند از دست طلبه‌های گرسنه جان به در ببرند. وقت به سرعت گذشت و از جایی اذان نماز عصر شنیده شد. هرآن ممکن بود مؤذن مدرسه بالا هم بیاید. از ترس به سرعت پایین رفتیم.

کم‌کم تمام هیجان هستیِ من منحصر شده بود به انتظار برای رفتن به بام. هوا رو به سردی می‌رفت و گاه دست‌هایم یخ می‌کردند، ولی اصلاً مهم نبود. با هم از هر دری حرف می‌زدیم و بازی هایی را که بلد بودیم به هم یاد می‌دادیم. گاهی من سلطانه را هم می‌بردم. پاهایش را توی پوست گردوها می‌کردیم و او دور خودش می‌چرخید، از خنده روده‌بُر می‌شدیم. میوه‌های خشک الیاس هم جشن پاییزی‌مان را رونق می‌داد. فقط وقتی علاءالدین از مادرش حرف می‌زد و چشم‌های درشت و سیاهش پراز اشک می‌شدند، یا اگر از برادرش خاطراتی می‌گفت رگ‌های گردنش از همیشه آبی‌تر و ضخیم جلوه می‌کردند، من دست‌پاچه می‌شدم و نمی‌دانستم چه باید بکنم. دلم می‌خواست می‌توانستم انتقام او را از برادرش بگیرم. هر وقت بهاءالدین برای حساب کتاب به حرم می‌آمد و بهانه‌ای می‌گرفت و جاروجنجال راه می‌انداخت، نمازم را با حضور قلب بیش‌تر می‌خواندم و از خدا می‌خواستم که این موجودِ از خود راضی را به خاطر بهانه‌جویی‌هایش و این‌که به علاءالدین آزار می‌رساند، تنبیه کند. بی‌تردید او هم از من نفرت داشت، حتی یک بار نشد نگاهی مستقیم به من بیندازد. مثل

این‌که من اصلاً وجود نداشتم و این البته آخرین غصهٔ من بود.

آن روز صبح چشمانم را باز نکرده خوش‌حال بودم. می‌دانستم که قرار است خیاط بیاید و برای کودکی که مادرم و تقریباً همه‌ی حرم در انتظارش بودند لباس و قنداق بدوزد و قرار بود به من هم یاد دهد تا بتوانم لباس بچه بدوزم. با آن که نسبت به بچهٔ مادرم هیچ احساسی نداشتم، ولی عاشق لباس‌های کوچولو بودم و دلم می‌خواست من‌هم برایش لباس بدوزم و به دست خودم تنش کنم. هنوز داشتم با ته مانده‌های خواب مبارزه می‌کردم که درِ اتاق با سروصدا باز شد و آیا در حالی‌که با زحمت کسی را دنبال خود می‌کشید، وارد شد.

نیم‌خیز شدم. شبحی نزار و تیره، پشت سرش داخل اتاق شده بود. بویی تحمل‌ناپذیر به یک باره فضا را انباشت. لحظاتی طول کشید تا اوجی را در فضای نیمه تاریک اتاق شناختم آن قدر تغییر کرده بود ولاغر شده بود که اگر در کوچه بود نمی‌شناختمش. پیکرش آشکارا خمیده بود. موهای فرفری بلند و سیهش را چنان کوته کرده بودند که می‌شد گفت آن‌ها را تراشیده‌اند. به جای لباس‌های من ـ که همیشه به او می‌رسید ـ پیراهنی یکسره سرخ تنش بود که از چاک دراز و بی‌قواره‌اش سینه‌های کوچکش دیده می‌شد. مال او هم درست مثل من تازه از زیر پوست سرکشیده بودند. حتماً همان‌طور هم دردآلود بودند، به خصوص زیر آن پیراهن خشن که فکر می‌کنم از جنس چادر کولی‌ها بود. چیزی در چهره‌اش مرا به یاد جوجه پرستوهای مرده انداخت مثل وقت‌هایی که کابوس می‌دیدم فریادی بی‌صدا گلویم را فشار داد. دویدم به طرفش، هیچ وقت نمی‌دانستم این همه دوستش دارم. او مال خودم بود. چه کسی به خودش اجازه داده بود این بلا را سرش بیاورد. می‌خواستم بغلش کنم. آیا با چنان شتابی خود را میان من و او انداخت که هردو به هم خوردیم و من نقش زمین شدم. در میان حیرت و بیچارگی من، آیا خودش را جمع‌وجور کرد و گفت: خانم جان ببخش! او مریض است، دست بهش نزنید. زخمش چرک کرده و تب دارد. فکر می‌کند دارد می‌میرد. کولی‌بازی درآورده است که می‌خواهد پیش از مردن شما را ببیند. دیشب تا صبح نه خودش خوابیده، نه از بس زوزه کشیده، گذاشته آن پایین کسی بخوابد. وقتی نگاه زجردیدهٔ اوجی با نگاهم تلاقی کرد، دیگر هیچ چیز نفهمیدم.

باز از سر بیچارگی به آیا حمله بردم. گریه‌ای جنون‌آسا راه چشم و حلقومم را بسته بود. کورکورانه مشت‌هایم را روانه می‌کردم و همراه با گریه جیغ می‌کشیدم. من آیا را در مرگ اوجی مقصر و هم‌دست می‌دانستم. خود او به من گفته بود ختنه کار مهم و خطرناکی نیست و خود او گفته بود که صبر کنم. می‌خواستم هم خودم را بکشم، هم او را. می‌خواستم دنیا همان لحظه تمام شود. این حادثه آخرین رمق و توان را برای تحمل این خانه ارواح از من گرفت. با سروپای برهنه از در زدم بیرون و بدون آن‌که جایی را ببینم، غریزی به طرف پله‌های اتاق مادرم دویدم. در یک آن خودم را وسط اتاق او یافتم. پف کرده با هیکل ناهنجار وسط پارچه‌هایی که از صندوق‌ها درآورده بود، نشسته بود. تا مرا دید، با همهٔ سنگینی مثل برق بلند شد و درحالی‌که با دودستش شکمش را محافظت می‌کرد. جیغ زد، خدای بزرگ! چی شده کیمیا؟ باز چی شده؟ با دست به سمت اتاقم اشاره کردم، اما نتوانستم چیزی بگویم. گریه و بغضم با فریاد درهم آمیخته بودند و صدایی مثل صدای درختی که می‌شکند از گلویم بیرون می‌آمد. حال مرگ داشتم. به طرفم دوید و در آغوشم گرفت. آه که چه بهشتی بود این آغوش. قَدَّم حالا به سینه‌هایش می‌رسید که همیشه بوی گل می‌داد بارها دیده بودم که کیسهٔ ابریشمی کوچکی پر از برگ گل سرخ و یاس میان سینه‌هایش پنهان می‌کند. عطر او جان آشفته‌ام را به آرام خواند، شروع کردم به حرف زدن و زار زدن که آیا هن‌هن کنان از راه رسید. مادرم سرش فریاد کشید: چه شده؟ من که مردم، زودباش بگو ببینم اوجی چی شده؟ آیا، هم از ترس و هم از خستگی پله‌ها نفسش بالا نمی‌آمد. مرتب می‌گفت: بیگم‌جان! بیگم جان! نترسید، هیچ چی نشده. تو را به خدا هول نکنی. بیگم‌جان چیزی نیست، تورو به‌خدا نترس. عجب کاری دست خودم دادم! چه غلطی کردم! چه قشقرقی به راه افتاد. نگاهی سهمگین به من انداخت که به پشیزی نگرفتم. دست مادرم را چسبیدم و بدون توجه به وضعیتش و بی‌آن که مهلت بدهم چیزی سرش بیندازد، او را به طرف پله‌ها کشیدم. چند لحظه بعد هردو در اتاق من به اوجی خیره شده بودیم که مثل بچه مارمولکی به دیوار چسبیده بود و با چشمان درشت تبدارش که تنها نشان باقی‌مانده از هویتش بود، ما را نگاه می‌کرد. اشک مثل جویباری باریک، دشت

زمستانی گونه‌هایش را آرام و غمگین و بی‌صدا می‌نوردید و به سینهٔ لختش می‌ریخت. چنان شکننده می‌نمود که من هرگونه امید را برای نجات او از دست دادم.

مادرم مبهوت، نگاهش را از اوجی به آیا و از آیا به اوجی می‌گرداند، هرگز کسی تا آن روز مادرم را از خود بی‌خود ندیده و صدایش را از حد معینی بلندتر نشنیده بود. حتی در روز دفن پدرم، او خویشتن‌داری‌اش را به نسبت از کف نداد. اما در آن لحظه به سوی کنیزک پرید و او را در آغوش کشید و گریه‌کنان و فریادزنان، مرتب می‌پرسید: ای خدا، این نامسلمان‌ها با این بچهٔ بیچاره چه کار کرده‌اند؟ آیا! تو کدام جهنم دره‌ای بودی که گذاشتی سر این طفل معصوم این بلا را بیاورند؟ آیا که درمانده روی پلهٔ دم در وا رفت، سرش را میان دست‌هایش گرفت و زار زنان گفت: خاتون، من چه می‌دانم! خوب ختنه‌اش کرده‌اند. باید مسلمان می‌شد! حالا زخمش چرکی شده است، چیزی نیست، خوب می‌شود بی‌خود کولی‌بازی در می‌آورد. اصلاً این به من چه مربوط است؟ مگر من دستور داده‌ام ختنه‌اش کنند؟ ای خدا! کی راحت می‌شوم از این‌جا؟ اصلاً تقصیر من است که بی‌خود دلم سوخت. باید می‌گذاشتم همان پایین می‌مرد تا این جنجال راه نیفتد. خاتون جان! خودتان را به او نچسبانید. برای شما خوب نیست. بدبختی درست می‌شودها!

مادرم بی‌توجه به تذکر او دوباره فریاد زد: موهایش؟ لباسش؟ گرسنگی کشیدنش چه؟ این‌ها هم جزو مسلمانی است؟ کدام نامسلمانی این‌ها را مسلمانی می‌داند؟ می‌خواهم بدانم . . . واویلا! خدایا خودت همهٔ این سیاهکاری ها را اصلاح کن.

آیا گفت: خاتونم! بیگم‌جان! جوش نخورید؛ برای شما خوب نیست. این یک کنیز است. این‌ها که مثل ماها نیستند. شما این را بدعادت کرده بودید، حالا برایش سخت است. وگرنه، کنیز، کنیز است.

مادرم چنان قدمی به طرفش برداشت که آیا از ترس خو را عقب کشید. مادرم دوباره جیغ زد که: برو بگو حمام مراگرم کنند؛ حکیمه‌باجی و ننه‌جی را هم خبر کن. سپس رو به من گفت: یکی از آن لباس‌هایی که گفتم این‌جا برایت بدوزند،

آماده کن. بعد نشست و اوجی را هم کنار خود نشاند.

آیا که نگرانی و بیچارگی از ریخت و روزش می‌بارید و خود را بی‌گناه آماج خشم مادرم می‌دید، دوباره با احتیاط گفت: خانم این مریض است. دست به او نزنید. برای شما خوب نیست؛ برای طفل توی جانتان هم خطرناک است. مادرم چشم غره‌ای تحویلش داد و بالجبازی اوجی را دوباره در آغوش فشرد. بعد صورتش را نزدیکش کرد و گفت: نترس طفلک تنهایم. خوب می‌شوی.

من انگار، هم با چشمانم می‌دیدم و هم با دست‌هایم لمس می‌کردم آن جانی را که مادرم به بدنِ ریشِ آن بندهٔ کوچکِ خدا می‌دمید. عجب معجزه‌ای است این عشق! مادرم درحالی که با خودش حرف می‌زد، گفت: تقصیر من بود. خدایا مرا ببخش! نباید همه چیز را به امید این‌ها رها می‌کردم.

خُنکی فرح‌بخش روحم را فراگرفت بله، مادرم نمی‌بایست همه چیزش را ـ دخترش را، پسرش را، خانه‌اش را، زندگی اش را ـ به امید این‌ها رها می‌کرد. مشتی زن لهیده، زیر فرمان پسری جوان که زندانبانشان بود و پسری جوان‌تر که هنوز در برزخ مرگ مادر و نامهربانی‌های برادر و کم‌توجهی پدر دست و پا می‌زد، و پدری غرقه در وظایف و انتظاراتی که یک شهر بردوشش آوار کرده بود، چه‌گونه مادر مرا تا وادی مسخ شدگی برده بودند؟ خدا را شکرکردم که پیش از آن که نوبت ما برسد، بالأخره مادرم به خود آمد.

با آنکه خیاط از راه دور آمده بود و بی‌صبرانه منتظر دستورات مادرم بود، او شخصاً اوجی را باکمک ننه‌جی ـ که با اکراه به کنیز دست می‌زد ـ شست و لباس تنش کرد و دستور داد رخت‌خواب تمیزی توی اتاق من برایش پهن کردند و بعد به شخصه بالای سرش نشست تا حکیمه‌باجی که قابله‌ی خودش بود آمد. سپس همه را برای معاینه از اتاق بیرون کردند، اما فریادهای زوزه مانند اوجی که لابد تا چند کوچه بالاتر هم می‌رفت، رگ و ریشه‌ی مرا سوزاند. نمی‌دانم چه گذشته بود که مادرم شتابان از اتاق بیرون آمد و با این‌که هفته‌ها بود دیگر حالت تهوع نداشت، دوباره رفت گوشهٔ باغچه و هرچه توی دل و روده داشت، بیرون ریخت.

کلیهٔ زنان حرم ـ از پیر و جوان ـ به غیر از مامی ـ از اتاق‌های خود بیرون

ریخته بودند و وحشت‌زده، این‌جاوآن‌جا باهم حرف مـی‌زدند. مـن روی شیر سنگی خودم نشسته و با همهٔ بی‌قراری از لذتی انتقام‌جویانه سـرمست بـودم. آن‌ها باید می‌دانستند ما که هستیم. باید می‌فهمیدند کراخاتون ـ مادر من ـ بـه موقع چه ماده شیری می‌شود. بعد از مدت‌ها بار دیگر به مادرم سخت بالیدم. این اواخر تغییر کرده بود، دیگر در نگاهش شیفتگی آن عشق بی‌چون و چرا را حس نمی‌کردم. اغلب رنگ‌پریده و نزار بود و به جای لباس‌های فاخر و زیبایش جامه‌ای ساده و بی‌پیرایه می‌پوشید و همواره چارقد می‌بست. دیگر هرگز کسی، حتی نشانی نیز از گیره‌های سربندش که همه جواهرنشان بـودند و رنگـارنگ، نیافت. اندام زیبایش از شکل افتاده بود و زیر چشمانش هـمیشه پـف داشت. این‌ها البته چندان مهم نبودند. از نظر من بیگانگی ناگهانی او با ما و غرق‌شدن سریعش در زندگی تازه، بیشتر قابل سرزنش بود. گاهی به نظرم مـی‌آمد حـتی خداوندگار هم دیگر مثل آن روزها به او نگاه نمی‌کند. پنهانی شرم داشتم از این‌که بپذیرم این زن همان مادری است که روزی وصف جمال و کمالش نقل محافل قونیه بود. وقتی به یادم می‌آمد که پیش از مرگ پدرم و حتی بارها پس از مرگ او ـ با همهٔ تمایلش به گوشه نشینی ـ هنگامی‌که تاجر پارچه‌فروش معروف مغربی از ونیز ابریشم‌های چینی، حریر و زیورآلات هندی و زربفت‌های ایرانـی را بـا کاروان شتر به باغ ما می‌آورد و مادرم یک هفتهٔ تمام را صرف انتخاب پارچه‌ها و تورها و دگمه‌های مناسبِ هم می‌کرد و تازه وقتی تاجر می‌رفت، مادرم گله‌مند بود که او امسـال کـمتر از پـارسال چـیز بـه درد بـخور هـمراهش آورده بـود، نمی‌خواستم باور کنم که این زن رنجور با آن پیکر ناهنجار، درون آن لباس‌های بدقواره مادر من است. اما امروز که گوشه‌ای از ابهت قـدیمی‌اش را نشـان داد، غرق در سرور شدم و دیگر بلندی دیوارها برسرم سنگینی نمی‌کرد.

بعد از اذان ظهر قابله رفت و مادرم دستورات اکیدی دربارهٔ غذا و پرستاری اوجی به آیا داد و گفت بعد از ظهر هم بفرستد ضمادهایی راکه قابله گفته است بیاورند و اگر خودشان رغبت نمی‌کنند، او را صدا کنند و به من که همان‌طور روی شیر سنگی زیر نگاه‌های کنجکاو و گاه شـماتت‌آمیز طـرفداران مـامی در انتظار پایان ماجرا نشسته بودم، با نگاهی پر از هم‌دردی گفت: اگر می‌خواهـی

پیش اوجی بمان و اگر نمی‌توانی بیا بالا پیش خیاطباشی.

دلم می‌خواست هردو جا باشم. اول سری زدم به اوجی که نگاهش آرام و مملو از حق‌شناسی بود و به او اطمینان دادم که نخواهد مرد و من و مادرم دیگر اجازه نخواهیم داد که او را پایین ببرند. بعد هم با ریاکاری گفتم: «حالا می‌روم که تو راحت باشی و بتوانی بخوابی» و سپس مثل تیری از چلهٔ کمان، به تالار گوشه جَستم. احساس بی‌وزنی می‌کردم و از این که میان آن دیوارها صاحب قدرتی هستم، مست مست بودم. در عین حال بلایی که بر سر اوجی به نام خدا آورده بودند، و شقاوتی که این دین‌داران نسبت به او روا داشته بودند، مرا به فکر فرو برده بود. بنابر آنچه من از پدر و مادرم، و خداوندگار و لالای شمس‌الدین می‌دانستم، دین تنها راه رهایی و تنها وسیلهٔ هدایت آدم به سوی خوبی‌ها و مهربانی‌ها و مایهٔ عزت انسان توجه به درگاه خداست. اما این با آنچه به دست این پیرزن‌ها افتاده بود، خیلی تفاوت داشت. و اینکه اصلاً چرا خدا روا می‌داشت که به نام او چنان کنند. فردای آن روز وقتی بعد از ظهر، سایه پای شیرسنگی پیدایش شد، سرفصلی تازه در بحث‌ها و بازی‌های کودکانه و قصه گویی‌ها و نقل خاطرات میان من و او باز شد: خدا.

او البته گاهی از خدا حرف می‌زد و من همیشه می‌شنیدم. اما این بار من بودم که تصمیم داشتم به‌طور جدی بحث خدا را پیش بکشم.

بعد از ظهر سرد آخر پاییز بود. روی بام دست‌هایم را با آجرهای دودکش تون حمام خصوصی مادرم که برای اوجی داغ کرده بودند و هنوز هم ولرم بود، گرم کردم و همچنان که با چشم‌هایم ابدیت را می‌کاویدم، گفتم:

تو می‌دانی خدا چه شکلی است؟ تو که این‌قدر درباره‌اش حرف می‌زنی و معلم‌هایت آن همه توی دمشق درس‌ات داده‌اند، می‌دانی او چه شکلی است و کجاست؟ حتی پدرت که این همه سواد دارد، می‌داند؟ من که دیگر اصلاً مطمئن نیستم او درجایی باشد.

هنوز دلایلم را نشمرده بودم و از ماجرای دیروز حرفی نزده بودم که رنگش به سفیدی برف شد. مثل مارگزیده‌ها از جایش پرید و با صدایی نازک جیغ زد: ساکت! می‌خواهی از این بالا بیندازمت پایین! زودباش زبانت را گاز بگیر و

استغفار کن! خود نیز دستانش را برگوش‌هایش گذارد و تندتند دعـایی زیرلـب خواند. بعد برگشت و چشمان وحشی و پرملامتش را بـه مـن دوخت. مـن از واکنش او سخت ترسیده بودم. بی‌اراده هرچه بلد بودم که مـی‌توانسـت مـعنی استغفار بدهد، تندتند خواندم. اولین‌بار بودکه در چشمانش چنان غضب وخشونت وحشیانه‌ای می‌دیدم. باور کرده بودم که ممکن است مـرا از آن بـالا پرت کند پایین. بعد از لحظاتی مثل این‌که متوجه زیاده‌روی خودش شده باشد، با لحنی آمیخته به دل‌جویی گفت: آخر کفر می‌گویی! نمی‌فهمم چه شده که از این فکرهای کفرآلود می‌کنی ... استغفرالله ... بگو استغفرالله! بگو که نفهمیدی . . . زودباش.

تمام شهامتم را جمع کردم، آب دهانم را قورت دادم و درحالی که حواسم به فرار بود، گفتم: خیلی هم خوب می‌فهمم. بـرای این‌که او مـی‌گذارد مـردم بـه خـاطرش سـختی بکشند؛ مـی‌گذارد بـه اسـمش دیگران را اذیت کنند؛ بـین مخلوقاتش فرق می‌گذارد. یکی را بیش‌تر دوست دارد، یکی را کم‌تر. بعد با چند جمله عجولانه و خلاصه، داستان الیاس راکـه آن همه خدا را دوست دارد، ولی این همه توی باغ بدبخت و تنهاست و سپس سرنوشت بی‌بی‌خانم و داستان اوجی و داستان مادر خودش راکـه بی‌گناه در جوانی مرده است و بچه‌هایش تنها مانده‌اند و داستان پدر خودم را با مرگ نابهنگامش و همه‌ی ماجراهایی راکه به نظرم ظالمانه بودند، یک نفس و با فریاد واگویه کردم و او که رگه‌های خشـم فزاینده‌اش همراه با نفرت از من نگاه صافش را بـه نـوعی تیرگی مـی‌آغشت، مقاومت می‌کرد و میان حرفم می‌دوید و می‌گفت: این‌ها همه حکمتی دارند و ما را شعور و اجازهٔ فضولی در مشیّت او نیست. من به جای تسلیم پیاپی استدلال می‌کردم و او همچنان سعی در توجیه من داشت که کار به دعوایی بسیار جدی کشید. عاقبت وقتی گفت، اگر یک بار دیگر دهانم را باز کنم با مشت صدایم را برای همیشه خفه خواهد کرد، با نـاباوری از آن هـمه بـی‌ادبی و وحشـی‌گری هم‌بازی خوبی که داشتم و از بیم این‌که مبادا واقعاً بلایی سرم بیاورد، ترس از تاریکی بار دیگر از یادم رفت، سلطانه را بغل زدم و یک نفس از پله‌ها پایین دویدم. اوجی بیچاره در اتاقم بستری بود و زخمش خیلی بوی بدی می‌داد. البته

او ـ بیش و کم ـ همیشه بو می‌داد و تحمل آن بو برایم حتی مشکل‌تر از بوی این تعفن بود. سلطانه را رها کردم و کنارش نشستم. به نظرم آمد دارد سرحال می‌آید. با دیدن مصیبت او موقتاً همه چیز یادم رفت. اما شب توی رختخواب تصمیم گرفتم برای همیشه با دوست بی‌ادبم قهر کنم. او لیاقت همدمی با مرا نداشت. دیگر بعد از ظهرها توی حیاط نمی‌رفتم، روزهای اول غیرقابل تحمل بودند. گویی ارابه‌ای هزار اسب مرا به پشت بام می‌کشاند. می‌کوشیدم سرم را گرم کنم، اما بی‌فایده بود. روزهای کسالت‌بار بازگشتند، اما این بار عاملی بود که مرا مصمم نگاه می‌داشت؛ شاید او را هم: غرور... غروری که سخت جریحه‌دار شده بود. تنها چیز دلخوش‌کننده این بود که اوجی داشت کم‌کم خوب می‌شد و به خواست خودش گاه در کارهای سبک به آیاخانم کمک می‌کرد و بقیه‌ی اوقاتش را با من می‌گذراند من هم روزهایی که خودم معلم یا کار دیگری نداشتم، به او قرائت و نوشتن یاد می‌دادم. اقدامی که در حرم ـ مثل خیلی دیگر از عادات و رفتار ما ـ یک رسوایی محسوب می‌شد، اما کسی جرأت اعتراض نداشت. مادرم ماجرای کنیزک بیچاره را به خداوندگار گفته بود و او بسیار خشمگین و برآشفته، انزجار عمیقش را به اهل حرم فهمانده بود، لذا کسی را زهره دخالت نمانده بود.

زمستان سرد مرا از مصاحبت مونس تنهایی‌ام ـ شیر سنگی ـ که حالا او هم مثل من یخ زده بود، محروم می‌داشت. البته اگر هوا خوب هم می‌بود، به حیاط نمی‌رفتم. بعد از قهر، او گاه به بهانه‌ی کمک به مادرم همراه او می‌آمد پایین و من که سعی داشتم از چشمش پنهان باشم، مواظبش نیز بودم و از این‌که در هر فرصتی چشمانش را دور حیاط به دنبال من می‌گرداند، لذّت می‌بردم. دیگر به بهانه‌های مختلف حتی برای شام خانوادگی جمعه‌ها هم حاضر نمی‌شدم. اصلاً نمی‌توانستم جسارتش را ببخشم، هیچ‌کس اجازه نداشت با من آن‌طور حرف بزند. هرچند دلم هم‌چنان برای حال و هوای پشت بام پَر می‌کشید، ولی سر خودم را با درس خواندن و گل‌دوزی گرم می‌کردم. دوست داشتم روی دستمال‌های ابریشم سفید که قرار بود جزو جهازم باشند به راهنمایی خیاط سرخانه خوشه‌های یاس نقش کنم. نگریستن من به این صورتی‌ها و بنفش‌ها ـ از کم‌رنگ تا ارغوانی سیر ـ که رنگ‌های من بودند جان مرا جلا می‌دادند. به

روزهایی می‌اندیشیدم که شاه‌زاده‌ی بختم از راه برسد و مرا باز به خانه‌ای ببرد که دو بَر جادهٔ شنی‌اش را درختان یاس پوشانده باشند. صدایی از درونم می‌گفت که «تو روی شن‌ها قدم خواهی زد و عطر یاس‌ها را خواهی بویید اما دلت سخت برای روزهای پشت بام تنگ خواهد شد».

بعد از ظهر خواب‌آلود و خلوت یکی از روزها بود که دیدم تنها به حیاط آمد. مثل همیشه از پشتِ تنها دریچهٔ اتاقم هوایش را داشتم. برای یک لحظه پشت در اتاقم متوقف ماند. قلبم داشت از سینه‌ام بیرون می‌زد. داشتم جمله‌های قهرآلودم را که صدها بار پیش خودم تکرارشان کرده بودم، آماده می‌کردم که شنیدم صدای پایش آهنگ دور شدن دارد، همهٔ غرور امیرزادگی و ایرانی تباری‌ام و همهٔ آنچه از من دختری سرسخت ساخته بود تا قهری مصمم را ادامه دهد، مثل قندیل‌های ستبری که این شب‌ها برناودان‌ها بسته می‌شدند با آفتاب میان روز فرو می‌ریختند، در وجودم سقوط کردند. شاید صدایشان را نیز همه شنیده باشند. روی صندوقم چمباتمه زدم و سرم را روی زانوانم گذاشتم. دلم می‌خواست گریه می‌کردم، ولی بیشتر خشمگین بودم تا غمگین سخت احساس تحقیر شدگی داشتم. از خودم که دل به بچه طلبهٔ خشکه مقدسی بسته بودم که غوره نشده مویز می‌نمود، شرمم آمد تصمیم گرفته بودم اگر تا آخر عمر از تنهایی بمیرم نیز محلش نگذارم. او بازندهٔ این بازی بود. منفعت این دوستی بیش‌تر به او می‌رسید. او بود که مادر نداشت. او بود که هیچ کس را برای حرف زدن نداشت. او بود که جرأت نمی‌کرد بالای درخت گردو برود. او بود که همیشه حرف می‌زد و من گوش می‌دادم. او بود که داشت از دست برادرش دق می‌آورد و من دل‌داری‌اش می‌دادم. باز صدایی از درونم گفت: «و این تو بودی که هر روز به امید همهٔ این‌ها از خواب برمی‌خاستی».

نمی‌دانم چه مدتی همان‌طور نشسته بودم که اوجی با سینی غذا وارد شد. سینی را گذاشت و با عجله بیرون رفت و دوباره با دستاری کوچک که مردها همیشه پرِ شالشان داشتند بازگشت و گفت: خانم جان این پشت در بود. . . . تویش چیزی گذاشته‌اند.

قلبم دوباره افتاد یک جایی توی تنم و من صدایش را شنیدم. این را او

گذاشته است پشت در، مطمئنم. از کنیز قاپیدمش چه‌قدر هم سنگین بود. چه می‌توانست باشد؟ بعد از این همه وقت، این چه‌جور پیغامی بود! گره دستار را با زحمت و عجله باز کردم. ناگاه هردو جیغ کوتاهی باهم کشیدیم، اوجـی در را بست. و نزدیک‌تر آمد درون دستار یک گوی بلورین بود کـه مـیان ده‌ها پـیله ابریشم جای داشت و رنگ‌های آن‌ها را در خود انعکاس می‌داد. زیبایی سحرآور و بازی رنگ‌ها زبانمان را بند آورده بود. اوجی و مصاحبت او را برای این دوست داشتم که هرگز سؤال نمی‌کرد. مدتی هردو سرگرم گوی بودیم که با هر تکان به هزار رنگ در می‌آمد. غذایم را سرسری و با عجله خوردم، اوجی رفت و من و گوی تنها ماندیم. هرچه فکر کردم که این را چه‌گونه ساخته‌اند و از کجا گیر او افتاده است، عقلم به جایی قد نداد. روز بعد کیسه‌ای کوچک با گل‌دوزی زیبا دوختم و گوی و پیله‌ها را درونش گذاشتم و توی جیبم جای دادم. گوی را از خودم جدا نمی‌کردم. زیباترین هدیه‌ای بود که تا آن روز گرفته بودم. تازه بعد از چند روز که سنگینی گوی توی جیبم سرور زندگی را به من باز گردانیده بود به یاد تکلیفی که این هدیه بردوشم می‌گذارد افتادم و به یاد کسی افتادم که آن را به من هدیه کرده بود، و این که دیگر دلم با او صاف شده بود، به صافی همان گوی بلورین. یقیناً او متوجه زیاده روی خودش شده بود و با زیرپا گذاشتن غرور و اهدای چنان هدیه‌ای زیبا از من طلب بخشش کرده بود و دل من هم او را بخشیده بود. معلوم بود که قدر دوستی‌مان را دانسته است. وظیفه می‌دانستم که باید یک جوری از او تشکر کنم. از نحوهٔ رساندن هدیه نیز فهمیده بودم که نباید در میان جمع ـ مثلاً سر شام جمعه‌شب ـ راست و پوست کنده بگویم «متشکرم!». باید فکر دیگری می‌کردم.

هنوز مادرم تنها مشاورم بود. بی‌آن‌که نیازی به توضیح زیادتر بـبینم، از او پرسیدم: مادر! اگر با یکی قهر کرده باشیم و بعد گـناهش را بـخشیده بـاشیم و بخواهیم با او آشتی کنیم، باید چه کار کنیم؟ مادرم کمی فکر کرد و با لبخندی پُروقار و بزرگ منشانه گفت: تاببینیم کی هست! گفتم کسی‌که نمی‌خواهم اسمش را بگویم. این بار لبخندی پرمعنی‌تر صورت پف کرده‌اش را کـه دانسـته بـودم عارضهٔ آخرین روزهای بارداری است، روشن کرد و با تکان سر گفت: بستگی به

اهمیت آن دوست و موضوع دارد. اگر خیلی مهم باشد پیش ما اَکْدَشانی‌ها رسم است که طره‌ای از گیسوانمان را با رشته‌ای طلا یا نقره می‌بافیم و برایش می‌فرستیم. اما ایرانی‌ها نُقل و نبات و شیرینی می‌فرستند. البته بستگی به این هم دارد که طرف که باشد. یک وقت برای ننه‌جی طرّه نفرستی! او حق داشت. من و ننه‌جی همیشه موقع شستن موهای مجعد من که تا پشت زانوهایم می‌رسید، دعوایمان می‌شد. با خنده گفتم: نه!کس دیگری است که خیلی نزدیک است. حالا ممکن است شما رشته‌ای طلا یا نقره به من بدهید. سلیقه‌ی اَکْدَشانی‌ها را بیش‌تر پسندیده بودم، یعنی برایم عملی‌تر هم بود. مادرم آن قدر باهوش بود که بداند سؤال بی‌فایده است و با آن‌که بسیار تردید داشت و کنجکاو هم بود، می‌دانم در چشمان من تمنایی یافته بود که رفت، صندوقچهٔ جواهراتش را آورد و از داخل یک کیسهٔ مخملی، رشتهٔ باریکی نقره درآورد و با همان لبخند مخصوص به من داد. فکر می‌کنم می‌خواست چیزی بگوید، ولی خدا را شکر که صدای مردان از پشت در شنیده شد و فرصتی نماند. به سرعت پایین رفتم. رشته را قایم کردم و در خلوت بعد از ظهر طرّه‌ای از موهای پشت سرم را ـ چنان که آیاجان موقع شانه کردن نفهمد ـ چیدم و همه را به دقت گره‌به‌گره با آن رشته بافتم و بار دیگر به سلیقهٔ مادرم آفرین گفتم. به راستی درخشش نقره با موهای بلوطی من بسیار هم‌خوانی داشت و زیبایی طرّه‌ی بافته می‌توانست گویای همه حسّ‌های من باشد. آن را با قطعه‌ای چوب عنبر معطر که مادرم داده بود میان دستار گذاردم و آن را تا کردم تا فرصتی مناسب پیش آید. با وجود بی‌قراری من برای اعلام آشتی، حادثه‌ای پیش آمد که همه چیز را به سایه برد.

مادرم زایید؛ یک پسر؛ یعنی برادری دیگر برای من. برادری کوچک و طلایی. از موهایش تا ناخن‌های کوچک پاهای توپولش راگویی با طلا در نوشته بود. سعادت از چهرهٔ مادرم می‌بارید. خداوندگار پسر تازه‌اش را با غرور مظفرالدین امیرعالم نامید و چنان با ظرافت و دقت و عشق او را درآغوش می‌کشیدکه من ـ با این که فرزند واقعی او نبودم ـ حسودی‌ام می‌شد. این اتفاق پُرهیجان هرچیز دیگری را از یادم برد. تمام روز منتظر فرصتی بودم که بتوانم برادر طلایی‌ام را بغل کنم. ورودش مثل نور همهٔ خانه را روشن کرده بود. دیگر

افکار تیره و تارِ سرم آزارم نمی‌دادند و این که مادرم و همه فقط متوجه این بچه بودند اصلاً مرا ناراحت نمی‌کرد. من قبلاً با آمدن شمس‌الدین آبدیده شده بودم. به‌ویژه این‌که این بار مادرم مرا در مراقبت از نوزاد سهم بزرگی بخشیده بود و این اعتماد او مرا غرق در خوشبختی و غرور کرده بود. ضمناً از این‌که روزهای بدحالی و بی‌قوارگی مادرم به سرآمده بود، خوش‌حال بودم و از این که می‌دیدم خداوندگار دوباره با همان نگاه‌های عاشقانهٔ گذشته او را می‌نوازد، نیز به‌خودم می‌بالیدم. خلاصه همه چیز روبه‌راه بود و من حتی یک بار هم نرفتم روی شیر سنگی بنشینم و غصه بخورم، تا چه رسد به این‌که توی آن یخ‌بندان هوس پشت بام کنم. آن غصه‌خوردن‌ها هم به نظرم بچه‌گانه می‌آمدند. جسارت هم‌بازی کله‌شق و متعصبم را بخشیده بودم و موضوع به نحوی فراموشم شده بود. حالا هم‌بازی دیگری پیدا کرده بودم که جای همه را برایم گرفته بود. خداوندگار او را امیر عالم صدا می‌کرد و کم‌کم همه‌ی حرم نیز او را به همین نام می‌خواندند. یک بار دیگر خداوندگار با انتخاب این نام زیبا که با عوالم و رؤیاهای من هم‌خوانی داشت، تحسینم را برانگیخته بود. تولد امیرعالم و کثرت رفت و آمد خداوندگار و برادرانم به حرم قهر من و علاءالدین را بی‌رنگ کرده بود. من در دلم او را بخشیده بودم و برای همین، وقتی او به دیدار کودک طلایی می‌آمد، حالت و رفتار طبیعی داشتم. در آن هوای سرد چه جایی مطبوع‌تر از اتاق و چه کاری مطلوب‌تر از بازی با آن بچهٔ نازنین می‌توانستم بیابم؟ بدون آن‌که گذشت زمان را دریابم، کم‌کم زمستان سخت قونیه رو به پایان می‌رفت. بعضی روزها وقتی آفتاب بالا می‌آمد و باد نمی‌وزید، من و اوجی امیرعالم را بغل می‌کردیم و توی حیاط می‌گرداندیم. سلطانه دور من و برادر طلایی‌ام می‌پلکید و کودک با دیدن گربه سرشار از هیجان می‌شد. و حرکات شیرینش ما را از خنده روده‌بر می‌کرد.

ترنم بهار همراه با بیداری جوانه‌های کوچک درختان دل مرا هوایی می‌کرد. هوایی باغ، هوایی یاس‌ها، هوایی نوروز، هوایی آن احساسات گنگ روی پشت بام، بوی عید فضا را انباشته بود. نوروز اگرچه عیدی عمومی نبود، اماایرانیان مهاجر قدرش را بسیار بزرگ می‌دانستند. ما، هم در کوشک نوروز را جشن می‌گرفتیم و هم در این‌جا برگزارش کردیم، منتها در این‌جا بسیار مختصرتر. اما

اشعار و حکایات نغز خداوندگار در روز عید و عیدی‌هایی که داد، همراه با خاطراتی که زنان حرم از برگزاری پرشکوه نوروز در بلخ و سمرقند و بخارا و نیشابور و شیراز تعریف کردند، جشن‌مان را بسیار شیرین و دل‌انگیز کرد.

من وقتی دنبال لباس مناسبِ عید در صندوقم می‌گشتم، ناگهان دستار تا شدهٔ علاءالدین راکه هدیهٔ من در میانش بود، ته صندوقم یافتم. از این که تشکر از تلاش زیبای علاءالدین برای آشتی آن همه به تأخیر افتاده بود شرمنده شدم اما راه حل خوبی به نظرم رسیده بود. روز عید بعد از ناهار، وقتی همه به نوعی سرگرم بودند، با صدایی آهسته از او خواستم بعد از ظهر روی پشت بام برویم تا من هم عیدی‌ام را به او بدهم. نگاهی نگران به اطراف انداخت، اما بعد به نشان تأیید سرش را تکان داد. یادم آمد که هیچ وقت از او نپرسیده‌ام چرا این همه نگران است.

با کمک اوجی بچه را بعد از شیر خوردن به خاطر خستگی بی‌حد مادرم بعد از مراسم پایین بردم. وقتی مطمئن شدم خواب است، به اوجی گفتم همان‌جا بنشیند و مواظب باشد، چون من می‌خواهم بروم پشت بام. سفیدی چشمانش مثل برق صورت قیری رنگش را تاباند، اما فوری تعجبش را پنهان کرد. این حالاتش را خیلی دوست داشتم. وقتی خاطرم را جمع کرد که می‌تواند از بچه مواظبت کند، از اتاق بیرون رفتم. مثل همیشه صدای خروپف دیار مردگان، فضای آن روز زیبای بهاری را آکنده بود. به دقت همه‌جا را نگاه کردم، هیچ‌کس نبود. اما هشدار چشمان علاءالدین را از یاد نبرده بودم. باید صبر می‌کردم تا سایه می‌آمد. رفتم روی شیر سنگی نشستم و دستم راگذاشتم روی جیب نیم‌تنهٔ قرمز زربفتم که مخصوص عید بود و طره‌ی گیسوی سیم تاب مرا ـ پیچیده در دستار او ـ در خود پنهان داشت. عاقبت پیدایش شد و طبق معمول با اشارهٔ من پایین آمد تا باهم از پله‌ها بالا برویم. لحظه‌ای دچار تردید شدم و دلم به شور افتاد. دیگر به درستی یا نادرستی کاری که می‌کردم اطمینان نداشتم؛ با این همه دل به دریا زدم و رفتم و هنوز بالای پله‌ها نرسیده بار دیگر به ناگهان دنیایم عوض شد: آن بالا همه‌چیز و همه‌جا پرطراوت و زیبا و درخشان بود. این‌جاوآن‌جا شکوفه‌های گل‌بهیِ بادام با نسیم در رقص بودند. هوای خنک و تازه، درست مثل

آب چشمهٔ توتستان باغ‌مان سینه‌ام را غرق شادمانی کرد. از این که او از طبیعت به اندازهٔ من لذت نمی‌برد، حرصم درآمد، ولی زمان گلایه نبود. رفته بودم از او به خاطر هدیهٔ زیبایش تشکر کنم و بگویم که او را بخشیده‌ام. اما برای شروع گفتم: من ابداً دلیلی نیافتم که تو آن همه از دست من عصبانی شدی. ولی قول می‌دهم که از این به‌بعد وارد این مقولات نشوم، به شرطی که تو هم متوجه باشی که طرز رفتارت گاه وحشیانه است. سپس هدیه‌ام را از جیبم بیرون کشیدم و در دستش گذاشتم. دوباره به خاطر هدیه‌اش از او تشکر کردم و با احتیاط پرسیدم: گوی به این زیبایی را از کجا آورده‌ای؟ من مشابه آن را در هیچ‌جا ندیده‌ام.

توضیح داد که او هم از رفتارش شرمنده است، ولی وقتی کسی دانسته یا ندانسته حرف‌های بی‌ربط می‌زند اختیار از کفش خارج می‌شود، و این حاصل تربیتِ طلبگی اوست و با وی نیز همیشه همین‌طور رفتار شده وگفت که گوی، میراث اجدادی اوست که پدرانش دست‌به‌دست انتقالش داده‌اند تا نصیب او شده است. پدرش به خاطر تلاش او در طلبگی و تحصیل علم آن را با لقب سلطان‌المدرسین به عنوان جایزه به او اعطا کرده است و گفت که ظاهراً صدها سال پیش از معدنی در بدخشان به دست آمده است که شهری است نزدیک زادگاه پدر او، و گفته می‌شود که یاقوت سفید است و قیمتی هم است، هرچند اگر سرخ بود، به اندازهٔ گنجی قیمت داشت. به هرصورت گوی، ارزشمندترین دارایی او بوده و من هم عزیزترین آدم زندگی او، پس به من هدیه‌اش کرده است. دستمال مرا هم باز نکرده توی جیبش گذاشت و من چه‌قدر دلم می‌خواست که بازش می‌کرد، زیرا به سلیقهٔ مادرم ایمان قطعی داشتم و می‌دانستم در برابر هدیهٔ سخاوتمندانه او، گزینه من نیز عیدی یگانه‌ای است، و بدم نمی‌آمد بدانم آیا او هم به اندازه‌ای که من از یادگار پدران او به وجد آمدم، از طرّهٔ گیسوان من لذت می‌برد یا نه. اما به نحوی باا‌و رو دربایستی پیدا کرده بودم و هنوز هم کمی از هم خجالت می‌کشیدیم، به رغم بی‌خیالی روزهای گذشته، قهر سه ماهه در هر دو ما چیزی را تغییر داده بود. حداقل بی‌خیالی را. با زحمت به دنبال موضوعی برای حرف یا بازی می‌گشتیم. من به زمین و کاهگل پشت بام چشم دوخته بودم و او

به آسمان. چیزی بین ما اتفاق افتاده بود که نمی‌گذارد دیگر آن دو کودک بی‌خیال بازیگوش پائیز باشیم. عاقبت موضوعی در ذهنم جستم و می‌خواستم از او راجع به روابطش با برادرش سؤال کنم که صدای پایی سنگین از پله‌ها شنیده شد. من منتظر شدم تا ببینم کیست. اما علاءالدین به سرعت روی پاشنه پا چرخید تا فرار کند، منتها صدای خشمگین کرامانا او را میخکوب کرد:

«که این‌طور! پسر خداوندگار و این حرف‌ها! دختر کراخاتون و این کارها! وامصیبتا! آتش و پنبه برپشت بام، و ما همه آن پایین در خواب غفلت.»

علاءالدین که رنگ به چهره نداشت، نگاهی شرمگینانه به کرامانا خاتون انداخت و دست پاچه مرا پایید و بعد با سرعت خود را به پلکانی که به مدرسه راه داشت، رساند. یعنی فرار کرد و مرا تنها گذارد. من وکرامانا روبه‌روی هم ایستاده بودیم. من بیزار از زبونی و بزدلی علاءالدین، و بی‌توجه به حضور کرامانا خواستم پایین بروم. داشتم دوباره به این می‌اندیشیدم که او ارزش آشتی و آن هدیه را ندارد. کاش می‌توانستم طرّه را از او پس بگیرم و جایزهٔ طلبگی‌اش را به او برگردانم. به خودم می‌گفتم کسی که بی‌دلیل از یک دایهٔ پیر فضول چندان می‌ترسد که بی‌دفاع فرار را برقرار ترجیح می‌دهد، لایق دوستی من نیست. ناگهان پنجهٔ چاق کرامانا مچ دستم را قاپید. چهره‌ای که همیشه حالتی مهربان و لبخندی ملایم داشت در آن لحظه به چنان خطوط تند و نگاهی نامهربان آمیخته بود که اصلاً جرأت نکردم دستم را بکشم. گفت: می‌برمت پیش مادرت. من اصلاً نمی‌فهمیدم که چرا ناراحت است، یا چرا تهدید می‌کند. او نمی‌دانست که مادر من هیچ مخالفتی با گردش‌های بعد از ظهر من نداشت؛ البته در باغ، این‌جا را نمی‌دانستم. زیرا در عین حال می‌دانستم که هرجور حرکت کردن توی آن خانه گناه است. و البته شاید پشت بام رفتن ـ وقتی همه خواب بودند ـ در خانهٔ ما هم کار درستی به حساب نمی‌آمد. الیاس هم همیشه مرا منع می‌کرد و می‌گفت هزار خطر بالای بام است. همه‌ی این‌ها درست، اما آنچه مرا می‌آشفت، این بود که حس می‌کردم کرامانا را چیز دیگری غیر از خطرناک بودنِ کار ما ناراحت کرده است. با لحنی سرد و تهدیدآمیز گفتم: شما دست مرا ول کنید، بعد بروید و به هرکه می‌خواهید بگویید. من علاءالدین نیستم که از شما بترسم. تردید ندارم که

داشت توی مغزش محاسبه می‌کرد که چه عکس‌العملی نشان دهد. معلوم بود با برخورد من کمی حساب کارش را کرده است. می‌شد در خطوط سخت چهره‌اش نشانه‌هایی از تعجب و تحسین نیز یافت می‌شد. فوراً تصمیم خود را گرفت و گفت:

کیمیاخاتون به شما هشدار می‌دهم! این بچه‌ها را من باسختی بزرگ کرده‌ام. توی این خانه هیچ چیز به اندازهٔ آبرو قیمت ندارد. این‌جا هرجا نیست. این‌جا منزل بزرگ‌ترین فقیه و مفتی این دیار است و شما هم اهل حرم ایشان هستید. از شما قبیح است. چه معنی دارد که شما لنگ ظهر با یک مرد عزب بالای بام گفت و گو کنید، آن هم مرد جوانی که باید سجاده‌نشین آیندهٔ سلطان ولد بلخی و جلال‌الدین رومی باشد. خوب است بدانید که علاءالدین یک پارچه تقوا و پاکدامنی، و نورچشم پدر بزرگ و مادر جوان مرگش، و امید آیندهٔ این خانواده است. او ابداً اهل این‌جور کارها نیست. حتم دارم شما که تربیتتان سوای اوست، او را گول زده‌اید و این بالا آورده‌اید. این یک رسوایی است. چه‌طور جرأت کردید حیثیت این خانواده را به این سادگی به بازی بگیرید؟ اگر قصدی در سر دارید، صاف و ساده با مادرتان مطرح کنید تا فکری کنند. هرکاری یک راهی دارد. اگر هم از بچگی و نادانی این افتضاح را بار آورده باشید که وای به تربیت‌کنندگان شما. می‌دانید به جز من، اگر کس دیگری از مدرسه یا از حرم این ملاقات گناه‌آلود را می‌دید، چه فاجعه‌ای به بار می‌آمد؟ فقط منم که به خاطر مادرت و حضرت خداوندگار و آبروی پسرم مجبورم مهر سکوت برلب بزنم. می‌دانید اگر موضوع در شهر بپیچد، او دیگر نمی‌تواند جانشین پدر و پدربزرگش شود. حتی اگر بالایی‌ها هم قبول کنند: مردم قبول نمی‌کنند. چند وقتی هست که می‌بینم این پسر تغییر کرده است. باید حدس می‌زدم پای شیطانکی درکار است. حیف از آن مادر. تو اصلاً هیچ شباهتی به او نداری. آن از قشقرقی که سر سیاه زنگی به پا کردی و آقا را با ما درانداختی و این هم از قرار یواشکی‌ات بالای بام با یک عزب نامحرم. اگر از همان اول جلوِ هرّه کرّهٔ شما را سرشام می‌گرفتیم، کار به این بی‌قباحتی خانمان‌سوز نمی‌کشید. من خام با گوش‌های خودم شنیدم توی تالار وعده گذاشتی، گفتم شاید اشتباه می‌کنم. خدا را شکر که باز حواسم را جمع

کردم، و گرنه فردا یک حرامزاده هم باید تحویل می‌گرفتیم. رشته‌ای در مغزم پاره شد. معنی خیلی از حرف‌های او را نفهمیده بودم، اما می‌دانستم حرامزاده بدترین دشنامی است که در شهر ما حتی دشمنان هم در حق هم روا نمی‌دارند. دیگر بس بود. با تمام قدرت دستم را از دستش کشیدم زارزنان از پله‌های تاریک سرازیر شدم و تقریباً زوزه کشان پیچیدم به طرف پله‌های مادرم که ناگهان آیا جلویم سبز شد. مثل همیشه مرا سفت گرفت و گفت: چی شده؟ باز چی شده؟ کیمیاخاتون باز که زده به سرت! خاتون بعد از آن همه خستگی و میهمانداری عید تازه خوابیده. تورا به خدا بگذار بیچاره بخوابد. کمی جان بگیرد. مگر نمی‌بینی مادرت حال ندارد؟ مگر نشنیدی قابله گفت «تمام خون بدنش رفته» می‌دانستم حالا که گیر آیا افتاده‌ام دیگر مقاومت فایده ندارد. دست از کلنجار رفتن با آن هیکل عظیم برداشتم و گریه کنان راهم را به طرف اتاقم کج کردم. گونه‌هایم از شرافت تحقیر شده گُر گرفته بود. آیا دنبالم آمد توی اتاق و در را بست و مرا که زار می‌زدم در آغوش گرفت و بالحنی مهربان گفت: بی‌بی‌جان! حالا به من بگو چه خبر شده؟ شاید من بتوانم کاری بکنم، اگرنه باهم می‌رویم پیش بیگم‌جان. نگاهش کردم و بی‌اختیار با صدایی که خودم نمی‌شناختم، گفتم: هیچی! فقط بگویم که من یک روز دیگر این‌جا نمی‌مانم. کرامانا به من گفت حرامزاده. از نگاهش فهمیدم که نزدیک است سکته کند. صفیرزنان گفت: چی؟

هرچه را پیش آمده بود، برایش تعریف کردم. به تدریج نفسش تند و به شدت عصبی شد و با دسته کلیدی که به کمرش بسته بود بازی می‌کرد؛ اما وقتی جملهٔ آخر را گفتم، لبخندی نامحسوس روی چهره‌اش نشست. مراکنار خودش روی صندوق نشانید و سخت‌تر در آغوش گرفت و بوسید. آیا خانم اصلاً مهربان یا احساساتی نبود، ولی دانستم که دلش برایم خیلی سوخته است.

نمی‌دانم چه‌قدر طول کشید تا سعی کند به من بفهماند که «علاءالدین اگرچه برادر من است، اما با من نامحرم است و شرعاً و عرفاً می‌تواند با من ازدواج کند. پس نباید به تنهایی و بدون حضور خانواده با من ملاقات داشته باشد»، و من باز نفهمیده ـ مثل بسیاری گپ و گفت‌های دیگر ـ باید می‌پذیرفتم که «او یک مرد نامحرم است و معاشرت و بازی‌مان یک فعل حرام محسوب می‌شود و

علاقه‌ای که من به او حس می‌کنم، می‌تواند از نوع عواطف خواهر و برادری نباشد و این احتمال و خطر بسیار زیاد است که شیطان ما را گول بزند و کرامانا منظورش این نبوده است که من حرام‌زاده هستم، بلکه اگر من و علاءالدین نزدیک‌تر شویم و شیطان ما را گول بزند، خدای ناکرده من حامل یک حرامزاده خواهم شد». به خدا سوگندمن باز نفهمیده بودم، اما چون و چرا نداشت و بدتر این که ظاهراً آیا هم قلباً از کرامانا و این که حواسش جمع بوده است خیلی متشکر و راضی بود و به من هم توصیه کرد که نه تنها دیگر با علاءالدین حرف نزنم، بلکه راجع به آنچه که بین ما گذشته نیز چیزی به کسی نگویم تا مبادا آبروی مرحوم پدرم و شمس‌الدین برباد برود. هدیهٔ او را نیز پس بدهم و دعای توبه بخوانم و از خدا بخواهم گناهی راکه نادانسته مرتکب شده‌ام ببخشد، وگرنه باید توی همین دنیا نیز منتظر عقوبتی عظیم باشم. شنیدن این حرف‌ها از آیاخانم که برعکس بی‌بی‌جان هرگز دربارهٔ گناه و توبه و عقوبت حرف نمی‌زد، مرا متقاعد کرد که گناهی عظیم مرتکب شده‌ام و از لحظه‌ای که پذیرفتم گناه کرده‌ام و همهٔ علاقهٔ من به او و لذتی که از مصاحبتش می‌بردم، الزاماً زاده‌ی نسبت خواهر و برادری ما نبوده است، زلزله‌ای در جانم شکافی انداخت که از میانش چشمه‌ای آوازخوان متولد شد. به تدریج داشت برایم رازی برملا می‌شد و پرده‌ای از جلو چشمانم کنار می‌رفت. پس این‌طور بود که او را از اول این همه و بیش از شمس‌الدین دوست داشتم. پس نوعی دل‌بستگی هم هست که می‌توانست هیجان‌انگیزتر ازعلاقه خواهر و برادری باشد اما عقلم یارای حلّاجیِ گناه‌آلودگیِ آن را نداشت و باز ذهنم مقاومت می‌کرد. به راستی این خبر تازه و این آگاهی مهم که می‌توانستم به غیر از رابطهٔ خواهر و برادری که با تجربیات گذشته‌ام آن را کاملاً معمولی وناپایدار می‌دانست با او رابطه‌ی همسری داشته باشم، اساس ذهنیتم را نسبت به او تکان داده بود.

من او را دوست می‌داشتم چون باهم از ته دل می‌خندیدیم. او را دوست می‌داشتم چون مهربان بود. او را دوست می‌داشتم چون هم‌درد من بود و آن‌جا، توی آن محنتکده از همه به من نزدیک‌تر بود. حالا هم دیگر زیاد دوستش نداشتم، چون بزدلانه در برابر دایه‌اش پس نشست و از من دفاع نکرد، همین! اما

باز صدایی درونی می‌گفت: «این همه مربوط به گذشته است. حالا این سؤال مطرح است که آیا می‌توانم یا ممکن است او را مثل یک همسر دوست داشته باشم. از خودم خجالت می‌کشیدم و کرامانا و آیا را نفرین کردم و تصمیم گرفتم برای همیشه این فصل از زندگی‌ام را ببندم و او را به دایه‌اش ببخشم. امیرِکوچک نعمتی بود که برای من از بهشت فرستاده شده بود تا من بتوانم برزخ تنهایی‌ام را بدون آن همبازی بز دل نیز تحمل کنم. از آن پس به جز ساعاتی که لالا برای تدریس می‌آمد، تقریباً تمام وقتم را با امیرعالم می‌گذراندم. او نیز چنان به من خو کرده بود که جز برای شیرخوردن، بغل مادر بیمارم نمی‌رفت. وقتی با دهان کوچکش که تنها یک دندان کوچولو و شفاف توی آن نیش کشیده بود به من می‌خندید، می‌خواستم آن قدر فشارش دهم که باهم یکی شویم. گاه نیز این کار را می‌کردم و طفلک گریه‌اش درمی‌آمد.

تمرین دوران قهر به کارم آمد. دوباره تلاشم را روی ندیدنش متمرکز کردم. این‌طور راحت‌تر بودم. اگرگه‌گاه به او فکر می‌کردم نیز آن صدا در خلوت ذهن مرا با همان سؤال وهم‌انگیز مشغول می‌کرد . . . و در پایان، پاسخی نداشتم جز لعنت فرستادن به کرامانا و آیا که دنیای ساده و زیبای مرا مبدل به شکنجه‌ای پنهانی کرده بودند.

طعم تازه‌ی نجس بودن...

مدتی بود که جاهایی از بدنم تیر می‌کشید و نفسم از درد بند می‌آمد، اما جرأت ابراز نداشتم، فکر می‌کردم چیزیم می‌شود. حالم خوش نبود. گاه غروب‌ها دلم می‌خواست چیزی را تکه پاره کنم. از استیصال بی‌دلیل می‌گریستم. گاهی نیز بی‌سبب به پروپای آیا یا اوجی می‌پیچیدم و تقصیر همهٔ این ناخوشی‌ها را به گردن کرامانا و بهاءالدین و آن حرم می‌انداختم.

پس از حادثه عید، باز مدتی بود که به حیاط نمی‌رفتم. اصلاً نمی‌خواستم چشمم به چهرهٔ کرامانا بیفتد. از او و از همهٔ شبستانیانِ حرم بیزار بودم. جمعه‌ها نیز سرشام همهٔ حواسم را معطوف امیر عالم می‌کردم تا سیر شود. به‌جز خداوندگار همه اعضای آن خانواده برایم مرده بودند. مادرم و آیا باهم راجع به من پچ‌پچ می‌کردند و گاه به رفتارم خرده می‌گرفتند، اما خودش می‌گفت: «این اقتضای سن توست. انشاءالله درست خواهد شد» دیواری از یخ درونم پدید آمده بود که مرا از محیطم و همهٔ کسانی که در آن بودند، جدا می‌کرد. ناگزیر دردهایم را نیز بیش‌تر فرو می‌خوردم. تا آنکه یکی از شب‌ها از دردی بی‌امان از خواب پریدم و از شدت تهوع نتوانستم خودم را به در برسانم. هرچه درونم بود با فشاری مرگ‌آور از حلقم بیرون ریخت. یادم آمد که روز عید آیا به من گفته بود باید دعای توبه بخوانم و من از این کار سرباز زده بودم و حالا حس می‌کردم که شاید عقوبت آن گناه است که همراه نفرین کرامانا دامنم را گرفته است. باخودم می‌گفتم، در این نیمه شب تنهای تنها می‌میرم و آرزوی ملکهٔ آفاق شدن را خیلی زود به گور می‌برم؛ آن هم به عقوبت گناهی که نه می‌شناختم و نه می‌خواستم

مرتکب شوم. پس اگر چنین است ترجیح می‌دهم کسی مردنم را نبیند. هیچ‌کس را صدا نخواهم کرد تا برایم موعظه کند. تنها خواهم مرد. اما در آن دنیا حسابم را با خدا صاف خواهم کرد.

آیا بی‌خیال و راحت خروپف می‌کرد. بدون کمک او توانستم تا حدی خودم را زیر نور پیه‌سوز کوچکی که به خاطر ترس من از تاریکی، همیشه بالای رف روشن بود، تمیز کنم. لباس خوابم را هم عوض کردم و در حالی که هم‌چنان به شدت درد می‌کشیدم، رفتم روی رخت‌خوابم دراز بکشم که حس کردم تشکم را ماده‌ای سرد و لزج آلوده است. کمی طول کشید تا فهمیدم خون است. خون خودم بود. به لباس‌خوابی که از تن درآورده بودم زیر نور نگاه کردم. پشتش غرق در خون بود و بدتر این‌که خون همچنان از من جاری بود، فلج شدم و این بار از یک ترس واقعی: ترس از مرگ، ترس از گناه، ترس از عقوبت، ترس از جهنم، ترس از مارهایی که توی قبر به سراغ آدم می‌آیند، ترس از وضعی که گرفتارش شده بودم. تنها یک چیز را به درستی تشخیص می‌دادم و آن این‌که باید بلایی که به سرم آمده است، پنهان بماند. نباید سروصدا راه می‌انداختم. نمی‌خواستم سرِ بینه‌ی حمام‌های قونیه و بر در هر کوچه و برزن داستان مرگ گناه‌آلود مرا بگویند. این را از مادرم به ارث برده بودم. همیشه تکیه کلامش بود که «نمی‌خواهم سرزبان‌ها باشم». نمی‌خواستم دوباره توی آن رخت‌خواب بروم، از خودم بدم می‌آمد. احساس می‌کردم از آن روزِ اوجی هم کثیف‌ترم. همان‌جور گوشهٔ دیوار چمباتمه زدم و تسلیم و حیران، در انتظار مرگ و عقوبت گناه منتظر ماندم. تصمیم را هم گرفته بودم، هیچ‌کس را بیدار نمی‌کردم. فردا هم من دیگر نبودم. پس هرچه پیش می‌آمد نمی‌توانست برایم مهم باشد. سرم روی زانویم بود و از این‌که تصاویر بسیاری از وقایع و آدم‌های مختلف که بعضی از آن‌ها کاملاً از یادم رفته بودند دوباره به وضوح جلو چشمانم جان می‌گیرند، تعجب می‌کردم. اول ملکه عالیه همسر سلطان کی‌قباد آمد که دوست مادرم و قبلهٔ آمال کودکی من بود. او یک بار در روز سلام عید به من قول داده بود که مرا عروس خود کند. بعد پیام یاس‌ها را شنیدم؛ بعد نگاه الیاس بود و اسب پدرم و انجیرهای باغ و فرشته وسط استخر و بوی علف و صدای آب و چشم‌های خندان علاءالدین در شب

اول ورودمان به حرم که من به کلی از یادش برده بودم. از لحظه‌ای که ده‌ها خاطرهٔ فراموش‌شده نظم عبورشان مختل شد هم‌دیگر را پس می‌زدند و می‌شکستند، در سرسامی رخوت‌زا حس کردم که آرام آرام دارم می‌میرم رنگ‌ها و روشنی‌ها به تدریج تیره و محو شدند و من دیگر چیزی به یاد نیاوردم.

با گرمایی خیس و مطبوع روی صورتم از جا پریدم، روز بود. آیا با چشمان نگران بالای سرم بود و داشت با دستمالی خیس صورتم را پاک می‌کرد. اوجی با یک لگن آب گرم در کنارش بود. هردو جدی مرا وارنداز می‌کردند. بعد از چند لحظه تازه یادم افتاد که من باید مرده باشم. کاملاً مطمئن بودم که هرچه از دیشب به یاد دارم، همه واقعاً اتفاق افتاده‌اند. نور طلایی اتاق را پرکرده بود و من به جای این‌که درد و مرگی داشته باشم، احساس سبکی و رهایی‌هم می‌کردم.

اطرافم را کاویدم. رخت‌خوابم تمیز بود، لباسم تمیز بود؛ و هیچ نشانی از کابوس دیشب برجای نبود. پرسیدم: آیاجان من دیشب . . . او با همان قیافهٔ جدی و اسرارآمیز گفت: چیزی نیست . . . مبارک است . . . حالا دیگر یک خانم تمام مکلف و عیار شدی.

هاج‌وواج نگاهش می‌کردم. من دیشب داشتم با آن فضاحت می‌مردم، حالا او تبریک می‌گوید. دهانم را باز کردم که چیزی بپرسم. آشکارا نیز می‌دانستم صحبت کردن دربارهٔ مشکل شب گذشتهٔ من برایش خیلی سخت خواهد بود. ولی من هم دقیقاً بیاد می‌آوردم چه اتفاقی برایم افتاده بود. در پاسخ به چشمان پر از سؤال من زیر لب غُری زد و پشت به من روی صندوق نشست. چرخیدم و با لجبازی گفتم:

ـ آیاجان مطمئنم! من دیشب داشتم می‌مردم. . . اصلاً. . . مادرم کجاست؟. . . چرا تو یک جور دیگه شدی؟ چرا من توی رخت‌خوابم؟ . . . اون خون‌ها . .

درحالی‌که چشمانش را به‌روزن سقف دوخته بود ودستانش روی‌گونه‌هایش بود، گفت:

ای خُدا زن همه چیزش محنت است، حتی تکلیف شدنش. ببین کیمیاخاتون به والله دیگر خسته شدم. سر به هوایی را بگذار کنار و گوش‌هایت خوب بازکن، هیچ سؤال هم نکن. یک بار می‌گویم، آن هم به خاطر این که مادر

نداری، یعنی مادرت گرفتار است وگرنه به من ربطی نداشت کار اوست. شما دیگر بچه نیستید. ماشاءالله بزرگ شده‌اید.

می‌دانستم وقتی جدی است، با من به صیغهٔ جمع حرف می‌زند.

... شما باید بدانید که از این به‌بعد هرماه همین‌جور می‌شوید.

داشتم سکته می‌کردم.

دستمال‌هایتان بند دارند، یادتان می‌دهم چه‌طوری ببندین. ترس هم ندارد. طبیعی است. خون‌های کثیف باید بیایند بیرون، وگرنه دمل می‌شوند. توی یک هفته‌ای که این‌جوری هستید نجسید. نباید دست به قرآن بزنید، به کتاب دعا هم همین‌طور. زیارت هم نباید بروید. خلاصه نباید با چیزهای مقدس تماس داشته باشید. نجسید. می‌دانید نجس یعنی چه؟ این‌جا می‌گویند آدم که این‌جوری است، از سگ هم نجس‌تر است.

کافی بود. دیگر نمی‌خواستم بشنوم ... با دو دست گوش‌هایم را گرفتم. بیچاره لب و لُنجش آویزان شد. دلم سوخت. برای این‌که بداند به حرف‌هایش گوش داده‌ام، نمی‌دانم چرا ناگهان مخصوصاً پرسیدم: مردها هم همین‌طور می‌شوند؟

ـ مردها که آبستن نمی‌شوند. این مال آبستنی است ... وقتی بچه آن توست، دیگر بند می‌آید.

باز نفهمیدم. ارتباط این خون را با بچه اصلاً نمی‌فهمیدم ذهنم سخت مشغول شده بود و قبل از این‌که بخواهم به نتیجه‌ای برسم، بلند بلند حرف زدم: آن وقت بچه این خون‌های کثیف و نجس را می‌خورد؟

از فکر این که امیر عالم طلایی نه ماه در درون مادرم موجودی بوده که از همین‌خون‌های نجس وکثیف تغذیه می‌کرده‌است، چندشم‌شد. این نمی‌توانست درست باشد، وگرنه این همه زیبا و معصوم و ظریف نبود.

آیا که هرلحظه عصبی‌تر می‌شد، گفت: کیمیاخاتون! بقیهٔ سؤال‌های‌تان را از بیگم جان بپرسید. من به تازگی از پس زبان شما برنمی‌آیم. هیکل صدمنی‌اش را با آه و ناله از روی صندوق بلند کرد، لباس‌ها و وسایل خواب‌آلوده را که بغچه کرده بود برداشت و فریادزنان اوجی را صدا‌کرد تا بیاید و آن‌ها را ببرد. بعد هم

خودش بدون آن‌که به من که اصلاً نمی‌دانستم چرا ناراحتش کرده‌ام نیم نگاهی بکند، از اتاق بیرون رفت و در را بست. دوباره لای در را باز کرد و گفت اگر درد سر تازه نمی‌خواهی هرچه گفتم بکن، والسلام.

من ماندم و اولین روز فصلی اسرارآمیز از زندگیم که هیچ چیز راجع به آن نمی‌دانستم جز نجس بودن، مثل یک سگ.

همیشه آرزو داشتم یک روزی از پیله بیرون بیایم و خانم شوم و اکنون که به قول آیا، خانم شده بودم تنها مفهومی که توی ذهنم دور می‌زد و تکرار می‌شد این بود که حالا نجس هستم و از این به بعد هم ماهی یک هفته نجس خواهم بود. فکر کردم با آن وضع و با آن دستمال‌های زمختی که وسط پایم بود اصلاً از در اتاق بیرون نخواهم رفت. از راه رفتنم همه می‌فهمیدند که من نجس هستم. لالا را چه کار کنم؟ شام جمعه‌شب را چه کار کنم؟ اگر بروم همه می‌فهمند، اگرهم نروم همه می‌پرسند و بالاخره می‌فهمند. زن بودند. بی‌اختیار یاد تصویری افتادم که دایه‌ام بی‌بی‌جان، از چهرهٔ قابلهٔ من در روز تولدم ترسیم می‌کرد. می‌گفت بیچاره با حالت عذرخواهانه به همه توضیح می‌داد که «ای بابا خدا را شکر که سالم است. اگر سالم نبود چه؟ حالا انشاءالله دفعهٔ دیگر پسر می‌شود! بعد هم که سراغ پدرم می‌رود تا به خاطر سلامت مادر و بچه مژدگانی بگیرد، پدرم بدون یک کلمه حرف خانه را ترک می‌کند و تا شب برنمی‌گردد و با همهٔ عشقی که به مادرم داشته، تنها وقتی به خلق‌وخوی طبیعی و نخستین خود باز می‌گردد که مادرم برایش شمس‌الدین را به دنیا می‌آورد. بی‌بی‌جان این را وقتی گفت که قرار شد در باغ بماند و خشمگین بود، شاید برای انتقام از مادرم، ولی ظاهراً برای این‌که به من بگوید «زن‌ها همه از بدو تولد گرفتار جنسیت خود هستند، حتی اگر مثل من نجیب‌زاده‌ای باشند». او البته نمی‌دانست که چیز تازه‌ای به من نگفته و من با همهٔ بچگی، بعد از تولد شمس‌الدین خودم همهٔ این چیزهارا، به نحوی هم درک کرده بودم و هم به عنوان یک اصل پذیرفته بودم. فقط نمی‌دانم چرا دوباره این ماجرا یادم آمده بود. شاید برای این‌که آیا گفت من می‌توانم بعد از این بچه‌دار شوم، شاید از این وحشت که مبادا بچهٔ اول من هم دختر بشود و شاید برای این‌که دیگر فهمیده بودم چرا باید پدرم از دخترها متنفر باشد. دخترها حتی برای

این‌که بتوانند مادر شوند، ماهی یک بار از سگ نجس‌تر می‌شوند، اما این که چرا مردها باید از این خون‌های کثیف تغذیه کنند تا هستی یابند، درماندگی ذهنی‌ام را تشدید می‌کرد. بعد از مدتی کلنجار و خدا خدا کردن که هرگز دختر به دنیا نیاورم، به این نتیجه رسیدم که فعلاً مشکلم دختر زائیدن نیست بلکه دختر بودن است. دختری ناخواسته که هیچ کس هیچ‌گاه جواب سؤال‌هایش را نمی‌دهد و از این پس ماهی یک بار هم نجس می‌شود و هم‌چنان در احاطه باروهای کهنه و بلند حرم در انتظار پسر سلطان نشسته است.

نمی‌دانم چرا بعد از آن واقعه بر حس رضایتم از خویشتن خدشه وارد شد. رفته رفته با درک جدیدی آشنا می‌شدم. حتی برخلاف گذشته در درونـم حس انزجار از خود رشد کرده بود. تازه داشتم می‌فهمیدم چه‌قدر حقیرم و چه‌گونه دور از واقعیت‌های هستی، زندگی کرده‌ام. دیگر آن دختر محمد شـاه ایرانـی کـه نازپرورده و ایمن در باغ رؤیایی خیال می‌بافت و با پروانه‌ها دوست بود و از پرستوها می‌ترسید، مرده بود و به جایش زنی منتظر، محقر، نجس و زندانـی نشسته بود که هر حرکتش می‌توانست گناه باشد، حتی دعا خواندنش برای خود.

تمام هفته‌را با آن حس جدید کلنجار رفتم و فقط وقتی حالم بهتر شد که سرم را تا جایی‌که می‌توانستم زیر آب گرم خزینه نگاه داشتم، متناوب با بلع حریصانۀ هوا، چندان این‌کار را تکرار کردم که بالاخره ننه‌جی سر وقتم آمد و گفت:

ای وای کیمیاخاتون! من دارم به خواستگارهای شما جواب می‌دم و شـما دارید آب بازی می‌کنید؟ این کارها مال بچه‌هاست. شما باید از این پس حواستان را جمع کنید. مردم مواظب شما هستند. همین روزها انشاءالله راهی خانۀ بخت می‌شوید. از من که بپرسید، دیر هم شده است. اگر پدرتان زنده بود، الآن دو سال بود که در خانۀ شوهر بودید. یا حداقل اسمی رویتان بود. بحمدالله تکلیف هم شده‌اید. مردم می‌خندند اگر بچه‌بازی دربیاورید. زشت است، قباحت دارد! کرشمه‌ای آمد و رفت و من درحالی که از پشت، بدن قورباغه‌ای‌اش را با پاهای نازک و پرانحنا و شکم گنده برانداز می‌کردم که لخت و عـور هـمه روزه مـیان بخارهای این صحنِ گرم، سرنوشت‌سازی می‌کرد، فهمیدم دیگر خزینه هم جای امنی برایم نیست. او آخرین کسی بود که باید از تذکرات شـرعی و عرفی‌اش

غافل نمی‌ماندم، که او هم ادای دین کرده بود. بی‌صدا خارج شدم و به سربینه رفتم؛ اوجی بنفش و عرق کرده ساعت‌ها منتظرم بود. لباس تمیزی را که بوی آفتاب می‌داد پوشیدم و تن دادم به دنیایی که **زنان پاک** با شادیانه‌های خود فرارویم گشوده بودند.

توی کوچه بودم که فهمیدم بهار باید به نیمه رسیده باشد، اما در حیاط ما دریغ از یک غنچه. دلم می‌خواست از غفلت نوکری که ما را همراهی می‌کرد استفاده کنم، دست اوجی را بگیرم و باهم به باغ فرار کنیم. باغ از پشت دیوارهای قلعهٔ قدیم مرا صدا می‌کرد. اما فرشته‌ای که بی‌بی‌جان گفته بود روی شانهٔ راستم نشسته، مرا به یاد پیمانی انداخت که چند ماه پیش با مادرم بسته بودم. چه‌قدر از خدا، بابت این فرشتهٔ خوبی‌ها ممنون بودم. اگر او نبود من دست به چه دیوانگی‌ها که نمی‌زدم. دست از عصیان برداشتم و اکتفا کردم به‌تماشای شاخه‌های پرشکوفه‌ای که این‌جا و آن‌جا از پشت دیوارهای خشتی سرکشیده بودند و تا توانستم وجودم را از هوایی انباشتم که بوی بهار و شکوفه داشت.

روزهای خوش

داشتیم کلیله‌ودمنه را تمام می‌کردیم. من خیلی جلوتر از شمس‌الدین بودم. می‌خواستم به خداوندگار ثابت کنم که تا او زنده است من کلیله‌ودمنه را و حتماً چند کتاب دیگر را نیز تمام خواهم کرد. لالای شمس‌الدین که عاقبت به دلیل ضعف جسمانی برادرم نتوانسته بود او را امیرزاده‌ای هم دانشمند و هم پهلوان منش بار آورد حال با سودایی دیگر می‌خواست از او مثل پدرم مردی دیوان‌سالار بسازد و از همه بدتر اینکه دریافته بود من از شاگرد محبوبش ساعی‌ترم و لابد از غیبت من خوش‌حال هم می‌بود. فکر کرده بود که دیگر تکلیف آیندهٔ من روشن شده است که به او گفته‌اند این هفته برای تدریس من به کتاب‌خانه نیاید و از دیدنم شگفت‌زده بود و مرا سؤال‌پیچ می‌کرد. عاقبت مادرم به کمکم آمد و با کمی تحکم گفت: «به‌شما گفته بودیم که ذات‌الریه کرده است!»، پیرمرد با ناباوری به چهرهٔ سالم من می‌نگریست، حتی من سایهٔ یک لبخند موذیانه را هم گوشه لبش دیدم . . .

باز مادرم حالش خوب نبود. وقتی مجسم می‌کردم که دوباره بچه‌ای توی شکمش است که دارد از آن خون‌های کثیف می‌خورد، از مادرم و هرچه بچه بود، بدم می‌آمد. حسی چندش‌آور در درونم بیدار شده بود که برمجموعهٔ ذهنیاتم فرمان می‌راند و مرا رها نمی‌کرد.

دوسه‌روزی از حمام رفتنم نگذشته بود که یک روز عصر سروکلهٔ ننه‌جی پیدا شد. مستقیم رفت پیش مادرم توی تالار و موقع بازگشت ـ وقتی از حیاط حرم به قصد درِ بالا از کنار اتاق من رد می‌شد ـ توی اتاق سرکی کشید و با

چشمان همیشه نمناک و حریصش، مرا خریدارانهورانداز کرد و بدون هیچ حرفی رفت و بلافاصله پشت سرش آیا با هیجان وارد شد. گفت: مادر حواست جمع باشد! خواستگار آمده است؛ یعنی قرار است بیاید بیگم‌جان امشب از خداوندگار اجازهٔ آمدنشان را می‌گیرد. ننه‌جی خیلی تعریف کرده، خیلی مالدارند. خیلی. از آن کله‌گنده‌ها هستند. صاحب چند راسته بازار و بیش‌تر کاروانسراهای قونیه‌اند. خلاصه نصف قونیه مال آن‌هاست.

حس خوشایندی در دلم پاره شد و در رگ‌هایم دویدن گرفت، بد هم نبود. اولین خواستگار اگرچه شاهزده و امیرزاده نبود، اما همین‌که نصف قونیه مال او بود، برای این زندانی ناخشنود که پدرش مرده بود و مادرش هم دیگر مادرش نبود، زیاد بد نمی‌نمود. فردا صبح من هنوز توی رخت‌خواب بودم که ننه‌جی دوباره آمد و به قسمت مادرم رفت. فکر کردم چه‌قدر برای جواب عجله دارند. اما کمی بعد دیدمش که با لب و لُنج آویزان در چهارچوب در اتاق من ایستاده است. نگاهی به اطراف کرد. مطمئن بود که من از موضوع بی‌خبرم. آهسته گفت: حضرت آقا گفته‌اند «کبوتر با کبوتر، باز با باز». گفته‌اند: «مال دارند که دارند؛ اصل مهم این است که اصل و نسبشان معلوم نیست». گفته‌اند: «برای تو پیر است». دوباره اطراف را نگاه کرد؛ وقتی مطمئن شد کسی نیست، با نگاهی به سمت زاویه شکلکی درآورد. گفت: تا این سن‌وسال نگهت داشته‌اند، حالا هم این‌قدر این‌دست و آن‌دست می‌کنند تا موهایت رنگ دندان‌هایت شود. گفته‌اند: «به کاسب نمی‌دهند . . . به بَزمی نمی‌دهند . . . به رزمی نمی‌دهند . . . به غریب نمی‌دهند . . . به مرد زن‌دار و زن مرده نمی‌دهند». نمی‌دانند همین حالا هم دیر شده است. تاحالا باید اسمی رویت گذاشته بودند. ما والله ندیدیم یک دختر نجیب‌زاده به این سن برسد و اسمی رویش نباشد. اما خوب پدرکه نداری، مادرت هم که عمری چلّه نشسته بود و حالا دارد شیر به شیر تلافی می‌کند. آقا هم که دلش نمی‌سوزد، بچهٔ خودش که نیست. خودت باید حواست جمع باشد که این وسط حرام نشوی . . .

همین‌که ننه‌چی سایهٔ آیا راکه آهسته نزدیک شده بود، پشت سرش حس کرد، صدایش را اوج داد و گفت: حالا غصه‌نخور ننه. خودم برایت خوب‌تَرَش را

پیدا می‌کنم؛ و باز با چشم‌غرّه‌ای به طرف زاویه و با علامتی به معنی هم‌دردی با من، به سمت در رفت. آیا هم تا آن‌جا بدرقه‌اش کرد.

حرف‌های ننه‌جی مرا به فکر فرو برد. این یک غصهٔ تازه بود که آن را قبلاً نمی‌شناختم. حالا نمی‌دانستم به راستی باید به سینه‌اش بسپارم یا فراموشش کنم.

چه خوب که فردا جمعه بود. خداوندگار قول داده بود هرگاه کلیله‌ودمنه را تمام کنم، کتاب دیگری ـ زیباتر و گران‌مایه‌تر ـ به من خواهد داد. فردا این اتفاق می‌افتاد. کلیله‌ودمنه را از سر پیش‌بخاری برداشتم. باید برای آخرین بار نگاهش می‌کردم تا حضور ذهن داشته باشم. شالی به خودم پیچیدم و بیرون رفتم و روی شیر نشستم. اما اصلاً حوصلهٔ خواندن نداشتم. به انواع و اقسام صداهای گربه آشنا، سلطانه را صداکردم، خبری نشد. اما به جای سلطانه چندین سر از این در و آن در و از روزن آشپزخانه بیرون آمدند و شروع کردند مرا با تعجب نگاه کردن بعضی‌ها هم از اتاق‌ها بیرون آمدند و ولو شدند روی پله‌های جلو اتاقشان و با لبخند بردهان بی‌دندانشان و زُل زدند به منِ بعد از نیم سال و اندی اقامت در این‌جا هنوز از این‌ها می‌ترسیدم. فایده‌ای نداشت، حالم بدتر شد. کتابم را برداشتم و دوباره به اتاقم رفتم. بهتر بود همان‌جا می‌خواندم تا خود را برای امتحان فردا خوب آماده کنم. با این‌که همهٔ داستان‌های حیوانات کتاب را که ظاهراً از آدم‌ها عاقل‌تر و خوشبخت‌تر بودند از حفظ بودم، اما همهٔ روزم را به خواندن مجدد آن‌ها اختصاص دادم و روز بعد، آمادهٔ امتحان، چشم از خداوندگار برنمی‌داشتم. وقتی او همهٔ امور خانوادگی را سر وسامان داد و نوبت من رسید، تنها به حرفم اعتماد و اکتفا کرد و بی‌آن‌که امتحانی در کار باشد، زیر نگاه‌های کنجکاو و گاه حسودانهٔ دیگران به اتاق دیگر رفت بعد از دقایقی در حالی‌که کتاب سنگینی مجلد به چرم سیاه و کهنه در دستش بود، بازگشت و مرا صدا کرد و با طمأنینه کتاب را به سویم دراز کرد و مهربانانه گفت: فرزندم مواظب باش این را همین‌طور سالم به من باز گردانی. می‌دانم که لیاقت خواندن و نگاهداری‌اش را داری. وای به روزگار تو و من اگر این کتاب آسیب ببیند. در زمان هجرت پدرم از بلخ، امیر وقت خراسان به جای دُرّ و مرجان که معمول امرا بود این مجلد

ارزشمند را از کتاب‌خانهٔ شخصی‌اش به او هدیه کرده است. زیرا که می‌دانست پدرم این را بیش‌تر قدر می‌داند. کتابی‌است که اعلا درجه، خرد و هنر و زیبایی را در آن خواهی یافت، با تصاویر روح‌افزا و خط خوش به زبان شعر، داستان شاهان پیشین ایران زمین را از روزگاران نخست گزارش کرده است. این کتاب، هم برای فهم فارسی تو خوب است، هم برای این‌که بدانی پدر فقید و پدر جدیدت از کدامین گوشهٔ دنیا به این خاک درآمده‌اند و هم این‌که بهترین اثر برای پرورش طبع لطیف است. در این کتاب دیگر پند و اندر از زبان حیوانات نیست بلکه پهلوانان و یلان و زنان و مردان خوب سرشت به جنگ بدی و اهریمنی می‌شتابند. به یقین تو بسیاری کلمات آن را نخواهی فهمید، اما از داستان‌های آن غرق لذت خواهی شد، همان‌طور که من در جوانی شدم. این هم جایزهٔ سعی شما، خاتونِ خاتون‌ها! کیمیاخاتون ما!

در پوست نمی‌گنجیدم. گویی پر پروازم داده بودند. خداوندگار از گنجینهٔ کتاب‌های پدرش که می‌دانستم در آن خانه در زمرهٔ مقدسات است، هدیه‌ای شاهانه به من اعطا کرده بود. او بااین شاهکارهایش که در آن خانه همواره موجد انگیزه‌های تازه‌ای برای زندگی بود، داشت کم‌کم جای پدر واقعی را برایم می‌گرفت. دستش را بوسیدم. او نیز پیشانی مرا بوسید و با صدای بلند تحسینم کرد. پسر بزرگش از بس در جایش وول خورده بود، صدای پهلودستی‌اش را درآورد و مادرم با همهٔ حال بدش نگاهی آکنده از رضایت به من انداخت و گفت این اصلاً به خطا دختر شده است. باید پسر می‌شد و دنبال کار پدرش را در دیوان‌خانهٔ سلطانی می‌گرفت. همه خندیدند و با سر تأیید کردند. از این زخم زبان کهنه خوشم نیامد. برای این‌که بحث را بگردانم و حواس‌ها را متوجه جای دیگری کنم، گفتم: راستی کسی سلطانه را آن طرف توی مدرسه ندیده است؟ چند وقت است که ناپیدا شده. هرچند مخاطب من شمس‌الدین بود، اما مامی پیر چشمکی زد و گفت: باید دَدَر رفته باشد، همه از ته دل خندیدند. با آن‌که می‌دانستم به من نمی‌خندند، ولی حرصم درآمد. اصلاً نمی‌فهمیدم چرا این‌ها همیشه به این حرف‌های بی‌معنی می‌خندند. شام که تمام شد، یواشکی کتاب گران‌بهایم را برداشتم و بی‌سر و صدا برای اولین بار بدون اجازه راهی اتاقم شدم.

اوجی را نیز که دم در چمباتمه زده بود صدا کردم تا همراهی‌ام کند. هنوز از تاریکی می‌ترسیدم. راه پله‌ها و حیاط هم فقط از کورسوی پیه‌سوزها رنگ داشتند. هردو به اتاقی که جزیرهٔ امن من بود، رسیدیم و شمع نیم‌منیِ مخصوص خواندن را روشن کردیم. اوجی مثل همیشه ساکت اما کنجکاو با نگاهش مرا تعقیب می‌کرد. حدس زده بود که من به دنبال هدفی تالار را زود ترک کرده‌ام و به اتاقم بازگشته‌ام، کتاب را روی چهارپایه گذاشتم و بازش کردم. اوجی می‌توانست جواب خود را گرفته باشد. چرا که با اولین ورق یک‌باره تصویر زیبایی از یک پهلوان بلند قامت با جامه‌های پرشکوه رزم سوار براسب در دل دشتی سبز در برابر دیدگانمان بود و در صفحه مقابلش با خط زیبایی نوشته بودند: شاهنامه. دلم از خوشی غنج زد. نمی‌دانم خداوندگار از کجا می‌دانست که من خواب ملکه شدن می‌دیدم و عاشق این بودم که از زندگی سلاطین بیش‌تر بدانم. این کتاب همان چیزی بود که کم داشتم. سرشار از لذت با غوطه‌زدن در کتابی مصور با افسانه‌های پررمزورازِ شیرین، لحظه به لحظه بیش‌تر باورم می‌شد که زندگی چندان هم که فکر می‌کردم سیاه و جهنمی نیست. نمی‌دانم خواب شبانه، اوجی را کِی به رختخوابش کشانده بود، اما من فقط با شنیدن صدای اذان بود که به خود آمدم و فهمیدم که سحر شده است. برخاستم و سرخوش از این‌که فردا روز بهتری خواهم داشت، آمادهٔ نماز و خواب شدم.

صبح زود با صدای پای آشنایی که از پله‌های اقامتگاه مادرم به حیاط می‌آمد، از خواب بیدار شدم. هیچ‌گاه این وقت روز هیچ مردی حتی محرم‌ها به حرم نمی‌آمدند. بیش‌تر تعجب کردم وقتی صدا پشت در اتاقم قطع شد. سایه‌ای را دیدم که توقفی نسبتاً بلند کرد و بعد رفت. تجربه‌ام می‌گفت باید چیزی آن‌جا گذاشته باشند. توی جایم نیم‌خیز شدم، اما صبر کردم تا صدای بسته شدن در مدرسه به گوش رسید. برخاستم به طرف در دویدم. کاملاً مطمئن بودم چیزی پشت در اتاقم منتظر من است. نمی‌دانم چرا قلبم توی سینه‌ام بند نمی‌شد. صبر نداشتم و می‌خواستم بدانم که در آن ساعتِ غیرعادی چه چیز می‌توانند آن‌جا گذاشته باشند. در را باز کردم. حدسم کاملاً درست بود. علاءالدین باز توی همان دستار آشنا چیزی پشت در اتاقم گذاشته بود. نمی‌خواستم برش دارم، دیگر به

این آسانی‌ها نمی‌توانستم گناهش را فراموش کنم. اما متوجه شدم چیزی توی دستمال وول می‌خورد. یک لحظه از ترس میخ‌کوب شدم. یعنی ممکن است او آن‌قدر پست باشد که از لجبازی یا شوخی موشی، ماری، چیزی پشت در اتاق من گذاشته باشد؟ از آدم‌های آن خانه هیچ‌چیز بعید نبود. زبانم خشک شده بود. خوشبختانه خشم راه گلویم را بسته بود، وگرنه شاید از ترس چنان جیغی می‌زدم که صدایم تا گنبد سیصد چشمه می‌رفت. با ناباوری شنیدم‌که از توی دستار صدایی ضعیف می‌آمد. خم شدم و بسته را کاملاً از نزدیک و با احتیاط وارسی کردم. صدا، ضعیف و شبیه صدای جوجه پرستوها بود. قلبم از حرکت ایستاد. خوشبختانه قبل از این‌که کسی بیاید، اوجی خود را سراسیمه از پله‌های آشپزخانه به بالا رساند. او صدای مرا همیشه قبل از همه می‌شنید. با انگشت دستار را نشانش دادم. دو زانو نشست و با چشم‌های گنده‌اش به آن‌ها خیره شد. با آن‌که خودش هم ترسیده بود، اما آشفته‌حالی من چاره‌ای برایش نمی‌گذاشت. دستش را با احتیاط به طرف دستار برد و گره‌اش را آرام آرام گشود. من جرأت نگاه کردن نداشتم، اما صدای خندهٔ اوجی که بسیار غیرمنتظره می‌نمود، مرا به نگریستن واداشت. خدای من! دوتا بچه‌گربه که از موش‌های قلعه هم کوچک‌تر بودند: یکی سفید و یکی با خال‌های قهوه‌ای. چشم‌هایشان بسته بود و نوک بینی و لب و پنجه‌هایشان به قرمزی گل‌های انار بود که تازه کنار حوض شکفته بودند. با عجله به اوجی اشاره کردم. دستار را برداشت و آورد توی اتاق. ته دستار کاغذی تا شده بود که با سرعت بازش کردم. با خطی خوش و منظم و زیبا نوشته شده بود: کیمیاخاتون! دیروز شنیدم که دنبال سلطانه می‌گردی. همه چیز را در این نامه نمی‌توانم توضیح بدهم. همین قدر بدان که او صاحب بچه شده است و من تصادفی آن‌ها را گوشه‌ی ناودان مدرسه پیدا کرده‌ام. اسم سفیده را شَکر گذاشتم و اسم خالدار را پریا. حالا هردو را باهم شکر ـ پریا صدا می‌زنیم. سه روزشان است. وقتی شکر ـ پریا بزرگ شدند، یکی مال شمس‌الدین خواهد بود و یکی هم مال تو. من توی مدرسه نمی‌توانم از آن‌ها مواظبت کنم. تلف می‌شوند. کسی چیزی نداند، ارجح است.

علاءالدین، یک بار دیگر برنده شده بود. او کسی بود که مرا خوب

می‌شناخت و همو بود که توانسته بود دوباره تارهای وجودم را مترنم کند. این دو موجود کوچک به سرعت جای خود را در قلبم باز کردند. پهلوی شکر - پریا نشستم. از توی دستار برشان داشتم و گذاشتم‌شان توی دامنم با چنگال‌های قرمز تمیزشان که خیلی هم تیز بودند به انگشتم آویزان شدند و شروع کردند به لیسیدن دستم. دلم ضعف می‌رفت. به اوجی گفتم برود از آشپزخانه شیر بیاورد. بزرگ کردن بچه‌گربه را خوب بلد بودم. مادرم سلطانه را که نژاده و زیبا بود از کوچکی بزرگ کرده بود و من باحسادت نظاره‌گر همیشگی‌اش بودم. حالا از نو به یاد سلطانه افتاده بودم که او را همیشه به عنوان گربهٔ شمس‌الدین می‌شناختم. موقعی که خیلی کوچک بودم آرزو می‌کردم که پدرم به جای اوجی یک بچه‌گربه به من هدیه داده بود؛ و وقتی مادرم و شمس‌الدین با سلطانه بازی می‌کردند و از دست حرکاتش ریسه می‌رفتند، می‌خواستم از حسودی بگیرم و بیندازمش توی استخر بزرگ خانه. حالا خودم بعد از آن همه سال ناگهان صاحب دوبچه گربهٔ زیبا و شیطان شده بودم. اصلاً هم دیر نبود.

بهار بود و من چرخش ناگهانی را در زندگی‌ام بو می‌کشیدم. گویا با ورود شاهنامه و شکر پریا رنج‌ها به یک باره رخت بربسته بودند. زندگی داشت رنگ و بویی دیگر می‌گرفت. روزها با امیر عالم و شکر - پریا سرگرم بودم و بعد از نماز مغرب و شام هم تا پاسی از شب شاهنامه می‌خواندم. گاهی چنان جذب ماجراها و تصاویر زیبایش می‌شدم که با همهٔ ترسی‌که از دیو سفید و ارژنگ دیو و ارغند و سُنجد و سایر دیوها داشتم، از شدت هیجان و کنجکاوی قادر نبودم کتاب را ببندم و تنها وقتی به خود می‌آمدم و می‌فهمیدم روی کتاب خوابم برده است که جلزوولز به پایان رسیدن شمع بلند می‌شد.

آن‌گه در تمام روز خودم را به جای قهرمانان داستان‌های شاهنامه می‌گذاشتم و از خودم می‌پرسیدم، اگر من بودم چه می‌کردم. تازه با خواندن سرگذشت آن زنان و مردان زیبا و دلاور دستگیرم شد که زندگی می‌تواند چه‌قدر سخت و بی‌رحم باشد و من تازه باید خوش‌حال هم می‌بودم که مشکلات آن‌ها را - که همگی پهلوان و شاه و شاه‌زاده و ملکه هم بودند - نداشتم. دیگر فهمیده بودم شاه‌زاده خانم شدن و ملکه بودن چه‌قدر سخت است. بعضی از ملکه‌ها حتی از

من هم تنهاتر بودند. با اینکه می‌دانستم داستان‌ها متعلق به روزگاران بسیار دور گذشته است، اما احساس می‌کردم رنج محسوسی به‌مثابه این، درون‌مایهٔ زندگی و سرنوشت همهٔ انسان‌ها را به هم گره زده است. آدم‌ها و زمان‌ها متفاوت بودند اما ماجرا همیشه یکی بود نبرد نیکی با بدی، غم و شادی، یأس و امید. می‌دیدم و می‌آموختم که قهرمانان من چه‌گونه خود و دیگران را از پنجهٔ غم و درد و نا امیدی رهایی می‌بخشند. شاید من نیز درآینده باید چنین نقش‌هایی را ایفا می‌کردم. من نیز دست‌کم باید قهرمان سرنوشت خودم می‌شدم. خودم را از تهمینه و سودابه و رودابه و گردآفرین کم‌تر نمی‌دیدم. هرچه بود من از تبار آن‌ها بودم و باید مثل آن شیرزنان اسطوره‌ای، عنان سرنوشتم را خودم در اختیار می‌گرفتم و مقهور دیوان اهریمنی نمی‌شدم. فقط مشکل من این بود که در زندگی‌ام، نه اسبی بود، نه لشکری، نه دیوی، نه اژدهایی و نه نام و ننگ رستم‌فرسایی. من بودم و چند دیوار که باید از سحر تا شام در میان‌شان می‌چرخیدم، بی‌هیچ میدان نبردی، مگر میدان باورهای پیرزنان حرم که حتی تنها قهرمان زندهٔ زندگی‌ام ـ یعنی خداوندگار ـ نیز مقهور آن بود. فکر می‌کردم جنگ با باورهای پیر و فرتوت باید از جنگ با دیو سفید هم سخت‌تر باشد. چرا که در پس چهرهٔ مغرور خداوندگار، وقتی در حرم بود، همواره غمی مرموز موج می‌زد و از همیشه بیش‌تر، وقتی که بین زن‌ها مشکلی پیش می‌آمد و او را به داوری می‌خواندند، او اگرچه مشکل آن‌ها را حل می‌کرد، نمی‌توانست اما بر بیزاری خودش غلبه کند و این دقیقاً مشکل من هم بود.

برخلاف من که داشتم کم‌کم خودم را پیدا می‌کردم، در حرم همه‌چیز هم‌چنان رو به زوال می‌رفت. هردو پسر خداوندگار به علت نزاعی سخت و پرده‌دری در حضور پدرشان به جایی دور تبعید شده بودند. مادرم دوباره حالش هرروز بدتر می‌شد. حتی خداوندگار هم که اوایل سرزنده بود و با شوخی‌هایش به شام جمعه‌ها نشاط می‌داد، تازگی‌ها خموده و کم‌حوصله می‌نمود. حق هم داشت. گرداگردش را گروهی زن پیر و جوان گرفته بودند که از چهره‌هایشان کسالت و درماندگی و بیزاری و حقارت می‌بارید و هریک با دیگری مشکل داشت. خداوندگار قبلاً با شوخی و نصیحت‌هایش حالشان را بهتر می‌کرد، ولی حالا که

به دلیلی مرموز اخم‌های خودش هم درهم بود، کسی جرأت درد دل و شکایت نداشت. یکی از شب‌ها مامی پیر عنان اختیار ازکف داد و تعزیهٔ مفصلی خواند و بقیهٔ زن‌ها با فین‌فین همراهی‌اش کردند. خداوندگار مدتی سر به زیر و مستأصل با تسبیحش ور رفت و چیزی نگفت. بعد هم که سر بلند کرد، گفت: شمایان گویا حوصله‌تان سررفته، باقی حرف است. سپس رو به کرامانا کرد و گفت: می‌گویم زیارتی ببرندتان، آماده شوید. انشاءالله شب جمعه‌ی دیگر! خداوندگار مجوز زیارت صادر کرده بود، پس باید مقدمات فراهم می‌گردید ازآن مهم‌تر این بود که باید ابریشم‌های مخصوص دخیل از بازار پارچه‌فروشان خریداری می‌شد و این بهترین فرصت برای یک گشت دسته‌جمعی در بازار بود که منع شرعی و عرفی هم نداشت. برای اولین بار با زن‌ها احساس هم‌بستگی کردم و خودم را در توطئهٔ معصومانه‌ی آن‌ها شریک دانستم. حتی نظرم نسبت به مامی هم که گله‌گزاری‌ها و غرغرهایش منجر به این تفرج بزرگ شده بود، کمی عوض شد و می‌دیدم که قطره دارد کم‌کم جذب دریا می‌شود شاید اصلاً دیگر قطره نیست، جزئی از دریاست؛ و این البته غمگینم می‌کرد؛ اما چاره‌ای نداشتم، همان‌طور که قطره را چاره‌ای جز ترک انتزاع در برابر دریا نیست.

یک نوکر با دو قاطر گران‌بار از خوراکی‌ها و وسایل ـ جلو کاروان می‌رفت و شیخ محمد ـ خادم مدرسه و پیش‌کار خصوصی خداوندگار ـ هم در پی کاروان روان بود. توی کوچه همه برمی‌گشتند و ما را نگاه می‌کردند. پیرترها با تعظیمی مختصر، به خانوادهٔ شیخ‌الشیوخ شهر ادای احترام می‌کردند و جوان‌ترها با نگاه‌های کنجکاو سراپای همه را وا می‌رسیدند ونمی‌دانم چرا وقتی نگاهشان روی من می‌ماسید، به‌جای این‌که مثل قبل شرمگین و ناراحت شوم، یک جور خوشی تازه درخود حس می‌کردم. حتی باید اعتراف کنم اگر کسی نادیده‌ام می‌گرفت، کمی دل‌خور هم می‌شدم؛ تا این‌که رسیدیم به بازار تودرتو، مالامال از مردانی با لباس‌های عجیب و غریب و چشمان وحشی و کنجکاوتر. دیگر نه تنها احساس شیرین لحظات قبل درجانم نبود، که به شدت احساس ناامنی هم می‌کردم و وضع طوری بود که به غیر از من دیگران هم متوجه شدند که نگاه‌ها از بالای سر همه پَر می‌گیرند و روی صورت من می‌نشینند و دیگر هم کنده

نمی‌شوند، و دیری نپایید که مادرم در گوش آیا نجوائی کرد و آیا به سمت من آمد و باگوشه‌ی سربندم صورتم را پوشاند، طوری که فقط چشمانم بیرون ماند و این، البته تلاشی بیهوده بود و هیچ چیز را عوض نکرد. ظاهراً در نگاه مردمِ کوچه و بازار، من تنها دیدنیِ آن کاروان بودم. مادرم البته چهره‌اش را با برقعی از حریر سیاه پوشانده بود. همهٔ مردم قونیه می‌دانستند که کراخاتون چه‌قدر زیباست. اما او از وقتی به همسری خداوندگار درآمده بود، حتی بـرای حـمام رفتن هم روبنده می‌پوشید. ضمناً جایگاه او اجازه جسارت به مردان نـمی‌داد. بالاخره پارچه‌ها را خریدیم و با آن که می‌توانستیم از یکی از سـوق‌ها بیرون بزنیم، ولی همگی را دیدن فضاهای رنگارنگ و کالاهای عرضه شده از سراسر دنیا با آدم‌های عجیب و لباس‌های جالب و چهره‌های گوناگون و رنگارنگ ـ از سفید برفی تا سیاه شبقی ـ به هیجان آورده بود. از شیخ محمد خواستیم که اجازه بدهد از داخل بازار به راهمان ادامه دهیم. او که مثل اربابش طبعی ملایم داشت، ابتدا تردید، و سپس موافقت کرد. در نتیجه کاروان در میان کنجکاوی دیگران و هیجان ما با سرخوشی جلو رفت. به نظرم آمد زیارت فراموش شده است. بعد از بازار پارچه فروش‌ها که از رنگ موج می‌زد، راستهٔ زرگرها بیش‌تر از همه‌جا ما را به نوعی سرمستی عجیب برد. انگار همه آن چیزها از آن ما بود؛ به‌خصوص که صلاح‌الدین زرگر ـ از کسبهٔ معتبر بازار ـ مرید خداونـدگار بـود. مـیان‌سال، بـا لبخندی مثل کالای مغازه‌اش شفاف و ناب. وقتی شنیده بود که در راهیم، بـه استقبالمان برخاسته بود و دستور داده بـود بـا شـربتی خـوشمزه و خـنک در تنگ‌های مسین سرد، همراه با سلام و صلوات فراوان از مـا و کسبـهٔ دور وبـر پذیرایی کنند. تا عمر دارم، مزهٔ آن شربت خنکِ نطلبیده را فراموش نخواهم کرد گویی عطر همهٔ گل‌ها و میوه‌های دنیا را به کاممان ریختند. من در عین‌حال از استقبالی چنان گرم و آمیخته به عشق و احترام که حاکی از اهمیت ما بود، غرق در شادمانی بودم. از اول راه با آن‌که دو نوکر ما را همراهی می‌کردند و تقریباً همه می‌دانستند ما کیستیم، گروهی مرد جوان بـا مـوهای بـلند آویـخته تـا کـمر و لباس‌های خاص، دست برقبضهٔ شمشیر کاروان ما را با فاصله‌ای نه چندان زیاد تعقیب می‌کردند. مادرم که مثل همهٔ ما نگران شده بود، به شیخ محمد گفت از آن

زرگر که دوست و معتمد حضرت خداوندگار است بپرسد این‌ها کیستند و بگوید اگر وضع مناسب نیست برگردیم. دلم از فکر این‌که مبادا سفرمان نیمه‌تمام بماند، فرو ریخت. بغض کرده بودم. فکر می‌کنم بقیه هم همین‌حال را داشته باشند. شیخ محمد چند لحظه‌ای با صلاح‌الدین توی مغازه پچ‌پچ کردند و بعد دوتایی بیرون آمدند. صلاح‌الدین با رعایت ادب بسیار با چشمانی که به زمین دوخته شده بود به مادرم گفت: خاتون! جای نگرانی نیست. این‌ها فتیان و جوانمردان قونیه و ضامن امنیت این‌جا هستند. اراذل محلات مثل جن از این‌ها می‌ترسند. هیچ قصدی هم جز حراست از شما ندارند. حتماً شنیده‌اند که اهل بیت چه بزرگواری هستید. سرکردهٔ دسته، خود از هواداران حضرت خداوندگار است. با این همه اگر بخواهید، می‌گویم بروند، اما صلاح نیست. شما اعتنایی نکنید، آن‌ها کار خودشان را می‌کنند.

صلاح‌الدین حتماً تردید مادرم را از صدای نفس‌هایش در زیر برقع حریر سیاه تشخیص داده بود، چون بلافاصله به یکی از شاگردانش گفت، مواظب کسب باشد و خود تصمیم گرفت ما را شخصاً تا زیارتگاه بدرقه کند. مادرم حق داشت. با مختصر نگاه، هیکل‌های درشت و چهره‌های مهاجم و نگاه‌های مستقیم‌شان ـ که سعی می‌کردند دوستانه هم باشد ـ دل مشغولی می‌آورد. آدم‌های دیگری بودند. هیچ وقت کسی را مثل آن‌ها ندیده بودم. اندام، چهره، راه رفتن و حتی لباس‌هایشان متفاوت بود. هر یک دشنه‌ای بزرگ غیرعادی بر پَرِ شال داشت. موی سرشان به بلندی موی زنان بود و کلاه خاصی برسر داشتند. به نظرم آمد متوجه مکالمات مادرم و صلاح‌الدین شده بودند. چون آن‌ها هم میان خود مذاکره‌ای را شروع کرده بودند و به سمت ما نگاه می‌کردند. سرکرده‌شان مرد برازنده و جوانی بود که به یکی از قهرمانانم در شاهنامه شباهت زیادی داشت. سخت توانستم چشم از او بردارم. ما راه افتادیم و آن‌ها هم بلافاصله راه افتادند. از بازار دباغ‌ها با بوی گند آزاردهنده‌اش رد شدیم که پر از بچه‌ی قد و نیم‌قد هم بود؛ ازبازار عطارها هم همین‌طور. منتها این‌جا بوی مرموز خیلی پرجاذبه‌ای داشت. به راستهٔ مسگرها که رسیدیم دچار وسوسهٔ تازه‌ای شدم. دلم برای مردمی که گذران زندگی، یکی را به تحمل آن بوها و دیگری را به شنیدن این صداها

واداشته بود، سوخت. فکر کردم من شاید خیلی ناشکر بوده‌ام. درست است که زندگی در حرم برای آدم سخت است، ولی به عینه می‌دیدم که می‌تواند خیلی سخت‌تر هم باشد. تا توانستم از خدا طلب بخشایش کردم. کاروان داشت راه خود را از دل کوچه پس کوچه‌های خلوت و بدون دکان به بخش پایانی شهر قونیه می‌گشود محوطه ای بسیار وسیع، حد فاصل شهر و دشت‌های اطراف وجود داشت که گویا هفته‌ای دو روز ـ پنج‌شنبه و جمعه‌ها ـ برده‌ها را برای فروش به آن‌جا می‌کشاندند. به عبارتی بازار برده فروشان بود.

ما در باغ به غیر از اوجی بردهٔ دیگری نداشتیم. همیشه هم فکر می‌کردم برده‌ها فقط سیاهپوست‌اند. اما آن‌جا همه جور آدم با هر رنگی برای فروش بود: پیر، جوان، بچه، سیاه، سفید، زشت، زیبا، و همگی تقریباً عریان. در میانشان بودند دخترانی به سن خودم که با نگاه‌های تهی، اما پیوسته، تعقیبم می‌کردند. همگی نیز برپا زنجیرهای گران داشتند و هرگاه خریداری با سبعیت لمس‌شان می‌کرد، به نفرت پس می‌نشستند، و این‌جا بود که سکندریِ گلوله‌های سنگین بر زمین‌شان می‌غلطاند و باز لگد برده‌داری یا مباشری مجبورشان می‌کرد تا بایستند. من تا آن روز بدن برهنهٔ یک مرد را ندیده بودم و نمی‌دانستم شلاق خوردن یعنی چه. دیدن دخترک عریانی که همهٔ رهگذران به بهانهٔ خرید حق داشتند لمسش کنند، برایم از کابوس پرستوها هم وحشتناک‌تر بود.

آیا که چهرهٔ حیرت‌زده‌ام را دیده بود، گفت: سیاه‌ها را از زنگبار می‌آورند، بقیه هم غنیمت جنگی‌اند. میانشان گاهی شاهزاده خانم‌های اسیر هم پیدا می‌شود. توی شکم هرکدام نیز یک حرامزاده می‌نشانند. سیاه و سفید هم فرق ندارد. صد رحمت به مغول‌ها که می‌کشند، این ترک‌ها اسیر می‌گیرند. وای به روزت اگر زن هم باشی. همخوابگی با کنیز هم دنگ وفنگی ندارد، عقوبت هم ندارد. آبستن هم که شد تازه بهتر. زیاد می‌شوند. خدا نصیب هیچ تنابنده‌ای نکند. نگاه‌شان نکن، بدبختی می‌آورند.

بی‌بی‌جان در لابه‌لای خاطرات دورهٔ مهاجرتش می‌گفت: زنان و دختران جوان در سمرقند، بخارا، هرات، بلخ و نیشابور، همه انگشتری‌هایی داشتند که زیر نگین‌شان سمی کاری جاسازی شده بود تا در صورت پیروزی مهاجمان،

فوراً آن را ببلعند.

اگر جنگی که می‌گفتند پشت دروازه‌های ارزروم جریان دارد، به داخل کشیده می‌شد، می‌توانستند هرکدام از ما را هم در بازاری به عنوان غنیمت جنگی بفروشند. کنیز هم که می‌شدی، به حکم عرف و شرع هرکاری درباره‌ات مجاز بود. شوق زیارت و سیاحت یک باره از وجودم رخت بربست. دلم می‌خواست به همان حرم امن بازگردیم. خسته شده بودم. دیرزمانی بود که عادتِ راه رفتن را ـ مگر در یک طول و عرض پنجاه قدمی ـ از دست داده بودم و حالا یک روزه از این سر شهر تا آن سر شهر را پیاده طی کرده بودیم. با این همه تقریباً می‌دویدم. دلم می‌خواست زودتر از آن محل جهنمی دور شویم. سرانجام به دروازهٔ جدید قونیه رسیدیم که مظهر نعمت و فراوانی و باروری شهر را در خود داشت. چشم‌های خسته‌ام با ولع در آن همه زیبایی خیره مانده بود. گنبدی مرمرین و عظیم که آبی فراوان از سی‌صد آب راههٔ سفالین و فیروزه‌ای اطرافش با سروصدا به برکه‌ای وسیع مملو از پرندگان رنگارنگ می‌ریخت که منبع آب شهر بود. این آب که از کوه‌های بلندی با قله‌های پوشیده از برف ـ حتی در تابستان ـ حاصل می‌آمد، نهرهای سنگ‌فرش شده، زلال و خالص به گذرگاه پهن و مصفای بخش جدید شهر هدایت می‌کرد. غوغایی برپا بود. صدای آب و دیدن فواره‌ها و نهرهای زیبا به یک باره همهٔ خستگی و بیزاری را از تنم بیرون کرد. مدتی بود که یادم رفته بود یک روز چه‌قدر زیبا می‌تواند باشد چه می‌دانستم که پشت دیوارهای آن حرم می‌تواند چنین معرکه‌ای هم به نام زندگی برپا باشد. با خوش‌حالی حس می‌کردم که علی‌رغم کابوس بازار برده فروشان که خود دلیلی بود برای قدرشناسی من از بسیاری جنبه‌های زندگی‌ام، تجربیات خوب و بد آن روز میل به زندگی را از نو در درونم به جنبش درآورده بود. دو باره به این می‌اندیشیدم که هرطور شده باید از میان آن دیوارها خلاص شوم.

به فاصله‌ی اندکی از گنبد سی‌صد چشمه، مقبرهٔ حضرت شیخِ جاوید در کنار آبشاری کوچک با سادگی پرشکوهی زائرانش را به خود می‌خوانَد. می‌گفتند این‌جا همان جایی است که پیر، ۱۱۰ سال نشسته و هیچ نیرویی از باد و بوران گرفته تا ترک و تاتار و مغول ـ نتوانسته است او را جابه‌جا کند. او هرکه را که

نمی‌خواسته نزدیکش بیاید، باچشمانش متوقف می‌کرده‌است. مردم هم‌عصرش پرواز او را دیده بودند، اما راه رفتن و خوردن و خوابیدنش را هرگز. می‌گفتند همهٔ آن آب‌ها و دشت‌های سبز و گندم‌زارهای طلایی از برکات وجود او بوده و هست و باور داشتند که هرکس با خلوص نیت مرادی از او بخواهد، به آن خواهد رسید و اگر نرسد نیز حتماً مصلحتی درکار بوده است. روز مناسبی بود برای زیارت پیر. اگر نه قبل از آن، بعد از آن سیاحت، دیگر می‌دانستم چه می‌خواهم. می‌خواستم آزاد، زیبا و فاخر زندگی کنم. ابریشم شنگرفی رنگی را که برای دخیل بستن خریده بودم به ضریحش گره زدم.

وقتی به حرم رسیدیم پاسی از شب گذشته بود هلاک روی تشکم ولو شدم، و دریغا که سحرگاه که برای وضو درِ اتاقم راگشودم، حیاط حرم از آنکه بود هم، کوچک‌تر، خاکستری‌تر و دل‌گیرتر می‌نمود. قرار نداشتم. حواسم سراسر توی کوچه بود؛ توی بازار بود؛ وسط آن مردان موبلند و پیل‌تن بود. و با آن یکی که به مردان شاهنامه می‌مانست، نظر می‌باخت. دیگر مدام در خیال پارچه‌های رنگارنگ انتخاب می‌کردم، طلا می‌خریدم، برده‌ها را آزاد می‌کردم، شربت و شیرینی می‌خوردم، قاچ خربزه گاز می‌زدم، تنم را به بازی فواره‌ها می‌سپردم و گاه نیز بر یشم قبر پیر جاوید سر می‌کوبیدم و زار می‌زدم، که مرا از این غمکده نجات دهد. دوسه روزی حالم دگرگون بود. آیا خانم می‌گفت هوایی شدی. شاید راست می‌گفت. حتماً دلیلی داشت که رفتن زنان به بازار منع شرعی و عرفی داشت. دیگر نه می‌توانستم با شکر ـ پریا بازی کنم، نه حوصلهٔ امیر عالم را داشتم و نه دیگر داستان‌های شاهنامه سرگرمم می‌کرد. حالا فکر می‌کردم و قهرمانان این کتاب همه مرده بودند و دوران‌شان با دوران ما متفاوت بود؛ مشکلات‌شان نیز همین‌طور. لالا همیشه می‌گفت روزگار قهراً به جلو می‌رود و بشر هم سوار برمرکب دانش ـ که انسان را از کوردلی و بلاهت و نکبت می‌رهاند ـ به دنبالش. اما من حالا وقتی سرنوشت و جایگاه خودم، مادرم، آیا، زن‌های توی بازار برده‌فروشان و همهٔ زن‌های حرم را با جایگاه سودابه و رودابه و تهمینه و گردآفرید مقایسه می‌کنم و می‌بینم که آن‌ها آزاد و برابر، دشت‌های سبز ایران زمین را برپشت اسب‌های کهر درمی‌نوردند و هم‌دوش مردان می‌تازند و زندگی

می‌کنند و عشق می‌ورزند و گاه می‌جنگند و انتخاب با خودشان است، می‌گویم یک جای کار اشکال دارد. اگر در زندگی آن‌ها دیوان و جادوان دخیل بودند، در هیچ جای کتاب نیافته بودم که صحبت از دیوار باشد، دست‌کم از ختنهٔ دختران و نجسی و گناه و عذاب و تکفیر و بقیهٔ مصیبت‌ها خبری نبود. آن حس ناشکری در بازار برده‌فروشان، بدبختانه از یادم رفته و به جای آن عصیانی کوبنده از اسارت این‌جا به جانم نشسته بود. کاش اصلاً نرفته بودم.

روزها باز با یکنواختی می‌گذشتند. یکی از روزها که عاقبت کوبه‌ی در را زدند و من مثل همیشه از فکر این‌که ننه‌جی با پیغامی از یک خواستگار پشت در است، دل توی دلم نبود، اوجی آمد و بسته‌ای را که دستش بود؛ نشانم داد و گفت الیاس از باغ میوه فرستاده و این نامه را هم داده است تا به بیگم بدهند. با آن‌که از نبودن ننه‌جی با خبری دل‌خواه، کَرِخ شده بودم، خودم را جمع وجور کردم و نامه را گرفتم و به طرف پله‌های زاویهٔ گوشه و اتاق مادرم به راه افتادم. هنوز کاملاً ناامید نبودم. می‌توانست توی نامه خبری راجع به من باشد. نامه را به مادرم دادم و با چشمانی منتظر نشستم. او می‌خواند و من بعد از مدت‌ها فرصت یافته بودم که به او بنگرم. برایم کاملاً غریبه بود. او نمی‌توانست همان زنی باشد که روزی مادر دردانهٔ من بود. این زن رنگ‌پریده‌ی بدحال با شکمی به اندازهٔ یک خربزهٔ عظیم و جنبان زیر دامنی ارزان قیمت، همان الهه‌ی یونانی نبود که از عاج وطلا ساخته شده بود، با چشمانی از زمرد و لبانی از یاقوت که دایگانش هر هفته یک روز تمام را صرف شستن و بافتن و آراستن خرمن زرین گیسوانش می‌کردند، بانویی‌که روزها تاجر رومی را معطل می‌کرد تا تور و اطلس و ابریشم دل‌خواهش را بیابد. او دیگر کراخاتون نبود و نمی‌توانست گل سرسبد خواتین قونیه باشد؛ ضعیفه‌ای بود ساکن حرم شیخی پرغرور که خیلی زود به دست فراموشی سپرده شده بود. همه تشخیص می‌دادند که شور و شعف اولیه از خداوندگار رخت بربسته است و او می‌کوشد بیش‌تر وقت خود را خارج از خانه بگذراند. مسایل حرم، اختلاف وحشتناک و چاره‌ناپذیر پسرانش باهم و بدحالی دایم مادرم او را از خانه رانده بود. بیچاره کراخاتون!

قبل از آن‌که بتوانم چشم از او برگیرم، نامه تمام شد نگاهم کرد، مطمئنم

امواج ترحم‌آمیز چشمانم را دریافته بود، اما متانت و غرورش را نباخت و هیچ عکس‌العملی نشان نداد. فقط با نگاه معنی‌دارش حالی‌ام کرد که نامه را رساندی، دیگر چه‌کار داری؟ همهٔ جرأتم را جمع کردم و گفتم می‌خواهم بدانم الیاس چه نوشته است. گفت: چیز مهمی نیست. نوشته که باغ مملو از میوه است، به زودی پائیز می‌رسد و هوا سرد می‌شود، خوب است سری به آنجا بزنیم. مقداری هم گله‌گزاری کرده که ما، او و باغ را فراموش کرده‌ایم. نوشته که بی‌بی‌جان بی‌تابی می‌کند و به شدت مریض است، و اینکه کارش به زمستان نخواهد کشید. فکر می‌کند ما در حقش ناسپاسی کرده‌ایم. باید با خداوندگار صحبت کنم ببینم چه باید کرد.

بیچاره الیاس نمی‌دانست این‌جا خبری نیست. با این همه من در ته دلم حق را به او دادم. ما پس از آمدن از باغ حتی یک بار هم به آنجا سر نزده بودیم. در قونیه بین خانواده‌های بزرگ رسم بود که تابستان همه به ییلاق می‌رفتند و دائماً یک‌دیگر را به باغ‌های ییلاقی خود در اطراف شهر دعوت می‌کردند. ولی مادرم در سراسر تابستان گذشته و هم در این تابستان به خاطر حال بد و حاملگی پیاپی، همهٔ دعوت‌ها را رد کرده بود و خودش هم هیچ کس را دعوت نکرده بود. حاضر نمی‌شد شوهر کم‌پیدایش را در شهر رها کند و با بچه‌ها به باغ برود. هر وقت هم موضوع به هرطریقی مطرح می‌شد مخالفت می‌کرد. بیچاره هر روز بیش‌تر والگی نشان می‌داد. شاید هم مشکلش این بود که نمی‌خواست کسی حال نزار او را ببیند. ما اگر به باغ می‌رفتیم بی تردید خیلی‌ها به سراغمان می‌آمدند. چه قدر آرزو داشتم یک شب دیگر توی اتاقم روی تخت قشنگم دراز بکشم و با دو فرشته‌ای که بالای سرم همیشه مواظب بودند، صحبت کنم. اگرچه اصلاً نمی‌دانستم دیگر چنان اتاقی یا تختی در باغ وجود دارد یا اصلاً چنان باغی هرگز وجود داشته. ناگهان اشتیاقی سوزنده جانم را فراگرفت. دلم می‌خواست خانه و باغمان را بار دیگر ببینم. خواستم را با اشتیاق با مادرم در میان گذاشتم، اما تا وقتی گریه‌ام نگرفت، تلاشم نتیجه نداد. عاقبت پذیرفت که شب با خداوندگار مشورت کند و فردا نتیجه‌اش را به من بگوید. مطمئن بودم که خداوندگار با این پیشنهاد او مخالفت نمی‌کرد. مادرم اما، فقط می‌خواست از

دست من رها شود.

فردا همین‌که از رخت‌خواب بیرون آمدم، میان خوف و رجاء بـه سـراغش رفتم. در حالی‌که از پافشاری من عصبی به نظر می‌رسید، گفت: قرار شده یک روز همه دسته‌جمعی برویم، اما شب برگردیم. چون نمی‌دانـم آن جـا در چـه وضعی است. بیچاره الیاس هم نمی‌تواند مقدمات خوابیدن همه را فراهم کند، من هم حالم خوش نیست، برای پیرمرد مشکل درست می‌شود. بی‌آن‌که به این بیندیشم که این کار برای مادر باردارم می‌توانست یک خودکشی باشد، جیغی از خوش‌حالی کشیدم، من به همین هم راضی بودم. یک بار دیگر حتی برای چند لحظه باغ محبوبم را از نزدیک می‌دیدم و لمسش می‌کردم، دیگر صبر نداشتم، ضمن این‌که فکر کردم شاید بتوانم مادرم را راضی کنم که مدتی همان‌جا پیش بی‌بی‌جان بمانم. این می‌توانست فرصتی مناسب برای فرار از این‌جا باشد.

روز موعود فرا رسید. به جـز خداونـدگار، هـمـهٔ اهـل حـرم، حتی لالای شمس‌الدین و پسران خداوندگار که تازه بازگشته بودند به اصرار مادرم به کاروان باغ پیوستند. تاریک روشنِ سحر راه افتادیم. همین‌که از دروازه‌ی قلعهٔ قدیم و کوچه باغ‌ها بیرون رفتیم، دشت‌های گسترده و پوشیده از اطلس سفید مه با بوی علف تازه و خنکای صبحگاهی مرا از خود بی‌خود کرد. درست از همین‌جا، و بیرون از آن دیوارها و قفل‌ها و کوبه‌ها و بایدها و نبایدها، دنیای مـن شـروع می‌شد. من برای این‌جا آفریده شده بودم، متعلق به این‌جا بودم و یک روز هم عاقبت به همین‌جا باز می‌گشتم. یعنی به خودم دروغ می‌گفتم؟ من در مقابل آنان که اختیار دارم بودند، چه عرض‌اندامی می‌توانستم بکنم؟ من که مـجاز نبودم حتی تا پشت بام هم بروم، مبادا موازین شـرافتی‌شان بـرهم بـریزد، چـه‌طور می‌توانستم خود را از آن همه غل و زنجیر که سـنگینی‌شان روحـم را خـرکش می‌کرد، خلاص کنم؟ دامنهٔ تپه‌های پـوشیده از فرش بنفش گل‌های یـونجه، بابونه‌های زرد، داشتند اولین انوار روز را شکار می‌کردند. همه چیز مثل رؤیـا بود. بهتر دیدم آینده را به حال ببخشم و آن روز را با سفر رؤیایی‌اش چنان لحظه به لحظه بنوشم که ذخیره‌ای باشد برای حیاتِ دلِ نیمه جانم در حرم.

تمام وجودم چشم شده بود و با حرص زیبایی‌ها را می‌بلعید. باوجود بعد

مسافت، چنان غرق خیال بودم که نفهمیدم چه‌گونه ناگهان جلو دروازه بزرگ باغ متوقف شدیم. پیکی از قبل خبر عزیمت‌مان را به الیاس داده بود و من یک باره الیاس و باغ را درحالی‌که هردو می‌خندیدند روبه‌رو، در مقابل خود یافتم. نمی‌توانستم به آسانی باور کنم که بیدارم. پس از چند ساعت سواری، اما بدون ذره‌ای خستگی، و بی‌آن‌که منتظر بمانم کاروان وارد هشتی بزرگ شود و همگی پیاده شویم، بی‌کمک دیگران از قاطر به زیر پریدم. دیگر یک لحظه هم نمی‌توانستم صبر کنم؛ باید وارد باغ می‌شدم. باید با سرانگشتانم واقعی بودن آن را لمس می‌کردم. سلام عاشقانۀ الیاس را با شوق پاسخ دادم و همین‌که او برای عرض ادب به سمت مادرم رفت، از هشتی وارد گذر پهن باغ شدم که گویی شن‌های سفیدش را دانه دانه شسته بودند، ناگهان و بی‌اختیار شروع به دویدن کردم و سراسر باغ را بدون آن‌که چیزی ببینم زیرپاگذاشتم و با نفس بندآمده جلو پله‌های کوشک ولو شدم. با آن‌که نزدیک ظهر بود، هوا لطافت و خنکی صبحگاهی را از دست نداده بود.

طوطی‌ها و کلاغ‌ها بالای شاخه‌ها و توی آسمان شلوغ می‌کردند. فکر می‌کنم از آمدن ما ترسیده بودند؛ شاید هم اعتراض داشتند. استخر بزرگ مالامال از آب تازه و زلال بود و فواره‌ها همه روشن بودند. فرشته هم هنوز انگورش را نخورده بود. بلند شدم و از پله‌ها بالا رفتم. در تالار بزرگ باز بود. آهسته وارد شدم. یک عطر آشنای قدیم جانم را انباشت، بویی که همیشه و هنوز از صندوق مادرم می‌آمد. این عطر او بود؛ چه‌طور این همه وقت این‌جا زنده مانده بود؟ به تالار کوچک و اتاق‌ها و پایین و بالا سرک کشیدم. نمی‌دانم الیاس چه‌گونه توانسته بود آن‌جا را چنان تمیز و زنده و بدون ذره‌ای غبار نگه‌داری کند. از داشتن دوستی مثل او و از متعلق بودن به چنان مجموعه‌ای احساس غرور کردم. توی اتاقم، این‌جاوآن‌جا، وسایلی را می‌یافتم که به کلی فراموششان کرده بودم واز این که دوباره بخشی از هویّتم در وجود آن‌ها احیا می‌شد، غرق در سروری عمیق بودم. بسیاری از آن‌ها دیگر به درد امیر عالم می‌خوردند، مثل آن اسب چوبی که هردو گوشش را به خاطر این‌که یک بار موقع سوار شدن کنار پیشانیم را خراش داده بود، بریده بودند. فکر کردم بعداً می‌آیم و هرچه را که می‌خواهم ببرم، جمع

می‌کنم. حالا وقتش است که بروم و حال بی‌بی‌جان را بپرسم که عمرش را صرف پرستاریِ پدرم و همهٔ ما کرده بود و حالا هم غم دوری ما و تنهایی خودش بیمارش کرده بود. اما همین‌که صدای گفت‌وگوی زن‌ها را شنیدم که داخل می‌شدند، انزجاری وصف‌ناشدنی منصرفم کرد. نه . . . اصلاً . . . حتی یک دقیقه هم حاضر نبودم آن‌ها را ببینم . . . دست‌کم در آن حال و هوا نه . . . به سرعت تغییر جهت دادم و با سرعت فرار کردم به طرف در پشت ساختمان که به آشپزخانه و قسمت مستخدم‌ها می‌رفت. همهٔ چفت‌ها بسته بودند. با زحمت بازشان کردم و تازه فهمیدم چه‌قدر قدم بلند شده است. همین پارسال هم، قبل از این‌که از این‌جا برویم، قدّم به آن‌ها نمی‌رسید. بالاخره آخرین در را باز کردم و مثل دیوانه‌ها به طرف آلاچیق دویدم. دیگر طاقت شنیدن موعظه‌ها و نظریات هم‌بندی‌هایم را نداشتم. تشنهٔ سکوت سبز باغ بودم و بس. بی‌بی‌جان را باید از سر وظیفه‌شناسی می‌دیدم، اما نه حالا به قیمت دیدن دوبارهٔ آن زن‌ها. سرانجام وقتی با نفس بندآمده به محوطهٔ آلاچیق رسیدم، از نو فکر کردم، اگر بهشتی وجود داشته باشد حتماً همین‌جاست. کمی از آب زلال چشمه خوردم که وارد حوض کاشی می‌شد و نهر دور آلاچیق را دور می‌زد و بیرون می‌رفت تا از آبشاری که الیاس با استفاده از اختلاف سطح آلاچیق با بقیهٔ باغ ساخته بود، با سروصدا پایین بریزد همهٔ این‌ها از یادم رفته بودند. خوشه‌های انگورها با گونه‌ها و رنگ‌های مختلف و آویزان از سر و شانهٔ آلاچیق، چشمانم را خیره کرده بودند با همهٔ هوسی که برای چیدن خوشه‌ای از طلایی‌ها در سر داشتم، چندان زیبا بودند که چیدن حتی حبه‌ای را تجاوز به ساحت زیبایی می‌پنداشتم. نشستم و راضی و مسرور کفش‌هایم را درآوردم و پاهایم را در آب گذاشتم. خیلی سرد بود. از سر کیف جیغ کوتاهی کشیدم. پروانه‌های زرد و سیاه که گویی رؤیایشان برهم خورده بود، به پرواز درآمدند. دوست داشتم همان‌جا و در همان حال بمیرم تا آن همه زیبایی و کیف جاودانه شوند. دیگر نمی‌خواستم چیز دیگری را تجربه کنم. لذت هستی در کامل‌ترین شکل خود بر من ظاهر شده بود. حسی گنگ از دوردست‌ها می‌گفت، خیلی خوشبخت خواهم بود اگر به یک باره همه چیز پایان گیرد. دیگر نمی‌خواستم به آن خانه باز گردم. باغ جای من بود. آن‌جا

خوش‌حال بودم. آن‌جا از همه چیز و همه‌کس بی‌نیاز بودم. آن‌جا آزاد بودم. همان‌طور که پایم در آب بود، به پشت روی فرشی که الیاس حتماً برای مادرم و میهمانانش پهن کرده بود، دراز کشیدم و چشمانم را بستم و گوش سپردم به عاشقانه‌های زنبورهای عسل و اندیشیدم به این‌که چه اتفاقی می‌توانست بیفتد اگر من دو پایم را در یک کفش کنم و به آن محنتکده باز نگردم. نمی‌دانم چه‌قدر غرق این فکر مانده بودم. دیگر پاهایم از سرما کرخ شده بودند، اما نمی‌خواستم بلند شوم؛ نمی‌خواستم چشمانم را باز کنم. می‌دیدم که ذرات جانم پای‌کوبان از تن خاکی‌ام می‌زنند بیرون و به آواز زنبورهای عسل می‌رقصند و همراه با نور آفتاب نیم‌روزی از روزنه‌های آلاچیق به بارفتن دانه‌های انگور راه می‌یابند و رنگ آن‌ها را می‌گیرند و شهدشان را می‌نوشند. دیگر جنب نمی‌خوردم. می‌دانستم هر حرکت کوچک به جشن جانم پایان خواهد داد. دستی مرا به دیار بی‌آغاز و بی‌پایان می‌راند . . . و من آماده و مشتاق تن داده بودم به نور ارغوانی تراویده ازپشت پلک‌هایم که داشت چشمهٔ چشمانم را پالایش می‌داد و سرشار و سبک راه گرفته بودم به سوی دوردست‌های مرموز و ناشناخته.

ناگهان مثل مارگزیده‌ای از جا پریدم. در یک لحظه حس کردم کسی در پشت سرم به من خیره شده است. دیگر حتی به وضوح صدای پایش را هم می‌شنیدم. به سمت صدا برگشتم. سایه‌ای پشت برگ‌ها به سرعت می‌دوید. بی‌اختیار اوجی را با جیغ صدا کردم. شبح لحظاتی متوقف شد و سپس دوباره از لای درخت‌ها به سمت من به راه افتاد. از ترس جیغ دیگری کشیدم. یک مرد بود. می‌خواستم بلند شوم و فرار کنم که علاءالدین از پشت آخرین درخت بیرون آمد. وقتی او را شناختم نفس راحتی کشیدم. اما بلافاصله متوجه وضع مضحکم شدم و از این که مرا به آن ریخت و حال دیده بود، عصبی بودم. از همه بدتر این‌که پاهایم حرفم راگوش نمی‌کردند و از آب بیرون نمی‌آمدند. او که کمی هم خود را برای میهمانی آراسته بود، دیگر به راستی مردی تمام‌عیار می‌نمود و من حق داشتم اگرغریبی می‌کردم. او نیز هراسان دستش را به نشان سکوت روی دهانش گذاشته بود و از خجالت یا ترس مثل گچ سفید شده بود. منظرهٔ مردی ترسیده و زیبا که با چشمانی ملتمس و شرمگین مرا می‌نگریست، موجی از آن

حس غریب در درونم برانگیخت، که تازگی‌ها تجربه می‌کردم. آرام آرام خشـم جایش را به حالی خوش و سروری ناب داد که همـهٔ وجـودم را مسخّر کرد؛ نمی‌دانم چرا. شاید چون سایه، بیگانه نبود؛ یا اینکه اصلاً چون خود او بود. به هر حال نمی‌خواستم متوجه خوش‌حالی من بشود. او حق نداشت مرا دزدکی نگاه کند. بدتر از همه اینکه جرأت اعتراض از من گرفته شده بود. زیرا، هـم او طبعی نازک و زودرنج داشت و هم من دوباره به خاطر شکر ـ پریا به او مدیون بودم. اصلاً حالی داشتم که نمی‌خواستم فاصله‌ای پدید بیاید. با لحنی محتاط و آمیخته به سرزنشی دوستانه، پرسیدم: از کی این جا ایستاده‌ای؟ راستش را بگو! مثل گربهٔ ماهی دزد با چهره‌ای معصوم و چشـمانی آکنـده از حسّ گنـاه مـرا نگریست، اما لب از لب برنداشت. دوباره پرسیدم. این بار به دست‌هایش نگاه کرد و آهسته گفت: راستش را بخواهی نمی‌دانم، شاید یک سال. مـن هـم نمی‌دانستم چه‌قدر آن جا دراز کشیده‌ام. شاید واقعاً یک سال. گفتم: خوب چرا صدایم نکردی؟ چرا نیامدی داخل آلاچیق؟ چشمانش را از دست‌هایش برگرفت و از لابه‌لای مژه‌های بلند و ابروان گره‌دار مردانه در پهنهٔ مهتابی صورت، نگاه سیاهش را به من دوخت. احساس کردم گردبادی توفنده همهٔ بنیادم را می‌لرزاند. سخت دستپاچه شدم. برای اینکه کاری کرده باشم سریع پاهایم را که مقاومت می‌کردند از آب بیرون کشیدم؛ دامن خیسم را صاف کردم و از جایم بلند شدم و شروع کردم با پای برهنه و منگ دنبال شیئی موهوم گشتن. وقتی متوجه شدم دست‌هایم دارند می‌لرزند، استیصال همهٔ وجودم را قبضه کرد. حالی داشتم که نمی‌خواستم او درکش کند. چرا؟ نمی‌دانم. تنم بی‌قواره شـده بـود. یک حسّ وحشی و سیّال، سوزان و خانمان‌برانداز، مثل برق، از سیاهی چشمانش، توی جانم، توی تک‌تک رگ‌هایم دویده بود و ناگهان دنیایم را به آتش کشیده بود.

علاءالدین، هم‌بازی حرم من ناپدید شده بود و به جایش مـردی غـریبه و خواستنی مثل آن عیار قونوی در بازار ایستاده بود: زیبا و استوار و روئین‌تن، مثل تصویر ذهن من از سهراب، از اسفندیار، از تهمتن و از سیاوش. مگـر نـه اینکه او از سلالهٔ همان‌ها بود؟ مگر مادر و پدرش هردو از همان خاک برنخاسته بودند؟ عقل درمانده‌ام در برابر هجوم ناگهانی آن گردباد خود را به درودیوار می‌زد

تا پناهگاهی بیابد و هی می‌زد و هشدار می‌داد. او نباید متوجه آشوب درونی‌ام می‌شد. سعی کردم برخودم مسلط باشم. تصمیم گرفتم کفش‌هایم را بپوشم، اما موفق نشدم. دست‌وپایم فرمان نمی‌بردند. با این‌که پشتم به او بود، اما حس می‌کردم امواج نگاهش ذرات وجودم را درهم می‌پیچند. سوزشی مطبوع سینه‌ها و کمرم را درنوشت کشاله‌های رانم ضعف می‌رفتند. نفسم به شماره افتاده بود. از درماندگی گریه‌ام گرفت. می‌دیدم مغناطیسی مرموز مرا به سوی او می‌کشد. دلم می‌خواست با یک جست در آغوشش محو شوم. دلم می‌خواست، درهم یکی شویم، فنا شویم. به نظرم می‌آمد که بیرون از من و او حیات دیگری وجود ندارد. دنیا محدود شده بود به من و او. تمام عقل و درایت و دین و آداب و تربیتی را که در وجودم ذخیره بود به کمک گرفتم تا خودم را از آن جادو برهانم. مرتب ندایی از پس همهٔ آشوب‌ها فریاد می‌کشید که ممنوعی در شرف وقوع است. همهٔ خونم به صورتم هجوم برده بود. برای این‌که صدای نفس‌هایم را نشنود، وحشیانه و پرسروصدا طلایی‌ترین خوشهٔ انگور را چیدم و بریده بریده از خوش‌مزگی انگورها داد سخن دادم. نمی‌دانم چه‌قدر گذشت، از دوردست‌ها شنیدم که کسی چیزی می‌گفت. وقتی برگشتم، هیچ‌کس آن‌جا نبود، خوشه را انداختم و دویدم به طرف درِ آلاچیق. داشت با ردای کتان سفیدش که همهٔ پاکیزگی‌های دنیا را زیر نور آفتاب انعکاس می‌داد، پشت شاخ و برگ‌ها دور می‌شد. می‌خواستم صدایش کنم، اما مثل کابوس‌های شبانه‌ام صدا توی گلویم گیر می‌کرد. همان‌جا روی پله نشستم. چه برسرم آمده بود؟ اگر هنوز صدای پایش را که به سنگینی روی شن‌ها کشیده می‌شد نمی‌شنیدم، فکر می‌کردم خواب دیده‌ام. دیگر نه پروانه‌ها در نگاهم بودند، نه گل‌ها، نه ریگ‌های رنگارنگ و غلطان کف جوی؛ و نه صدای آب را می‌شنیدم. مِهی غلیظ و داغ راه برنگاهم بسته بود. دهانم خشک بود و از چیزی خشمگین بودم که او نبود، هرچندکه یک بار دیگر همه آرامش مرا از من ربوده بود. دیگر نمی‌توانستم آن‌جا بمانم. نمی‌دانم چرا خود را تحقیر شده حس می‌کردم. بلند شدم. صورت داغم را زیر آب آبشار گرفتم و گیج و تلوتلوخوران خودم را به راه شنی کوشک سپردم. به گمانم قرنی راه رفتم تا به عمارت رسیدم. سرزندگی با جوش‌وخروش و

آمدورفت جریان داشت، اما پردهٔ مه بر من سنگینی می‌کرد. مادرم با نگاهی سرزنش‌آمیز چیزی به من می‌گفت، من اما نمی‌شنیدم. آیا با غرور مشغول نشان دادن خانه به زنان حرم بود و زن‌ها با دهان‌های باز و زیرچشمی، نگاه‌های پر از احترام و حسرت ـ اما بی‌حسادت ـ به مادرم می‌انداختند. چرا حسادت کنند؟ این زن با همهٔ جلال و زیبایی و مُکنتش در زندان هارون هم‌بند آن‌ها بود. برای من اما، فکر کردن به آن زندان هم اهمیت و سنگینی خود را از دست داده بود. من توی دنیای تازه‌ای سیر می‌کردم و با تازه‌هایی از نوع دیگر سروکار داشتم. حالا داشتم به تصاویر خدایان و الهه‌های یونانی می‌اندیشیدم که روی سقف‌ها و دیوارهای تالار بزرگ نقش بسته بودند، بی‌آن‌که تا آن روز توجهم را جلب کرده باشند. وقتی دیدم آن‌ها هم خوشه‌های پربار انگور به یک‌دیگر تعارف می‌کنند، بی‌اختیار لبخند زدم. این همه سال توی این خانه زیسته بودم و این تصاویر زیبا هیچ‌گاه چنین مرا به خود نخوانده بودند. حالا حس می‌کردم همهٔ آن خواهش‌ها و نیازها و بودها و نبودها که آن بالا به تصویر درآمده‌اند، داستان هزاران سالهٔ ما آدم‌ها است؛ داستان من است. حس می‌کردم خون آن‌ها در رگ‌های من جاری است. چه‌طور من تا این لحظه ندیده بودمشان؟ پدیده‌ای تازه اتفاق افتاده بود. حجابی از میان برداشته شده بود. داشتم دنیا را جور دیگری می‌دیدم.

همه را برای ناهار صدا کردند. به طرف سفره‌خانهٔ بزرگ که در ضیافت‌ها از آن استفاده می‌شد، به راه افتادیم. وقتی او را دیدم که از آن طرف استخر به سوی ما می‌آمد، باز نفسم به شماره افتاد. آشکارا پی بردم که او دیگر برایم یک برادر ناتنی یا یک همبازی نیست. پس از بازگشت از سفر تبعیدی ناگهان مردی تمام عیار شده بود. غریبه‌ای شده بود که نمی‌دانم چرا دیدنش نفسم را بند می‌آورد. اما این را نباید هیچ‌کس می‌فهمید. چرا؟ نمی‌دانستم. فقط می‌دانستم نباید بفهمند. شاید چون این یک اتفاق درونی و خصوصی بود که مربوط به خودم بود و نمی‌خواستم هیچ‌کس را در آن شریک کنم، حتی خود او را. بدتر این‌که خودم نیز از کم و کیفش سر درنمی‌آوردم. فقط می‌دانستم که یک اتفاق ساده و روزمره نیست؛ سوزش شیرینی است که در رگ‌هایم جریان گرفته است و من هرقیمتی را برای شتاباندنش می‌پرداختم.

اصلاً اشتها نداشتم. فکر می‌کردم کرامانا مواظب ما دونفر است. در تمام مدت چشمم را از بشقاب غذایم برنداشتم. احساس می‌کردم که او هم همین کار را می‌کند. این را هم می‌دانستم که آن‌جا چندان برای همه جالب و تازه است که به‌جز آن دایهٔ مهربان‌تر از مادر، کسی به ما توجهی ندارد. یک روز باید حسابم را با او تسویه می‌کردم. همین که بالاخره مامی با برخاستن از سر سفره پایان زمان غذا خوردن را اعلام کرد، مثل تیری که از چلهٔ کمان در رود، به اتاقم پناه بردم و خودم را انداختم روی تخت. باآن‌که کمی بوی خاک و ماندگی می‌داد. از این‌که گونه‌های داغم را بافت خشن زربافت رویه تخت آزار می‌داد، لذت می‌بردم. وجودم را توفان آرزوهای ناشناخته و کور درهم پیچانده بود. با بی‌قراری خو کرده بودم، اما این بار خیلی طاقت‌فرسا بود. می‌خواستم که او کنارم باشد و یک بار دیگر مرا همان‌طور بنگرد. باید خودم را برانداز می‌کردم. می‌خواستم بدانم او مرا چه‌گونه دیده است. می‌خواستم خودم را از چشمان او برانداز کنم. درِ اتاقم را با احتیاط باز کردم و گوش خواباندم به صداها. با خوش‌حالی متوجه شدم که کسی به اشکوب بالا نیامده است. گویا همه تصمیم گرفته بودند قبل از بازگشت، همان‌جا توی تالار بزرگ کمی بخوابند. با احتیاط به اتاق رخت‌کن مادرم رفتم که اطرافش را آینه‌های سنگین با قاب‌های پرنقش ونگار پوشانده بود. در را از داخل چفت کردم. باز آن عطر سحرآمیز قدیم مشامم را انباشت. خودم را در فضای جادویی یک رؤیا حس کردم. انگار از روزی که مادرم می‌خواست لباس‌هایی مناسب حرم انتخاب کند و من سرگرم بازی با لباس‌ها و جواهرات او خودم را نیز توی آن آینه‌های بلند، مثل حواصیلی لنگ‌دراز و رنگ‌پریده به اکراه دیده بودم، هزار سال گذشته بود. هرگز در من اشتیاقی برای نگریستن به خود درآینه پدید نیامده بود. آن کنجکاوی برای اولین بار در من بیدار شده بود. با ریسمان کنار آینه‌ها، پرده‌ها راکنار زدم تا نور روز از پنجره‌هایی بالاتر از قد یک آدم، وارد رخت‌کن شود. از این‌که ناگهان چشمم به زنی افتاد که داشت توی آینه‌ها راه می‌رفت، یکه خوردم. چند ثانیه طول کشید تا باور کنم آن زن خودم هستم. چه‌گونه زمانِ اقامت در حرم، از آن دختر بچهٔ رنگ‌پریده و دراز و لاغر که می‌شناختم، چنین زنی ظریف و بلندبالا ساخته بود که داشت از ورای آینه‌ها مرا

با نگاهی نامطمئن می‌نگریست. یادم آمد به جز لحظاتی کوتاه در حمام مرمر، ماه‌هاست که خودم را در آینهٔ قدی ندیده‌ام. آینه‌ی بالای صندوقم در حرم درست به اندازه گردی صورت بود و من حتی موهایم را در جمع درست نمی‌توانستم ببینم. اما حالا در مقابل من مادر جوانم، یا جوانی مادرم توی آینه لبخند می‌زد. بی‌اختیار موهایم راکه از همان کودکی به زیبایی آن‌ها آگاه و مغرور بودم و شب قبل آیاخانم با غرولند بافته بودشان، رها کردم و این بار با رضایت و شادمانه متقابلاً به زن توی آینه لبخند زدم. او را می‌پسندیدم. همان‌طور بود که من می‌خواستمش، البته صرف‌نظر از لباس‌های سفری زمخت و غبارآلود که در حاشیهٔ دامن خیس و گل‌آلود هم بود. این اصلاً مشکل بزرگی نبود تمام لباس‌هایی راکه من دوست داشتم، مادرم همان‌جا گذاشته بود. با عجله زیباترین آن‌ها را پوشیدم و درآوردم. از این که مادرم را ـ همان مادر دوست داشتنی‌ام را ـ دوباره می‌دیدم، و از این‌که آن وجود زیبا دوباره صورت واقعیت به خود گرفته بود، وجدی شورانگیز وجودم را درنوشت. آن روز، روز سرزدن پروانهٔ روح زنانهٔ من از پیله بود. نشستم و درحالی که با لبخند به زن عاشق توی آینه می‌نگریستم، خودم را به رؤیاهایم سپردم. دیگر چه‌کسی جرأت می‌کرد با خانمی مثل من چنان رفتارهایی داشته باشد. چیزی تغییر یافته بود.

وقتی به خود آمدم که شانه‌هایم تکان‌های آیا را دریافته بودند. می‌خواستم از خجالت زیر زمین بروم. گویا کاروان آمادهٔ ترک باغ و فقط منتظر من بود. او مرا پس از جست و جوی فراوان، روی نیمکت مخملی رخت‌کن مادرم، میان ده‌ها دست لباس ولو شده برزمین، و درحالی‌که دستی از لباس‌هایش را برتن داشتم، یافته بود و برخلاف انتظارم نه تنها عصبانی نبود، بلکه با مهربانی بی‌سابقه‌ای که رگه‌هایی از ترحم نیز در آن حس می‌شد، مرا بلند کرد، لباس سفری‌ام را دوباره برتنم پوشاند و موهایم را جمع‌وجور کرد؛ و برخلاف همیشه که تا کارهای مرا به پایان برد زجرکشم می‌کرد، مهربانانه و درحالی‌که گه‌گاه و نامفهوم با خودش حرف می‌زد، مرا آماده کرد و گفت: زود برو پایین تا من این‌ها را جمع کنم. همه منتظرند، می‌خواهیم راه بیفتیم. من آشکارا چشمان پر از اشکش را دیدم و مثل سگ باران خورده، سر به زیر و دُم آویخته، شرمسار از خود و همهٔ کاینات روح

پامال شده‌ام را از پله‌ها پایین کشاندم. دلم نمی‌خواست چشمم به چشم کسی، بخصوص به او بیفتد که دوباره مسبب همهٔ دردسرهای مـن شـده بـود. هـمهٔ حالات و احساسات آن روز صبح مشمئزم می‌کرد. از همه بـدتر این بـود کـه بازیگوشی مجال نداده بود به دیدن بی‌بی‌جان بـروم و دیگـر دیـر شـده بـود. درحالی‌که هیچ‌کس دل نمی‌کند، تنها مادرم بود که پافشاری می‌کرد. با این‌که برای او از همه لازم‌تر بود که استراحت کند و با آن حال، در یک روز دوبار آن راه دراز را بر گردهٔ قاطر نپیماید، اما خیلی اصرار به بازگشت داشت. بهانه‌اش هم که البته هیچ‌کس باورش نمی‌کرد، این بود که حضرت خداوندگار این‌طور خواسته‌انـد. حتی به من اجازه نداد که تا آن سوی باغ به دیدن بی‌بی‌جان بروم. می‌گفت اگر تعجیل نکنیم، حتماً به تاریکی می‌خوریم. کسی هم جرأت اعتراض نداشت. راه افتادیم و من توی دلم دعا می‌کردم تا سختی سفر بچهٔ خونخوار را از شکم مادرم جاکن کند و دست از سرش بردارد. هیچ‌گاه به اندازهٔ آن بعد از ظهر نفهمیده بودم که چه نعمت‌هایی را از دست داده‌ایم و زیبایی مادرم چه‌قدر افول کرده است. بیش‌تر دلم می‌سوخت وقتی می‌دیدم با آغوش باز و بی‌توجه به همهٔ دنیا زندگی سخت‌اش را پذیرفته است و به ما هم تحمیلش می‌کند. حتی حاضر نبود شبی را از خانهٔ جدید و شوی تازه‌اش دور بماند. روزی بالاخره از راز خوشبختی‌اش سر درمی‌آوردم. خوشبختی‌یی که قیمتش را من می‌پرداختم، یعنی همهٔ ما، اما من بیش‌تر.

در راه احساس غریبی داشتم. دلم می‌خواست زار بزنم. فکر می‌کردم همه، به خصوص بهاءالدین و کرامانا بدجوری نگاهم می‌کنند. از علاءالدین که مـقصر اصلی بدحالی‌ام بود و همهٔ اتفاقات زیر سر او بود نفرت داشتم و ابداً نگاهش نمی‌کردم. وقتی می‌دیدم زنجره‌ها به جایم زار می‌زنند و آسمان غروب را در طول راه می‌انبازند لذت غمگینانه‌ای می‌بردم. صدا، صدای حال من بود: بـی معنی و مبهم و غم‌انگیز و بی‌آغاز و فرجام. اگر یکی خسته می‌شـد، دیگـری بلافاصله مرثیه را سر می‌داد. برخلاف صبح که همراهان همه سرحال و پرحرف بودند، عصر بدون استثنا بـا خـموشی مـطلق بـه بـی‌نهایت چشـم داشتند. چهارپایان نیز بردبار و سر به زیر ما را به محبسمان باز می‌گرداندند.

وقتی باز در تاریکی شب، اطلس خُنک متکا گونه‌هایم را نواخت، تازه واقعیت شرم‌آوری که به بی‌بی‌جان سرنزده بودم مثل خوره به جانم افتاد. او بعد از الیاس از همه با من مهربان‌تر بود و اگر اتفاقی می‌افتاد که دیگر هرگز نمی‌دیدمش، گناهم نابخشودنی بود. شرم‌آورتر این‌که جز همان سلام سرسری با الیاس هم گفت‌وگو و احوال‌پرسی نکرده بودم، به کرت‌های سبزی‌ها و خانه موش‌کورها سر نزده و از صمغ درختان گیلاس نخورده بودم. ازته دل علاءالدین را نفرین کردم. او بود که با حضور ناگهانی‌اش میثاق من و باغ و دوستانم را به هم ریخته بود و یگانه فرصت فرار از قفس حرم را از من گرفته بود. کی دوباره مجال جبران از دست رفته‌ها پیش می‌آمد؟ همان‌طور که به او فکر می‌کردم، باز همه چیز یادم رفت. دوباره جریانی داغ و ناشناخته زیر پوستم دوید و همهٔ وجودم را قبضه کرد.

صبح که بیدار شدم، حالی خوش داشتم. رخوت مطبوعی در جانم رخنه کرده بود. با وحشت به یادم آمد که تمام شبم را با او گذرانده‌ام. دست در دست در دشت‌های غریبه پرسه زده‌ایم. در تاکستان‌ها با فرشته انگور خورده‌ایم. توی گندمزارهای سبز دراز کشیده‌ایم و سفر ابرها را نظاره کرده‌ایم. او از یک نیلوفر وحشی کفشدوزکی برگرفته کف دستم گذاشته است و ناگهان کفشدوزک با همان رنگ‌هایش به گویی بلورین بدل شده است. روی بام باران خورده رفته‌ایم و با رنگین‌کمان طناب‌بازی کرده‌ایم و . . .

بدنم را کش‌وقوس دادم؛ ولی دلم نمی‌خواست بلند شوم. رخت‌خوابم انباشته از عطر گندمزارها بود. تصمیم گرفتم خودم را به مریضی بزنم و بهایش را نیز با خوردن یک بادیه فلوس تلخ بپردازم. رسواتر و پریشان‌تر از آن بودم که بتوانم در جمع ظاهر شوم. مهم‌تر این‌که نیاز داشتم تنها باشم و فکر کنم، تا شاید خودم را باز بیابم.

آینه بالای صندوقم را از دیوار برداشتم و دنبال خودم گشتم. امروز چشمانم حتی تیره‌تر از دیروز بودند. حتماً مثل چشمان مادرم بودند که با هرحال و لباس و محیطی، رنگ تازه‌ای به خود می‌گرفت. دوباره تعجب کردم که چه‌طور تا دیروز متوجه این همهٔ شباهت خودم با مادرم نشده بودم. البته این‌جا و آن‌جا

اشاراتی شنیده بودم، ولی همه را به حساب تعارفات متداول گذاشته بودم. باورم نمی‌شد هیچ موجود دیگری بتواند به زیبایی و ملاحت مادرم باشد. این‌که دیروز مادر آن روزهایم را در خودم کشف کرده بودم، برایم حادثه‌ای عظیم بود، چیزی مثل یافتن گنج یا کشف کیمیا. به یاد روز گذشته افتادم که در برابر آینه‌های بلند رخت‌کن مادرم مثل پروانه‌ای از پیله بیرون زده بودم. می‌دیدم که جسم و جانم هردو متحول شده‌اند، اما هنوز نمی‌توانستم مطمئن باشم که اتفاق خوبی در شُرف وقوع است یا نه. گیج و حساس و سرخوش و اندوهگین بودم. یادم آمد از شعرخوانی خداوندگار در شبی که او شارح معنی «مستی» بود. به واقع من حالا مست بودم. مست خواب‌هایم، مست او، مست خودم، مست جوانی و زیبائیم. مست امیدهایم، و چنان مست که حتی کاسهٔ فلوس داغ آیاخانم هشیارم نکرد. در حرم می‌گفتند که کیمیاخاتون چاییده، و من زیر لحاف اطلسم رؤیا می‌پروراندم.

جمعه شب دیدمش. زن‌ها با آب‌وتاب فراوان، داستان سفرِ باغ را برای خداوندگار بازگو کردند و من و او به هم مشغول بودیم، بی‌آن‌که به یک‌دیگر بنگریم یا حرفی بزنیم. گرمای حضور یک‌دیگر را روی پوستمان حس می‌کردیم و عمیقاً به حال آن بقیه که از این احوال بی‌خبر بودند تأسف می‌خوردم. چه‌قدر حرف‌های بی‌خودی و بی‌معنی می‌زدند. حس می‌کردم همه چیزِ اطرافم معنی خود را از دست داده‌اند، به‌جز تبادل مخفیانهٔ آن امواج بین ما که من و او را غرق در آن همه لذت و هیجان می‌کرد. دیگر از کرامانا هم ترسی نداشتم. او را کوچک‌تر از آن می‌دیدم که بتواند بار دیگر دنیای زیبای مارا به هم بریزد. آن‌چه برما می‌گذشت، مثل هاله‌ای بود دورِ شعلهٔ شمع: هم واقعی بود و هم نه. بعدها، اما دیر فهمیدم که اصولاً شادمانی برکیفیتِ هالهٔ شمع است. همان‌طور و همان‌قدر که می‌بینی‌اش، باید کفایتت کند. اگر چنگ زنی تا نگهش داری، شعله می‌میرد، هاله می‌گذرد و تو می‌سوزی. درجهان هستی شادمانی پدیده‌ای است عینی‌تر از توهم و نامحسوس‌تر از واقعیت، برزخی میان این دو، و روح من در آن برزخ بندبازی می‌کرد. درسایه‌سار خنک آن لحظات سرمستی همهٔ رنج‌های اسارت از جان و روحم رخت بربسته بودند. دیگر هیچ انتظاری نداشتم جز دیدن

او، حتی برای چند لحظه.

بی اعتنا به توفانی که هستی مرا در خود پیچانده بود، زندگی به راه خود می‌رفت. روزهای بی‌حادثه، ورای ادراکات و خواست من دوباره شروع شده بودند. فقط برگ‌های نازک و کوچک انارهای دور حوض بودند که زرد و سرخ، طلایه‌دار خزان زیبای قونیه شده بودند که ما را از آن سهمی نبود، جز سردی نامطبوع و قارقار کلاغ‌های بی‌قرار. پائیزی که به سرعت جایش را به زمستان منجمد قونیه داد، با روزهای کوتاه سرد و شب‌های دراز و ماسیده.

یکی از همان روزهای سرد، کاملاً غیرمنتظره خواهر تازه‌ام به دنیا آمد. زودتر از وقت آمده بود. فریادهای جگرخراش مادرم، شدت خونریزی‌اش و این‌که می‌گفتند بچه هنوز وقتش نیست، دندان‌هایم را از ترس قفل کرده بودند. فکر می‌کردم اگر او بمیرد، تکلیف من در آن زندگی چه می‌شود! چه برسرم می‌آمد و بدون پدر و مادر چه عاقبتی می‌توانست در انتظارم باشد! از این که ترس من نه به خاطر مرگ او، بلکه برای آوارگی خودم بود، خجالت می‌کشیدم. هرکسی سرگرم کاری بود و غوغا بود. قابله را سرسحر از خواب بیدار کرده بودند و او چند ساعت بود که با تن دردمندِ مادرم کشتی می‌گرفت. بچه هنوز نچرخیده بود و می‌خواست با پا بیاید. می‌گفتند چنین زایمانی معمولاً منجر به مرگ مادر، نوزاد، یا هردو می‌شود. سرانجام وقتی قابله ابراز عجز کرد، قرار شد دنبال حکیم بفرستند. مادرم خیس عرق، در میان درد و خون و ترس، به شدت مخالفت کرد و گفت، مرگ را ترجیح می‌دهد به این که حکیم که از دوستان نزدیک خداوندگار هم بود او را در آن وضع معاینه کند. تصمیم از دست زنان حرم خارج بود، به دنبال خداوندگار فرستادند تا بیاید و خودش تصمیم بگیرد.

آمدن مولای حرم به تأخیر افتاد و فریاد مادرم تا آسمان هفتم می‌رفت. آیاخانم که خون به چهره نداشت، دست برسر می‌کوفت و دائماً می‌گفت که دیگر کارش تمام است، تا حالا سرزایمان، کسی صدایش را نشنیده بود. باید یک بدبختی باشد که این‌طور نعره می‌کشد. ناگهان مامی پیر با چهره‌ای که بیش از همیشه شبیه عقاب شده بود، با سر و گردن لرزانش، مثل این‌که به او وحی شده باشد همه را به‌غیر از آیاخانم و قابله با دشنام از اتاق بیرون کرد و در را بست.

چیزی نمانده بود که با آن نعره‌های غیر انسانی که از حلقوم مادرم درمی‌آمد در را بازکنم و روی مامی بپرم و با دستانم خفه‌اش کنم. همیشه می‌دانستم او از مادرم که جانشین دخترش شده بود، خوشش نمی‌آید. به سرم زده بود که می‌خواهد از فرصت استفاده کند و او را بکشد. کرامانا مهارم کرده بود و من گریه کنان با او کلنجار می‌رفتم. نمی‌دانم چه‌قدر طول کشید؛ اما از شدت خشم و خستگی دیگر فریادهای مادرم را هم نمی‌شنیدم. شاید مرده بود. باید کاری می‌کردم. ناگهان دست‌های کرامانا شل شد و چشمانش به در خیره ماند. به ردّ نگاهش برگشتم. همه خاموش بودند. قابله خسته و عرق کرده در چهارچوب در اتاق ایستاده بود و تشت بزرگی را که پر از خون و چیزهای دیگر بود بیرون می‌داد. مطمئن شدم مادرکم مرده و گوشت‌های خون‌آلود توی تشت، دل و روده و قلب اوست. به ناگهان درد، رنج، ترس، خستگی و خشم، در من معنی خود را از دست دادند. دیگر در برابرم خلأ بود و سقوط سریع خودم همراه با یک سؤال که دم به‌دم تشدید می‌شد: چرا سهم مادرم در چرخهٔ حیات سنگین‌تر از پدرم و ناپدری‌ام بود؟ چرا و به چه گناهی باید قیمت عشق را آن همه سنگین می‌پرداخت؟ عشق یعنی این؟

از بوی تند سرکه و خیسی چندش آورش به هوش آمدم. حال تهوع داشتم و بغض داشت گلویم را پاره می‌کرد. نمی‌خواستم بدون مادرم زنده باشم. خواستم چشم‌هایم را دوباره ببندم، اما چهرهٔ پرلبخند و مهربان خداوندگار به پلک‌هایم امان نداد. بالای سرم نشسته بود و بسته‌ای راکه با احتیاط در آغوش داشت نشانم داد. بعد شنیدم که گفت: «کیمیاخاتون! پاشو خواهر کوچکت را ببین! این بود عزیزم که آن هنگامه را برپا کرد! پاشو ببین چه لب‌های کوچک و سرخی دارد!»

چند دست بلندم کردند و بالش‌هایی نرم پشتم گذاشتند. ناپدری‌ام خم شد و نوزاد را روی زانویم گذاشت و خودش همان‌جا نشست و پیشانی‌ام را بوسید و با صدایی آرام مطمئنم کرد که مادرم حالش خوب است و خوابیده است و ما همه باید شکرگزار خدا باشیم: اول برای سلامتی زائو؛ دوم برای این که بعد از سه پسر، دختری به او هدیه کرده است به این خوبی! سپس از من خواست که تا روز نامگذاری فکرهایم را بکنم و اسمی زیبا برای خواهر کوچکم پیدا کنم.

بار دیگر حضور او جان خسته‌ی مرا مرهم شده بود. با این‌که من و شمس‌الدین را در زمرهٔ فرزندانش نشمرده بود، اما بخشیدمش. او شاید تنها مرد قونیه بود که زنش را به خاطر زادن یک دختر ستایش می‌کرد. پیش از بیش پی بردم که در او چیزی هست ورای فهم ما شبستان نشین‌ها؛ چیزی‌که در هیچ کس دیگر نبود. گفتم شاید مردن در پای عشق او حق مادرم باشد، انتخابی که برای من هم محتمل بود.

اسمش را «ملکه‌خاتون» گذاشتم. برادرش «امیرعالم» بود و او باید «ملکه خاتون» می‌شد؛ اسمی که من برای خودم دوست داشتم. هنوز هم دیر نشده بود، اگر امیرزاده‌ای از راه می‌رسید و مرا به زنی می‌برد، «ملکه کیمیا» می‌شدم، مثل «ملکه عالیا». شاید نیز شویم دستور می‌داد نقش مرا هم مثل گرجی خاتون بر دینارهای سرخ ضرب کنند. کوچک‌تر که بودم، ساعت‌ها به نقش سکه‌ها در مِجریِ جواهرات مادرم خیره می‌شدم و در میانشان زنی را که افسانه‌اش تا بدان‌جا کشیده بود از صمیم قلب تحسین می‌کردم. دایه‌خانم می‌گفت: همین سکه‌ها، دربارها و علمای فراوانی را در پایتخت‌های جهان برانگیخته است. آن‌ها سلطان غیاث‌الدین را به سبب بدعت‌گزاری تکفیر کرده‌اند، چرا عکس زنی را روی سکه ضرب کرده است. می‌گفت از آن سکه‌ها هرگز در معاملات استفاده نشد. بازرگانان نقش زن را بر روی سکه برای کار خود بداقبالی می‌دانستند.

* * *

ناخوشی مادرم و حضور ملکهٔ کوچکش بار دیگر مشغلهٔ روزانهٔ ما را زیادتر کرده بود و دیگر وقتی برای فکر کردن و کسل بودنمان باقی نگذاشته بود، از همه مهم‌تر این که بهانه‌ای پیدا شده بود برای حضور بیش‌تر خداوندگار و برادرانم در حرم و این خود دوباره گرمای خاصی به زندگی ما می‌بخشید. من تمام روز را با چشمانی دوخته بر هشتی مدرسه کار می‌کردم. مسئولیت اصلی‌ام مواظبت از امیر عالم بود که داشت کم‌کم با چهاردست‌وپا می‌سرید. بچهٔ خوب و خوش خُلقی بود؛ فقط باید مواظبش می‌بودم که شکری ـ پریا را نچلاند یا همه چیز از

جمله دم بچه گربه‌ها را توی دهانش نکند. آن دو هم بزرگ شده بودند و بی‌نهایت بازیگوش بودند و با شیرین‌کاری دل همهٔ اهل حرم را برده بودند. علاءالدین هم چند بار در روز به بهانه‌های مختلف به حرم می‌آمد و رابطه‌ی بین ما هر روز قوی‌تر از روز پیش می‌شد و بی‌آن‌که اشاره یا کلامی رد و بدل کنیم، سیراب از شهد نظربازی‌هایمان بودیم. دنیا مملو از زیبایی و طراوت و هوای تازه بود. نمی‌دانم چه‌طور زمستانِ گذشته متوجه شکوه زمستانی حیاط حرم نشده بودم: درختان انار با برگ‌های قرمز باقی‌مانده از خزان در قالب یخی خود یک پارچه زیر نور آفتاب مثل بلور به من چشمک می‌زدند. قندیل‌های چند زرعی ناودان‌ها، چلچراغ قصرها را تداعی می‌کردند و ترنم قطرات حاصل از یخ کنگره‌های بام سخن از گرمی حیات داشتند.

زندگی چهره‌ی تازه‌ای به من نشان می‌داد. همه چیز درحال رشد بود و رو به زیباتر شدن می‌رفتند: حیاط، گربه‌هایم، ملکه‌خاتون، امیرعالم، خودم و او که به نظرم می‌آمد روز به روز مطمئن‌تر و بلندقامت‌تر و برازنده‌تر می‌شد و دیگر هیچ شباهتی به نوجوان خجالتی و عصبی آن روزها نداشت. گاه از خودم می‌پرسیدم، اگر صحنه پشت بام بار دیگر پیش بیاید او باز هم فرار خواهد کرد یا از من دفاع می‌کند؟

حال مادرِ کم‌خون و رنجورم براثر مهرورزی و بی‌حد خداوندگار و داروهای حکیم اکمل‌الدین ـ دوست و طبیب خانوادهٔ خداوندگار ـ و شورباهای ایرانی پرقوت که به دستور مامی برایش پخته می‌شد به سرعت رو به بهبود بود. من دیگر ذره‌ای نگرانی و دل‌گیری نداشتم و گله‌مند روزگار نبودم. دیگر منتظر ننه‌جی نمی‌نشستم که کوبهٔ در بالا را بزند و شاهزاده‌ای را به خواستگاری‌ام بیاورد. حتی اگر می‌آورد هم جواب من «نه» بود. همه‌چیز همان‌طور که بود، خوب و مطبوع بود و غایت خواستهٔ همه ما بود. همه همدیگر را دوست داشتیم، حتی مامی را. ملکه‌خاتون، عزیز دردانه خداوندگار بود و برای همه جایگاه ویژه‌ای داشت. چرا که برایمان شادی و مهربانی به ارمغان آورده بود. مامی پیر و بدخُلق به خاطر شاهکارش ـ یعنی نجات زندگی مادرم ـ محبوب‌القلوب همه شده بود. کرامانا هم به‌دلیل نامعلومی دست از

سخت‌گیری‌ها و مواظبت‌هایش برداشته بود. اوجی، خاموش و بی‌توقع به جای همه کار می‌کرد و در وقت‌های فراغت، من همچنان به او خواندن و نوشتن یاد می‌دادم. مدتی بود که از رفتار آرام و بزرگ منشانه‌اش بیش از پیش مطمئن شده بودم که او در زادگاهش، روزی شاهزاده خانمی بوده که دست چپاولی یا تیغ جنگی به بردگی‌اش کشانده است. این بود که سعی می‌کردم رفتارم با او حتی‌الامکان متناسب با انتظاراتش باشد. کتاب‌ها را یکی پس از دیگری از خداوندگار می‌گرفتم و شب‌ها بعد از نماز مغرب، شمع نیم منی وسط اتاق را روشن می‌کردیم و می‌نشستیم. یا درس خودش را می‌خواند یا ساکت به من گوش می‌داد که کتاب‌های پررمزوراز را بلندبلند می‌خواندم. همیشه خودم را قهرمان حکایت‌ها می‌دیدم. شعرها را هم وصف حال خودم می‌دانستم. آنچه کم داشتم همدمی بود که بتوانم با او راز دل بگویم. گاه می‌شد روز به پایان می‌رفت و جز صداهای کودکانه‌ای که از حلقومم برای امیرعالم و ملکه‌خاتون و شکر ـ پریا خارج می‌شد، کلمه‌ای برزبان نرانده بودم. همۀ گفتنی‌هایم در نظربازی‌های پربیم وامید و مخفیانه‌ام با علاءالدین خلاصه می‌شد. با این همه هیچ جای گلایه نبود. زمستان کم‌کم جایش را به بهار داد و بنا به تجویز حکیم برای مادرم، به‌دفعات دسته جمعی برای هواخوری و زیارت و تن شستن به آب‌گرم‌های اطراف قونیه رفتیم. سفر قبلی به باغ برای همه خسته کننده بود و مادرم هیچ‌گاه به سفر چند روزۀ باغ رضایت نداد. بهانه‌اش هم دوبچۀ شیرخواره بود، اما همه می‌دانستند که نمی‌خواهد از شوی محبوبش جدا شود. زن‌ها لبخندهای معنی‌داری باهم رد و بدل می‌کردند و سربه‌سر او می‌گذاشتند. طفلک مادرم که براثر دو زایمان پشت‌سرهم و شیردادن بچه‌ها و خونریزی‌های مکرر پس از زایمانِ سختِ ملکه‌خاتون دیگر آن خاتون پرابهتی نبود که بود، می‌گذاشت زن‌ها هرچه دلشان می‌خواهد بگویند؛ اما آیا خانم سخت برآشفته می‌شد و می‌گفت: دوست داشتن جلال‌الدینِ نازنین ـ پسر بهاء ولد بلخی، فقیه بزرگ ولایت روم و شیخ‌الشیوخ مقتدر و پرابهت قونیه که سرنخوت به آسمان می‌سائید ـ کاری نبود که کسی از آن خجالت بکشد. خاتون من چشم و گوشش از جاه و جلال و ثروت و شوکت پُر بود؛ حسرتی نداشت که بربادش دهد و هیچ نمی‌خواست،

جز سایهٔ بلندی بالای‌سر که از دست مردم روزگار در امان باشد.

به‌نظرم می‌آمد که تنها غصهٔ مادرم من باشم. گاه چنان با نگاهش براندازم می‌کرد که نمی‌توانستم تشخیص دهم از داشتن دختر جوانی به زیبایی خودش، خوش‌حال است یا مغموم. متأسفانه حوادث این دو سال، دیگر وقتی برای او باقی نگذاشته بود تا ما بتوانیم به‌هم نزدیک‌تر شویم. تنها وقتی که با خوش‌حالی حساسیت مادرانهٔ او را نسبت به خودم تجربه می‌کردم، زمانی بود که به حمام می‌رفتیم و او از شدت توجهی که به من می‌شد برمی‌آشفت و به ننه‌جی دستور می‌داد مرا زودتر بشوید و به خانه بفرستد. آیاخانم می‌گفت مادرم به شدت از چشم بد می‌ترسد، اما ننه‌جی موقع شستنم آن‌قدر قربان صدقه‌ام می‌رفت و آن‌قدر دست‌های استخوانی‌اش را به تنم می‌مالید که همیشه درحال تهوع آرزو می‌کردم هرچه زودتر از چنگش خلاص شوم. مرتب هم مشغول پچ‌پچ با این و آن راجع به من بود. پیش‌ترها رفتن به حمام مرمر و عرض‌اندام در بازار خواستگاران درباری برایم تفریحی بود، اما بعدها و به تدریج مبدل به عذابی الیم شد. دیگر اگر ننه‌جی پسر شاه پریان را هم معرفی می‌کرد، از حرم دل نمی‌کندم. آن‌جا خوش بودم. برخلاف گذشته، صبح‌ها با اشتیاق بیدار می‌شدم و با دقت به سرو وضعم می‌رسیدم و از اتاقم می‌زدم بیرون و درحالی‌که گوشهٔ چشمم به در مدرسه بود تا او از در، درآید با بچه‌ها و گربه‌ها و این‌جور سرگرمی‌ها ورمی‌رفتم. از لحظه‌ای هم که می‌آمد، تا می‌رفت، بدون آن‌که حرفی باهم بزنیم یک دنیا اسرار ردوبدل می‌کردیم و برای آینده‌ای که بتوانیم بی‌مدعی کنار هم باشیم رؤیا می‌بافتیم. چه‌قدر دلم می‌خواست فرصتی دست می‌داد و همه‌چیز را به مادرم می‌گفتم. حالا دیگر همان‌طور که خواست او بود، واقعاً وابستهٔ آن خانه شده بودم. من در آن‌جا، در حرم، زیر سایهٔ امن خداوندگار خوش بودم. به رغم هرآنچه بین من و مادرم پیش آمده بود، آن روزها که برای خودم زنی شده بودم، او را بهتر درک می‌کردم. دلگیری‌های کودکانه رهایم کرده بودند. چه‌طور می‌توانستم سر زایمان ملکه‌خاتون خدا را از این‌که او را به ما بازگردانیده بود روزی هزار بار شکر نگویم؟ فقط در آن لحظات بود که فهمیدم شاید بهتر باشد یتیم به کسی اطلاق شود که مادر ندارد اگرچه نداشتن پدر ضایعهٔ بزرگی

است، نداشتن مادر یعنی نابودی، حتی همان مادری که ظاهراً دیگر متعلق به من نبود.

مدت‌ها بود مترصد مجالی بودم تا مثل اولین صبحِ حرم با مادرم راجع به خیلی چیزها صحبت کنم. از نگاهش حس می‌کردم که او همه چیز را می‌داند، اما هیچ وقت نشد تا باهم مثل مادر و دختر درد دل کنیم. در طول روز همیشه کسی دور و برش بود. بعد از غروب هم خداوندگار برعکس گذشته زود به خانه می‌آمد و همهٔ ساعاتش را با او و بچه‌ها می‌گذرانید. من اگرچه عجله داشتم، اما می‌دانستم که او با همهٔ دل‌مشغولی، حواسش جمع من است. باید صبر می‌کردم تا همه‌چیز سیر طبیعی خود را طی کند. روزهای خوشی را تجربه می‌کردم. تنها نگرانی‌ام آمدوشد گاه‌وبی‌گاه ننه‌جی بود. تا از راه می‌رسید، قلبم توی دهانم می‌آمد. نه می‌توانستم چیزی بخورم و نه بخوابم، تا این‌که می‌فهمیدم خواستگار مطابق انتظارات خداوندگار و مادرم نبوده و جواب رد شنیده است. من هیچ توضیح دیگری هم از او نمی‌خواستم. اما خود ننه‌جی همیشه در فرصتی مناسب مختصری از قضایا را برایم می‌گفت. سرآخر هم با حرص شکلکی درمی‌آورد و می‌گفت: آن‌که بابانَنه‌ات دنبالش می‌گردند، هنوز زاییده نشده است. تو هم دیگر دارد وقتت می‌گذرد. و خیلی متعجب می‌شد وقتی می‌دید به جای این‌که نگران باشم، شادمانه می‌خندیدم و شادیانه‌ای از دارایی‌هایم به او می‌دادم.

بخش دوّم

مرد آفاقی

پیرمرد سرش را از حجره بیرون کرد. چشمان عجیبش را به اطراف گرداند، آن روز سودایی غریب در سرش بود و اصلاً حوصله نداشت که کاسبی فضول و بی‌کار او را به حرف بکشد. وقتی مطمئن شد کسی نیست، بیرون رفت؛ قفل سنگین و گران‌قیمت را از چفت رد کرد و آهسته فشار داد و باز با نگاهی به اطراف، مصمم به سمت مسجد راه افتاد. بازار شکرفروشان خلوت بود و همه برای نماز رفته بودند. لبخندی کج بر کنج دهانش ظاهر شد. وقتی حجره‌های نیمه‌باز رها شده را می‌دید با خود می‌گفت همه در این سودا رفته‌اند که سرخداوند را پس از همهٔ حقه‌هایی که از صبح به زن و مرد و پیر و جوان زده‌اند با یک دولا وراست شدن و چند تا جملهٔ عربی که معنی درستش را هم نمی‌دانند، شیره بمالند و بعد با خیال راحت برگردند و تا سرچراغ دوباره خلق‌الناس را بچاپند. شیطان می‌گوید بروم بالای منبر و بگویم هرکه امروز مال مردم را نخورده، یا سرپیرزنی را نتراشیده، یا از بچه‌ای یتیم سکه‌ای بیش‌تر نگرفته است بیاید جلو من و جرأت کند به روح پدر و پدر پدرش سوگند بخورد تا در جا ارواح پدرانش را جلو چشمانش بیاورم. اما نه، او را با عوام چه‌کار! تا بوده همین بوده. اورا آن روز با خواص کار بود، کاری سخت. اورا آن روز با فقیه متکبر قونیه کار بود که وقتی بالای منبر بود، چنان با تبختر و اطمینان حکایت می‌گفت و امر به معروف و نهی از منکر می‌کرد و این وآن را به سُخره می‌گرفت و فتوا صادر می‌کرد و در کارزار علم «هل مِن مبارز» می‌طلبید که گویی روح خدا در او نازل است. شیخک غوره ناشده خود را مویز می‌پندارد! بین ما امروز گفت و شنودی سخت خواهد

رفت. چشمان مکارش برقی زد و سرعتش را زیاد کرد. از بازارهای مختلف گذشت. تک و توک بزازهای کلیمی که حجره‌های خود را با آنکه شنبه بود، نبسته بودند، از دیدن او و وجنات غریبش برخود لرزیدند و حفاظ حجره را پایین کشیدند. بارکشان نصرانی در خودش و کلاه عجیبش خیره بودند. تشخیص نمی‌دادند کجایی و از چه فرقه‌ای است. آن‌ها به دیدن غریبه‌ها بسیار عادت داشتند. چهره و لباس همهٔ اقوام را می‌شناختند. قونیه و بازارش شاهراه شرق وغرب عالم بود. اما این یکی نه‌تنها غریب که عجیب هم می‌نمود. این غریبه هرتکه از لباسش مال یک جای دنیا بود. نمد سیاه درویشان بردوش داشت و کلاه جهانگردان برسر و تنش را به لبادهٔ کتان بازرگانان هندی پوشیده بود که لابد روزی سفید بوده است و به تدریج از هر رنگی نشانی گرفته بود. پاپوشش چارق چوپانان بود و کیسهٔ دوره‌گردها را بردوش داشت. با این همه در وجوش وجهی کبریایی موج می‌زد. بالابلند و صاف‌قامت بود. موهای سفید و بلندش، شانه‌هایش را درنوردیده بودند. پوستی تیره و چرمین داشت و سخت می‌شد در چشمانش نگریست. با همهٔ ژنده‌پوشی، در هاله‌ای چنان فاخر ره می زد که همه، حتی اراذل برزن راه به رویش می‌گشودند واو بی‌آزرم یا تعجبی برفراز نگاه کنجکاو عوام ـ که او «کالانعام»شان می‌خواند ـ به راه خود می‌رفت. شاید هم کسی را نمی‌دید. پس از راه‌پیمایی طویل سرانجام بردروازهٔ مدرسهٔ پنبه فروشان ـ جایی‌که صید تازه‌اش را زیرنظر داشت ـ رسید. خوب موقعی بود، نماز و وعظ تمام شده بود. مریدان مانند همیشه با چاپلوسی و سروصدا واعظ شیرین سخن و فقیه عالی‌جاهشان را تا خانهٔ یکی از بزرگان شهر که آن روز افتخار میزبانیش را به ناهار داشت ـ بدرقه می‌کردند و شیخ با حوصله به سؤالات طالب علمانِ جوان پاسخ می‌گفت، حرف‌هایشان را می‌شنید. پیر که او را از دور نظاره می‌کرد می‌توانست به وضوح خرسندی وی را از افزونی خیل بدرقه‌کنندگان و تکریم کارگزاران حکومت و تحسین و اعجاب طالبان در چهرهٔ جوان و اشرافی‌اش بخواند. همین غرور بود که مثل آواز خوش پرنده‌ای او را مشتاق صید این شهباز عالم علم و مدرسه کرده بود. لبخندی چهرهٔ چرمینش را تاباند. کلاهش را برداشت. چیزی زیر لب گفت و راهش را از میان جمعیت گشود تا به او رسید.

بعد درحالی‌که مستقیم در چشمان صید نگاه می‌کرد، عنان مرکبش را گرفت و متوقفش کرد وبا لهجه‌ای غریب و صدایی بلند و لحنی گستاخ که بیش‌تر به لحن قاضی شارع شهر یا ملای مکتبی می‌مانست، پرسید: یا شیخ بگو بدانم، جایگاه صراف عالم ـ محمد مصطفی(ص) در عرش بالاتر است یا شیخ بسطام؟

سکوت همه‌جا را گرفت. در یک لحظه تنی چند از طالب علمان جوان که خون چنان کفری راه برنگاهشان بسته بود، برغریبه تاختند. فقیه شهر اما دستش را آرام به نشان زینهار بالابرد و مریدان بی‌درنگ موقوف شدند. بعد به پرداختن با غریبه گفت: هوش خفته! نمی‌دانی عالی‌ترین مقام اولیا نازل‌تر از پائین‌ترین مرتبهٔ انبیاست؟ چه رسد به محمد که نگین حلقهٔ انبیا و فخر عالم هستی است! او را با این شیخ که گفتی چه‌کار؟

پیرمرد که گویی همین را انتظار می‌کشید، به لبخندی کج، اما با سرخوشی گفت: اگر چنین است، چرا آن یک «ما عَرَفناکَ حَقَّ مَعْرِفَتِکَ!» گفت و این یک «سُبْحانی! ما اَعْظَمُ شَأنی!» برزبان راند؟

مردم هاج و واج می‌نگریستند. به احترام شیخ و زینهارش نمی‌توانستند غریبه را پاره پاره کنند، اما متعجب هم بودند که شیخ‌شان چه‌گونه امان داده است تا این آفاقی ژنده‌پوش ژاژخایی کند. همه منتظر بودند تا شیخ حُکم بر تکفیر این مرد دیوانه و هم آن مراد عربده‌جویش براند تا حق جسارتش را اداکنند. مفتی هم راه دیگری جز تکفیر غریبهٔ گستاخ نداشت، اما متأمل و مردد می‌نمود؛ و هرچه سکوت دوام می‌گرفت، گمان پیرامونیان برفتوای سخت‌تر می‌رفت. دقایق به کندی می‌گذشت. عاقبت شیخ مثل کسی که از خواب پریده باشد، نگاهی به منتظران کرد و بالبخندی پوزش‌خواه و ملتمس گفت: بهتر آن است که این پیر دیوانه را برمن ببخشایید. غایت فرتوتی، عقل از سرش ربوده است. بعد رو به غریبه کرد و به آواز بلند و عتاب‌آلود گفت: ای پیر! بدان که ادعای کفرآلود شیخ بسطام حاصل نقصان علم او در معرفت الله بود و تردید محمد(ص) بارقه‌ای از دریای معرفت وی. از من نیز بشنو و سرِ خویش‌گیر، که در این قیل و قال جای من و تو نیست. آن‌گاه نگاهی، حامل پیامی دیگر به او انداخت و فهماند که غائله باید بخوابد وگرنه او را نصیبی از این صید نخواهد بود.

صید و صیاد اما، هردو در دام بودند و یکی شده بودند و بال بال می‌زدند و این را تماشاگران فارغ بال که در هوای خود عربده می‌جستند، ندیدند. شیخ راهش را کج کرد و به میانجی پیکی، از رفتن به میهمانی به بهانهٔ کسالت و تألم حاصل از سؤال و جوابی گستاخانه با رهگذر دیوانه عذر خواست و به نگاه رندانه یک ساقی کهنه‌کار، پیر را در پی خود خواند و به سرعت راه مدرسهٔ پدرش را پیش گرفت و خدا را شکر گفت که چون به آن‌جا رسیدند، عامهٔ برزنیان و مریدان ماجراجو برای صرف غذا و خواب نیم‌روزی پراکنده بودند و به‌جز بهاءالدین ـ پسر بزرگ شیخ و دو نفر دیگر، یکی از مریدان بازاری و دیگری روستازاده‌ای پیش‌مرگ که لحظه‌ای از شیخ جدا نمی‌شد. هرسه شیخ و پیر را فارغ از دنیا و مافی‌ها گرم مباحثه تا دوردست‌ترین حجره در انتهای حیاط مدرسه بدرقه کرده بودند، کس دیگری در میان نبود. این سه نیز به اشارهٔ شیخ آن سوی‌تر رفتند و به انتظار نشستند و از آن‌چه میان آن دو گذشته بود، بویی هم نبرده بودند و می‌پنداشتند که مولایشان ـ جلال‌الدین ـ که به رغم مقام والا و بی‌بدیل علمی و دینی‌اش در شهر صد دروازه و پایتخت ترکان سلجوقی، نه تنها میان عامه، که بین رقبایش نیز به تواضع و مردم دوستی شهره بود، لابد می‌خواهد این پیر دیوانه و کفرآیین را نه در محضر عام، که در خلوتِ انس سرزنش و ارشاد کند. آن‌ها می‌دانستند که نهی از منکر بخشی از وظایف او در آن شهر است. در ضمن بی‌سابقه هم نبود که او علی‌رغم تنگی وقت و بسیاری کار، در صورت لزوم، زمان زیادی را صرف درمانده‌ای، یا طالب علمی جوان و کنجکاو، یا مسافری زائر کند تا آن‌جا که همواره برای خود و خانواده و نزدیکانش کم‌تر وقت می‌ماند. همیشه هم کسی پیدا می‌شد که نیازمند دانش، فتوت یا حمایت او باشد.

روستایی و مرید و پسر، پاسی از شب را کنار حوض نشستند. نماز مغرب و عشاء را همان‌جا خواندند و پسر بی‌قرار از گرسنگی به خود جرأت داد تا پشت در حجره برود و با ادب بگوید، «مبادا که نماز مغرب والد عظیم‌الشأن ما قضا رود». حرفش تمام نشده بود که نهیب پدر او را از جا کند. بی‌چاره نمی‌دانست چه‌کار باید بکند. هیچ‌گاه چنان نعره‌ای از حلقوم پدرش نشنیده بود. حتی زمانی‌که به خاطر ناسازگاری و بدخلقی با معلمین و برادرش از دمشق بازگردانده

شده بود، پدر او را با چنین نعره‌ای ادب نکرده بود. باید اتفاقی عجیب افتاده باشد. اگر بماند، پدر دستور داده بود دور شود. اگر دور شود، دلش آرام نمی‌گرفت. ناگزیر او و مرید بازاری، هم‌چنان خسته و وامانده همان جا نشستند و دوختند چشم بردر حجره.

روز بعد، تا هنگام نماز عصر خبر در همهٔ شهر پیچیده بود. این اولین بار بود که از زمان هجرت خاندان بهاء ولد به قونیه، مولانا جلال‌الدین محمد در شهر بوده باشد و شخصاً در مجلس درس مدرسه و همه نمازهای پنج‌گانه حاضر نشده باشد. مردم که روز قبل را خوب به یاد داشتند، جویای احوال برآمدند. کسی چیزی نمی‌دانست. بازار حدسیات داغ شد. غروب همان‌روز، دیگر همه می‌دانستند که پیرمردی آفاقی که معلوم نیست از کدام قوم و قبیله‌ای برخاسته است، ملای روم را چنان سحر کرده که نه حاضر است از خلوت خود بیرون شود و نه کسی را به درون راه دهد. می‌گفتند ساحر به او حلوایی خورانده که از خود بیرونش برده است. پسر و مرید شیخ از کیفیت نقل اخبار دروغ و سرعت پخش آن در شهر متحیّر بودند و به جمعیتی که هرلحظه بیش‌تر حیاط مدرسه را می‌انباشتند، می‌نگریستند و نمی‌دانستند چه باید کرد. تمام شب را همان‌طور نشسته، چرت زده بودند و چون درماندهٔ پاسخ‌گویی به خانواده بودند به نان و ماست تعارفی طلبه‌ها اکتفا کردند و لیک سخت نگران حال خداوندگارشان بودند که او هیچ، حتی آب نیز میل نکرده بود، اما حکم کرده بود «بیرون بروند و تا خود از حجره به درنیاید، احدی را رخصت دخول نیست». او هیچ‌گاه تا آن لحظه به آن لحن سخن نرانده بود. پس باید مسأله بس عظیم باشد.

چاره‌ای جز تسلیم نبود، اما تا کی؟ باز شب آمد و رفت تا روز دوم همه قونیه پشت در مدرسه تجمع کرده بود. وضعیت غریبی بود. کاری می‌بایست کرد. پسر را که دیگر در پسِ آن نعره زهره‌ای نمانده بود. عاقبت غروب دوم که سر زد، مرید سالخورده به خود جرأت داد و پشت در رفت و چون صدای گفت‌وگو شنید و یقین دانست که خواب یا برسر نماز نیستند، با تقه‌ای بردر و صدایی بلند نگرانی خود را ادا کرد. شیخ در را گشود و با آن چهرهٔ بشاش و چشمان هوشمند لااقل خاطر مرید را از شایعهٔ افسون شدنش آسوده داشت. پس با ادب گفت، مستحضر

باشید که خلق در آشوب درآمده‌اند، شاید صلاح باشد حضرتِ شیخ نماز مغرب را در شبستان مدرسه به جای آرند تا پریشانی خاطر خلق تسکین گیرد و دهان یاوه‌گویان بسته شود. شیخ قهقهه‌ای زد که طنینش ابروان مرید را به بن رستنگاه پیشانی چسباند و چون سر آن داشت که تعجبش را پنهان کند، به سرعت خم شد و دامن مولایش را بوسید. مولا او را بلند کرد وگفت، دوست زرکوب ما! نگفته بودی که تو را باغی در روستای زادگاهت هست؟ پس بشتاب تا زنها هم از آن طرف پیدایشان نشده است، ما را از در حرم به آن‌جا ببر. صلاح‌الدین زرکوب با دهانی باز مولایش را نگریست. هرچه تلاش کرد تا چیزی بگوید، موفق نشد. پس برخاست و به دنبال مولا و پیرمرد از پشت بام به سمت حرم به راه افتاد.

شیخ غافل بود که در حرم، حتی آن‌گاه که همه خفته باشند، جفتی چشم که گاه همرنگ آسمان بودند و گاه به رنگ مرغزار و گاه رنگ عسل، در انتظار او بیدارند و صاحب‌شان در آن گرگ و میش آن دیوارگاه حیرانی و در پی برخاستن صدای کلون در مدرسه می‌تواند معشوق را با بیگانه‌ای پیر و ژولیده، دست در گردن دیده باشد که چون کوچه گردان نیمه شب قبا برسر در پناه دیواری می‌خزند. برای او شب نیامدن‌ها و رفتارهای غیرمنتظرهٔ شوی محبوبش که گاه تا حمایت پنهانی از فراریان دستگاه سلطانی دامن می‌گسترد، تازگی نداشت، اما ندانست چرا آن یک بار دلش فرو ریخت. می‌خواست به دنبالش بدود و به دامنش بیاویزد، ولی حیا از مرد غریبه مانع او بود. ماجرا کاملاً غیرعادی می‌نمود. از درِ بالای حرم صدای رفت‌وآمد و از حیاط مدرسه صدای ازدحام مرموز و بی‌سابقه می‌آمد. اما او چه می‌توانست بکند؟ نه اجازه داشت به مدرسه برود و نه زهرهٔ آن که در پی شوی به سمت در بالا بدود. باید صبر می‌کرد تا یکی از مردان از راه برسد و او را از واقعه مطلع کند. شاید جنگ به راه افتاده باشد. شاید عاقبت مغول‌ها حصارهای شهر را درهم شکسته باشند. مبادا در مدرسه برای پسرها اتفاقی افتاده است.

پریشان و مستأصل پستان را به دهان کوچک وگرم نوزاد پرفغان سپرد که معلوم نبود آن صدای جان‌خراش و غیرانسانی از کجای آن وجود کوچکش درمی‌آمد. فکر می‌کرد و خود را تسلی می‌داد که شاید مرد، محکوم به مرگی به

خداوندگار پناهیده است؛ شاید هم گریخته‌ای از دستگاه ظلم سلطانی است و او مثل همیشه به نجات برخاسته است. همیشه دستگیری از درماندگان عرف شوی او و هم پدرش بوده است این‌بار نیز خدا بخواهد آن مرد را به مکانی امن خواهد سپرد و خود مثل همیشه راضی و خرسند حداکثر تا صبح صادق باز خواهـد گشت. جفت چنین انسان یگانه‌ای باید هم به سهم خود بردباری نشان دهد زن به این خیال آرامید. اما او باز نگشت. نه صبح صادق و نه هیچ وقت دیگر. بـدتر این‌که هیچ کس، حتی پسرانش و شیخ محمد ـ پیشکارش ـ هم نمی‌دانستند براو چه رفته است. داستانی هم چلبی بهاءالدین برایش تعریف کرده بود که بی‌اندازه غریب و غیرقابل باور می‌نمود. هر روز هم کسی از راه می‌رسید و داستانی تازه دربارهٔ غیبت شوی محبوبش تعریف می‌کرد. مردم انواع افسانه‌های سحر و جادو و جن و پری را در کوچه و بازار و حمام نقل می‌کردند. گویی اهل قونیه همهٔ کار و زندگی خود را گذاشته بودند تا دربارهٔ شیخ مـفقود افسـانه بـبافند. کـاش آن غروب لعنتی حیا نکرده بود و دامنش را چسبیده بود و احوال را جویا شده بود. آرام و قرار نداشت. از سر غریزه می‌فهمید که پسر بزرگ‌تر چیزی را از او مخفی می‌کند. او آرام‌تر از این می‌نمود که مثل بقیه باور کرده باشد که پدرش ناگهان غیب شده است. حتماً می‌دانست پدرش کجاست، ولی چیزی بـروز نـمی‌داد. فقط در مقابل اصرارهای مکرر می‌گفت: سفری ناگهانی پیش آمده است که وی نه هدف و نه مقصد آن را می‌داند. در حرم همه از نزاری و بی‌قراری زن در ترحم بودند. سرانجام علاءالدین که او را مثل یک مادر دوست می‌داشت، به او قول داد که به حرم باز نگردد تا بفهمد پدرش کجاست و به او چه می‌گذرد. بعد از چند روز غیبت، عاقبت خسته وگردگرفته از راه رسید و خبر آورد که پدرش در خانهٔ ییلاقی مریدش صلاح‌الدین زرکوب با پیرمردی غربتی چله نشسته است. حالش خوب و سالم است، اما حاضر به مـلاقات هیچ‌کس حتی او نشـده است و علی‌الظاهر چاره‌ای جز صبر نیست. حداقل این ماجرا ـ اگرچه عجیب و دردناک ـ اما باورکردنی بود و باعث شد که زن از بی‌خبری مطلق، و یا دل دادن به شایعات هراسناک مردم کوچه و بازار رنج نکشد. با آن‌که ده‌ها شایعهٔ دیگر هم برسر زبان‌ها بود، اما او سعی کرد فقط داستان پسر جوان‌تر را باور کند. هرروز هم با چشمانی

خونبار از او می‌خواست که ترتیبی بدهد تا او خود را به پشت در خلوتگاه شوهرش با آن غریبه که می‌گفتند «توریزی» است برساند و شخصاً از زنده و سالم بودنش مطمئن شود. نمی‌توانست دست روی دست بگذارد و آن‌جا بنشیند و شایعهٔ جنون مردی را که می‌پرستیدش بشنود و دم نزند. اما پسر بزرگ که گویا تنها کسی بود که بعد از مرید پیر ـ یعنی صاحب‌خانه ـ اجازهٔ رفت و آمد به سرای را داشت، به او گفت: چنین کاری محال است. تا زمانی که خود ایشان اجازه ندهند کسی را به آن‌جا راهی نیست. این لحن موهن تا اعماق وجودش رخنه کرد. ندایی به او می‌گفت باید کارش تمام شده باشد که جرأت می‌کنند با او چنین رفتار کنند.

حال و روزش زار بود و آرزوی مرگ می‌کرد و فرزند شیرخواره را به دایه و دختر جوانش سپرده بود. فقط گریه می‌کرد و سؤالش از درگاه خداوند این بود که کدام ناشیگری سبب نزول چنین بلائی در کاشانه‌اش شده است. او که با خوب و بد و کم و زیاد آن خانه ساخته بود. او که شوهرش را پس از خدا می‌پرستید. او که جز آبرو چیزی از خدا نخواسته بود. پس این چه غوغایی است؟ چه فضاحتی است؟ چرا کوس رسوائی خاندانشان را بر سر بازار می‌زنند؟ چرا شایعهٔ جنون ناگهانی شوهرش برای مردم از وحی منزل هم باور کردنی‌تر شده است؟ چرا شوهرش او را از دیگران مستثنی نکرده است و به خلوت راه نداده است؟ حتی حالش را هم خوب جویا نشده است؟ کاش می‌مرد. کاش همان روز مرده بود که می‌رفت از شدت درد زایمان همهٔ اجزایش از هم بگسلد. همان روز که همهٔ تنش دهانی شده بود و فریاد می‌کشید، اما حق درد ادا نمی‌شد. چه‌قدر آن درد در برابر این درد ناچیز بود. به راستی کاش همان روز مرده بود و چنین روزی را نمی‌دید. او و شیخ باهم شش فرزند داشتند که می‌بایست به سامان می‌رسیدند. حالا او با دو کودک شیر به شیر و خیلی از زنان پیر درمانده که چشم به دست او دوخته بودند، در آن بی‌کسی و بی‌آبرویی، با سرپرستی غافل که می‌گفتند مجنون شده است، توی آن شهر خراب چه باید می‌کرد؟ کاش هرگز دوباره ازدواج نکرده بود.

اما نه! اگر روزی صدبار خدا را بابت سایهٔ بلند و خوبی‌های او شکرگزارده باشد، کم بوده است. هر نفسش همواره با شکر عجین بود. مگر نه این‌که شکرِ نعمت مایهٔ فزونی است؟ پس چرا آن بلا بر سرش آمده بود؟ کی دیگر می‌شد آبروی رفته را بازگرداند؟ هشت هفته از آن غروب نفرین شده که سایهٔ خزنده او را برای آخرین بار بیخ دیوار دیده بود، می‌گذشت. اگرچه پسر بزرگ به ظاهر از سلامت خداوندگار خبر می‌آورد، اما هیچ دست نوشته یا پیامی در کار نبود که شاهدی باشد بر صحت نفس مردش. شاید مردم راست می‌گفتند. شاید واقعاً آفاقی او را مسخ کرده باشد. می‌گفتند این غریبه می‌تواند با چشمانش در دم هرچه را می‌خواهد به آتش بکشد؛ می‌تواند در هوا بپرد؛ ازپوستش بیرون بیاید، در آنی چند جا باشد و ناگهان غیب شود. مبادا جلال‌الدین محبوب و مهربان و نرم خویش که هیچ‌گاه به او و همهٔ کسان دیگر از گل نازک‌تر نگفته بود و با همهٔ بزرگی و بزرگ‌زادگی و شهرت و محبوبیت، در خانه و حرم با او و بچه‌ها با آن همه با بردباری و عشق و عطوفت رفتار می‌کرد، حالا طلسم شده، در هیأت‌های غیر انسان درآمده باشد؟ و اگرنه چگونه می‌توانست کراخاتون: سوگلی و چشم و چراغ خانه‌اش را، ملکه خاتون: نوزاد کوچکش را که همیشه می‌گفت در آغوش گرفتن او خستگی را از تن بیرون می‌برد و همهٔ آن دیگران را هشت هفته بدون خبر رها کند؟ به واقع باید جادویی سیاه در کار بوده باشد. اگر این چنین باشد، انتقامش را از آن غریبه خواهد گرفت. اگر همه‌ی موهای سرش مار دو سر شوند و آفاقی را نیش‌ها بزنند، از انتقام سیر نخواهد شد. دیگر حتی اشکی هم برای ریختن نداشت. مبهوت نشسته بود و به نقطه‌ای خیره بود.

هفته‌ها گذشت و جز افزایش شمار افسانه‌های افواهی و شایعات شرم‌آور، تغییری پدید نیامد. شیخ جلال‌الدین محمد بلخی نه رخصت دیدار به دوست می‌داد، نه به مرید، نه به خانواده و نه به بزرگان و علمای شهر که بسیار هم مصرّ ملاقات بودند. او و آفاقی در اتاقی در بسته در خانهٔ صلاح‌الدین زرکوب به خلوت رفته بودند و جز صاحب‌خانه و پسر بزرگ شیخ احدی حتی حق عبور بر درشان را نداشت. اگر این احوال حتی بر یک طالب علم روستایی نوپا می‌رفت که ناگهان جمع وابستگان راکنار می‌زد و در خلوت مرموز خود با آواره‌ای کافر و

معلوم‌الحال یارانش را نیز به اهانت از خود می‌راند، شهر به‌پا می‌خاست، تا چه رسد به نازنین پسر سلطان ولد بلخی، جلال‌الدین محمد مولای دانشمند، محبوب‌القلوب ولایت روم و شیخ و واعظ و مفتی قونیه که اسیر یک آفاقی مجهول‌الهویه شده بود که هیچ نشانی از وی یافت نشد به جز حجره‌ای دربازار شکر فروشان که از هر مال‌التجاره هم تهی بود، اما قفلی گرانقیمت بردر داشت و همین تردید همگان را دربارهٔ او تقویت می‌کرد. فقط به مالک حجره گفته بود بازرگانی مال باخته است و از تبریز آمده است. خراسانی‌های قونیه که از هواداران وحامیان خاندان سلطان‌العلما بودند و مایه فخرشان، شهرت و محبوبیت عالم مهاجر خراسانی و پسرش بود که در پی اعتراض به حکام خوارزم‌شاهی و بیابان‌گردان مغول بی اعتنا به مال و جاه به دنبال حق و حقیقت، تا به آن‌جا رسیده بودند، بیش از همه خونشان به جوش آمده بود؛ به‌خصوص که بر دهان عوام جاری بود که چله نشینی و مریدی پسر بهاءالدین ولد بلخی، مولای مردم که آن همه مایهٔ مباهات خراسانی‌ها بود از یک ژولیدهٔ توریزی که اصل و نصبش بر هیچ‌کس روشن نیست، یعنی تبعیت خاک خراسان از خاک تبریز که در مقابل خراسان قصبه‌ای بیش نیست و همین زمینه‌ای شده بود برای این‌که هرگاه بحث غریبه در مساجد و محافل می‌رفت ـ که همیشه هم می‌رفت ـ همهٔ خراسانی‌ها دست بر قبضهٔ خنجر در جوش و شغت بودند جنجالی برپا می‌شد و اگر نبود ته ماندهٔ محبت و احترام‌شان به خانوادهٔ خداوندگار و این‌که هر یک از آن‌ها به نحوی زیر دین آن خاندان بودند، برآن خلوتکدهٔ رسوا می‌تاختند.

بادهای پائیزی به تدریج تن‌نواز می‌شدند. جهنمی که تابستان نام داشت به سرآمده بود. بیماری‌های ناشی از گرمای شدید و اخبار وحشتناک از اسکان سپاهیان خون‌خوار مغول پشت دروازه‌های روم امان مردم را بریده بود؛ به‌خصوص که کشتار بی‌رویهٔ مردم و دسیسه در دربار نیمه‌جان سلجوقیان روم و ضعف و فساد و هرزگی درباریان، زمینه را برای شکست قطعی اینان در برابر مغول‌ها فراهم آورده بود. مردم سایهٔ قومی وحشی، بی‌دین، بی‌فرهنگ و بی‌رحم را برفراز سر خود می‌دیدند که از گوش و چشم مردم شهرهای ایران پشته‌ها ساخته بودند و شنیدن نامشان خون را در رگ‌ها منجمد می‌کرد. این

مهاجمین خودشان ادعا داشتند از پیروان شیطان‌اند و آمده‌اند تا زمین را از لوث خلقی این همه کثیر و بیهوده بپالایند. واژهٔ جنایت نه برایشان مفهومی داشت و نه برایشان قبح و منعی داشت. با کشتن و غارت و تجاوز زیسته بودند و این‌ها بخشی از زندگی روزمره‌شان و مایه افتخارشان بود. قومی که گروهی هندوستان را به غارت و آتش کشیده بودند و گروه دیگرشان ایران را با خاک یکسان کرده بودند و چون دیگر دست‌مایه‌ای یا جایی برای غارت نمانده بود، اینک به پشت دروازه‌های ارزروم منتظر فرصت مناسب بودند. اگرچه سال‌ها بود که این ترس برجان مردم زمان سایه انداخته بود، اما قونویان را در آن روزها بربقیهٔ خلق‌ها مزیتی بود و آن حضور همین پدر و پسر دانشمند و سلیم‌النفس بود که در خطابه‌های پایان هرنماز با حکمت بی‌پایانشان به مردم آرامش می‌دادند. خیلی پیش از آن روزها معمول همهٔ منابر قونیه بود که شرح عقوبت‌های وحشتناک همراه با ذکر مضامین هولناک از نحوهٔ شکنجهٔ گناهکاران در جهنم نقل محفل‌ها شود. خطیبان بیمارگونه از ترساندن مؤمنان ساده لذت می‌بردند و همیشه افزون بر استفاده و سوء استفاده از آیات و روایات، از طبع روان خود نیز برای تشدید ترس و ترسیم صحنه‌های زجرآلود مستفیض می‌شدند و هرچه چشمان عوام گردتر و دهانشان خشک‌تر می‌شد، طبع آن‌ها بیش‌ترگل می‌کرد و تا چند تن نعره نمی‌زدند و از ترس مدهوش نمی‌شدند دست برنمی داشتند و هرچه تعداد این غش کرده‌ها بیش‌تر می‌شد، معروفیت خطیب هم فزونی می‌گرفت. فقط این نکته برکسی روشن نبود که چه‌طور همان مؤمنان خایف در فواصل میان نمازها به راحتی مرتکب همان گناهانی می‌شدند که جزایش را دیگر همه خوب می‌دانستند. از زمان بهاء ولد بلخی و جلال‌الدین پسرش مردم شیوهٔ نوینی از خطابه را شاهد بودند که همیشه بشارت دهنده و مملو از حکایات آموزنده بود و برای اولین بار در تاریخ مساجد قونیه از چاشنی اشعار زیبا و داستان‌های جذاب و حکایات ادیبانه بهره داشت. این‌گونه ارشاد و خطابه گویی اگرچه در ایران، قبل از هجوم اقوام ترک مرسوم و آشنا بود، اما در قونیه تازه مسلمان بدعتی دل‌انگیز محسوب می‌شد. برای قونویان، از سپاهی و بزرگ‌زاده گرفته تا عامهٔ مردم اعم از مرد و زن و پیروجوان و کشاورز و پیشه‌ور و کاسب، نشستن

پیشه‌ور و کاسب، نشستن پای منبر این پدر و پسر به معنی تسکین همهٔ آلام روزانه و رهایی از ترس‌ها و نگرانی‌ها و تشویقی برای خلاصی از چنگ کین و آز و سایر گرفتاری‌های روزمره بود. افسوس که در آن تابستان مردم از شنیدن خطبه‌های دلگشا و آرام‌بخش خطیبشان محروم بودند و شاید هم باید کم‌کم از او قطع امید می‌کردند. گاه با پچ‌پچ می‌گفتند: «هرجی نیست، شیخ شیدایی شده است.» این با نزاکت‌ترین تفسیر مردم از حال و روز شیخ بود، اما خلأ وجودش مثل داغ دل مادر فرزند مرده شهر را می‌سوزاند. با آن که چند روزی بود که در به خلوت خود گشوده بود و به چند تن از دوستان و مریدان ناشکیبایش رخصت دیدار داده بود، اما هرکه یک من رفته بود، صد من بازگشته بود. مراد و شیخشان دیگر همانی نبود که بود. او دیگر مدرسی نبود که مریدان و طالب علمان را با کلام پرحوصله و دانش ربّانی خود مسحور و تشنهٔ بیش‌تر دانستن می‌کرد؛ واعظی که گِرد وجودش امواجی از غرور و جبروت علم و عقل و فرزانگی موج می‌زد. او به یک‌باره کودکی مکتبی شده بود؛ شاگرد قلندری جسور که ناسازگاری و نخوت و خَرق عادت از وجناتش می‌بارید، بریده بریده و نامفهوم حرف می‌زد، لب به مفاهیم تند و گستاخانه می‌گشود و سخنش اگر مشحون از به سخره گرفتن دیگران یا بد دهنی به مردم و تحقیر آنان نبود که از دید او یک سره عوام بودند، دست‌کم به بی‌خبری و جهل جبری و محتوم بشر اشارت داشت و خود به دریدن پردهٔ عقل و استعانت از تار و رَباب و جذبه و و شور و چرخ و سماع سرگرم بود. کاری بس دشوار پیش آمده بود. طالب‌علمان را که عمدتاً هیچ درکی از این‌گونه مفاهیم تازه و «گناه‌آلود» نبود، سخت وحشت برداشته بود. این دیگر حتی کار افسون و جادو هم نمی‌توانست باشد. پای شیطان درکار بود، خود شیطان. باید چاره‌ای می‌اندیشید.

شیخ به رغم اصرار مریدان، تصمیم قاطع گرفته بود که مجالس وعظ و درس را به طور دایم ترک کند. همان آتشی نیز که می‌گفتند در چشمانش شعله‌ور است، برهمه روشن کرده بود که چاره‌ای جز قبول وضع موجود ندارند، وگرنه باید دل از او می‌کندند و برحکم جنونش مهر تأکید می‌زدند. از خیل عظیم سینه‌زنانش، اندکی طلبگان پرتعصب و بیزار از «بدعت‌گزاری» راهی محافل دیگر شدند وگاه

اصرار برمجادله هم داشتند. از این جمله یکی هم پسر جوان‌تر شیخ علاءالدین محمد بود که بسیار برآشفته می‌نمود. برخلاف او پسر بزرگ و گروه کثیری که صبر پیشه کرده و براین باور بودند که این دگرگونی روحی نمی‌تواند دایمی باشد، عن‌قریب غریبه به راه خود خواهد رفت و شیخ برسر عقل خواهد آمد. در میان طرفداران سطوح بالای شهر، آن‌ها که براحوال او راه نجستند، رفتند با حسودان و رقیبانش هم‌سنگر شدند و برافسانهٔ جنونش دامن زدند و آن‌ها که چیزکی می‌دانستند و هنوز به او اعتقاد داشتند، ماندند و از مکتب نوینش بهره‌های شیرین و بدیع برگرفتند. اما خود شیخ را گوشهٔ چشمی به این همه نبود. او بعد از سال‌ها طلب، گم‌شده‌اش را یافته بود و از آنچه در خارج از خلوت او و معشوقش می‌رفت، ذره‌ای باک نداشت.

فراق

آن روز در حرم غوغایی برپا بود. بعد از سه ماه و اندی فراغ و بی‌خبری جانکاه، حضرت خداوندگار پیکی فرستاده بود که فردا بستگان را در همان خلوتکدهٔ خود در خانهٔ صلاح‌الدین زرکوب به حضور خواهد پذیرفت. خانه در روستای کامله ـ زادگاه صلاح‌الدین ـ و در اطراف قونیه بود. با آنکه اواسط پائیز بود و هوا حتی در قونیه هم بسیار سرد بود، همهٔ اهل حرم ـ از مامی پیر تا ملکه‌خاتون ـ راهی سفر به آن روستای ییلاقی شدند. هیچ کس دیگر بیش از آن طاقت فراقِ آقا، سید و مولای خانه را نداشت. کراخاتون تمام شب را زیر نور وهم‌انگیز پیه سوز به تیرهای سقف چشم دوخته بود و بار زجری را که کشیده بود، می‌سنجید. همه می‌گفتند این سه ماه مثل بیست سال براو رفته و پیرش کرده است. کاش فقط غم هجران که او یک بار دیگر هم تابش آورده روزگارش را سیاه کرده بود. البته نبودن مردش او را و زندگی‌اش را یک باره به نابودی کشانده بود، اما از همه بیش‌تر هراس او از آیندهٔ فرزندانشان بود که عذابش می‌داد. او که هرگز نمی‌خواست امیرعالم و ملکه‌خاتونش را به دایه بسپارد، در پی خشکی روح و جان، گرفتار خشکی شیر هم شد و ناگزیر به دایه تن داد. هرگاه هم چشمش به قد وبالای کیمیاخاتون ـ دختر رعنا، زیبا و جوانش می‌افتاد که دم بخت بود، خون می‌گریست. با شایعاتی که در شهر پیچیده بود، دیگر کجا می‌توانست شویی مناسب دردانهٔ نازپرورده و بلندپرواز برگزیند؟ چه بی‌خبر

از طوفان سرنوشت به آن غنچه شکوفنده قول شاهزاده‌ای دلاور داده بود. به خانهٔ شوهر آمده بود تا فرزنداتش را به سیادت پدر سامان دهد. کدام نجیب‌زاده‌ای از خانه‌ای دختر می‌برد که آقایش تا حد یک زنگی، حلقه به گوش آفاقیِ چارق‌پوش و رسوای خاص و عام بود. از سوی دیگر وقتی می‌دید به رغم تلاش موفق اخیرش در ایجاد تفاهم میان دو پسر بزرگ‌تر خداوندگار، تبعیض پدر که یکی را به خلوت راه می‌داد و دیگری را می‌راند، زخم دشمنی را میان آن دو خونین‌تر کرده است، دیگر خود را در ادارهٔ آن خانوادهٔ از هم پاشیده و بی‌سرپرست ناتوان می‌دید. صرف‌نظر از مشکلات عدیده که آن همه زن سالخورده و پریشان در حرم پیش آورده بودند و شایعات شرم‌آوری که هر روز به گوششان می‌رسید، از کمبود آذوقه و پول نیز در رنج بود که از تبعات غیبت سرپرست و نان‌آور خانواده بود. با این‌حال عجبا که عشق و باور به آن مرد چنان در زوایای جانش رخنه کرده بود که چندان کدورتی به دل نداشت، فقط ترس از لحظه‌های اول دیدار بود که او نمی‌دانست در جمع اغیار چه‌گونه باید تحملش کند. دلش نمی‌خواست بعد از آن همه هجران، او را در خانهٔ یک غریبه، زیر نگاه کنجکاو دیگران ببیند. با این قلب و روح خسته و درمانده و چندین ماه تنهایی و دست و پنجه نرم کردن با مشکلات و رنج تحمل بی‌مهری ورسوایی که ناگهان با ورود آن غریبه مثل زلزله ارکان زندگی او و فرزندانش رابه لرزه درآورده بود، ترجیح می‌داد معشوق گریزپا را در خلوت ببیند، سر برشانه‌هایش بگذارد، و همهٔ اشک‌هایش را تنها در آغوش او ببارد. به چه کارش می‌آمد وصال در محضر بیگانگان و برزنیان و فضولان و حسودان. او را همان جا توی اتاقش می‌خواست و پر می‌کشید که به پایش بیفتد. هزار بوسه برسر هر انگشتش بزند و از او بخواهد که دیگر هرگز بدان‌گونه ترکش نکند. می‌خواست حجاب برگیرد و سینهٔ خوشیده و گیسوان نو سفید و پوست به استخوان چسبیده را عریان کند تا محبوب بداند که فراقش با او چه کرده است. چرا باید به آن خلوتگاه رسوا برود و از نزدیک نابودی تدریجی معشوق را ـ سر به دامن آن لولی پیر ـ ببیند و از ترس آبرو دم برنیاورد؟ اما طاقت نداشت. صدها مرید کنجکاو و فضول هم شب و روز پشت دیوار خانه در انتظار خبر بودند و امتناع او را از همراهی با

کاروان حرم در نفیر هـزاران تـفسیر و حـدیث و حکایت مـی‌دمیدند. مگر مقدس‌ترین باور زندگی‌اش آبروداری نبود؟ و اگر نبود این باور، آیا عروس حجلهٔ آن شیخ سودایی می‌شد؟ همین دل‌مشغولی‌ها بود که او را بعد از مرگ شوهرش ـ بی‌نیاز از دنیا و مافیها ـ به ازدواج با عالم و واعظِ نجیب‌زادهٔ قونیه راضی کرده بود که یک بار در مجلس خانهٔ گرجی‌خاتون ـ دوست و همراز قدیمش ـ مسحور سخنش شده بود. الحق که او هم همان بود که مدعی بود. اصلاً تنها صداقت کلام او بود که جان‌ها را سحر می‌کرد. حالا به یک‌باره کـاخ رفیع آبـرو و شـرف و نام‌آوری‌اش ویران شده بود و همه به خانواده‌اش به چشم خانوادهٔ بیچارهٔ یک مرد شیدایی می‌نگریستند، چندان که این اواخر هیچ یک از اهل حرم از تـرس نیش زبان طعانه‌ها به کوچه و بازار و حتی حمام نمی‌رفت و همه در آن سرما به همان حمام سرد و مـوقتی خـانه اکتفا مـی‌کردند کـه روزی فـقط پـاسخگوی غسل‌های ضرور بود. حتی خرید اندک مایحتاج خانه را شیخ مـحمد ـ خـادم مدرسه ـ انجام می‌داد که خود دلی پرخون و چشمی اشک‌بار داشت و اگر کسی را زهرهٔ دهن‌لقی در برابر او نبود، به این خاطر بود که از غیرت آتشینش نسبت به خاندان شیخ می‌ترسیدند که می‌توانست خون بریزد، وگرنه بـقیهٔ وابـستگان، هریک چند بار در بازار دست به یقه بوده‌اند.

با این همه فکر و خیال راه به جایی نبرد، عاقبت سپیده زد و او همراه کاروان بزرگ زایران حرم در سوز نفس‌گیر پائیزی به سوی معشوق گریز پا در راه درآمد. چیزی به ظهر نمانده نزدیک به میعادگاه رسیدند. صلاح‌الدین زرکـوب و زنش لطیفه‌خاتون و دخترانش فاطمه و هدیه‌خاتون پیاده در مسیر تپه ماهور روستا به پـیشبازشان آمـده بـودند. چهرهٔ سـاده و صـمیمی و سـخت آفـتاب خـوردهٔ صاحب‌خانه که لابد حاصل رفت و آمد دائمی او در این روزها در جادهٔ ده به بازار قونیه بود و نیز لپ‌های گلی دخترانش که از هیجان به سرخی مـی‌زدند و روی باز و تعارفات صمیمانهٔ زنش با صدای بلند و لهجهٔ غلیظ روستایی، همه را از سنگینی هراس از آنچه قرار بود ببینند کاست و قوت قلب و آرامش خاطر داد. در تمام طول راه همه در ذهن خود غریب‌ترین صحنه‌هایی را مجسم کرده بودند که می‌پنداشتند با آن مواجه خواهند شد. بحمدالله استقبال ساده و صمیمانهٔ

خانوادهٔ زرکوب پیش درآمد مطبوعی بود که از شدت تنش روحی کاروان نامطمئن و خسته کاهید. جادو و جادوگر و نفرین و طلسم نمی‌توانست کار این خلق لُپ‌گلی باشد. اگر گوش می‌دادی صدای نفس‌های راحت را می‌شنیدی. با آن‌که هوا سرد بود، اما آفتاب گرم و روشن در آبی عمیق آسمان، همراه با ته ماندهٔ خرمن‌های طلایی گندم و جو دست در دستِ رنگ‌های پرفسون پائیزی کمک می‌کردند، زنگار خاطرات شهر از اذهان زدوده شود و همه مشتاق و آکنده از هیجان آمادهٔ دیداری تازه با یار قدیم شوند. اتفاق غیرمنتظره‌ای که همه را خشنودتر کرد این بود که خداوندگار تنها و بدون حضور پیرمرد آفاقی در مدخل باغ به انتظار ایستاده بود. و این برخلاف همهٔ شنیده‌هایشان بود. کاروانیان از قبل توجیه شده بودند که باید در این دیدار حضور غریبه را با ادب تحمل کنند. چون خداوندگار ثانیه‌ای از او جدا نمی‌شود و پذیرای هیچ‌گونه اشاره‌ای خوشایند یا ناخوشایند نیز دربارهٔ او و کل ماجرا نیست.

او اما آن‌جا تنهای تنها ایستاده بود و کراخاتون را زیر چشم کاروانیان می‌پایید که همگی از میزان رنج و دردش آگاه بودند و کنجکاو که چه خواهد شد. حتی از دید زنان حرم هم، او مظلوم‌ترین قربانی واقعه بود و حال که تنها بودند، به حتم کرای زیبا شکوه‌ها می‌کرد و ملامت‌ها و سرزنش‌ها در انتظار یار ستم‌کار بود. موضوع دیگری که از چشم‌ها مخفی نماند، این بود که برخلاف شایعات و با شگفتی، خداوندگارشان را جوان، راست قامت و خوش‌بخت یافتند با هاله‌ای از سرورِ مطلق که چهرهٔ گندمگون و خراسانی‌اش را جلایی تازه بخشیده بود. چند قدم به استقبال کاروان جلو آمد و از همان شروع با چهره و صدای پرنشاط به مُصافحه و خوش‌آمدگویی شادمانه و خالصانه پرداخت. هیچ یک از حرکات و وجناتش به آدم افسونی یا مسخ شده نمی‌رفت. چند نفر زیر لب شروع کردند به وردِ شُکر و بقیه با چشمان گرد و دهان‌های باز خشکشان زده بود. ظاهراً از این که هیچ نشان غریبی در ظاهر و رفتارش نمی‌دیدند، کمی مأیوس هم بودند. کودکان را با اشتیاقی عیان و پدرانه در آغوش فشرد و قد و بالایشان را معاینه کرد و با زنان حرم، یک به یک لطیفه‌گویی و شوخی‌های معمولش را از سرگرفت. انگار هیچ اتفاقی نیفتاده بود و همین دیروز از آن‌ها جدا شده بود. مامی پیر از

فرط خشم لرزش سرش بیش‌تر شد. همه ترجیح می‌دادند با وضع دیگری روبه‌رو باشند تا توجیهی برای آن همه خسران و رنج پیدا شود. او سبکبار و بی‌خبر رفت و رفت تا رسید به خاتونش که برقع حریرش را از ناباوری بالا زده بود و با گرهی در ابروان از پس دریای آبی چشمانش، ساکت و عمیق او را می‌نگریست. همه دیدند که ناگهان چهرهٔ مرد عوض شد و خاتونش را با نگاهی نگریست که در اعماقش اقیانوسی بی‌انتها از بهجتِ آمیخته به شوق موج می‌زد. زنِ رها شده نمی‌توانست مطمئن باشد که این شوق حاصل دیدار اوست یا شوقِ آنچه که بر وی رفته. نگاهی بود، هم به روشنی آفتاب، هم به دوری و سوزندگی آفتاب. کراخاتون بارقه‌های خشم را در اعماق وجود نیمه‌جان خود نسبت به مردش و آنچه بر او روا داشته بود، حس می‌کرد، اما ندایی هوشمند به او می‌گفت هر تلنگری به این ظرف لبریز از سرور و اشتیاق می‌تواند او را بشکند و همه چیز را برای همیشه برباد دهد، حتی اگر به نرمی نسیمی باشد که گل قاصدک را هم نجنباند. او را دیگر خوب می‌شناخت. همیشه دلش مثل انارهای رسیدهٔ پائیزیِ باغ‌های قونیه بود که با صدای پای پروانه‌ای ترک برمی‌داشتند. همهٔ مکر زنانه‌اش را به حضور طلبید و نگاه او را با لبخندی پنهان و چشمانی عشوه‌گر و عاشقانه پاسخ گفت و به نازی او را به کمک خواند تا از مرکب پیاده شود و فشار عمدی دست‌های مرد موجی از خواهش‌های نهفته را در تنش بیدار کرد، اما خودداری شرط ادب بود. همان که بین‌شان رفته بود، او را بس بود. او به همان تماس شرم‌آلود هم قانع بود. چشمه‌سار خشکیدهٔ عشق باز سرریز کرد تا غبار دلش را بشوید، او را ببخشد، تا سر از نو، دل برکنیزی آن معشوق یگانه، محکم کند و بماند. همه‌چیز باز فراموش شد. لبخندی روشن که این بار رنگ بازی نداشت، چهره‌اش راتاباند و مرد دوباره به او با همان نگاهی نگریست که در آن اقیانوس بی‌کران اشتیاق مواج بود و زن باز نمی‌دانست دست پاسخ برکدام شوق را برآرد: شوق دیدار را، یا شوق محبوب را از آنچه براو رفته؟ اما هرچه بود، بس عظیم و بی‌انتها می‌نمود واثیری. تا لمحه‌ای به آرام بخواباند چشم خسته را، عزیز رهایش کرده بود و به سمت دیگران می‌رفت. خاتون رفتنش را می‌نگریست و بر گُر گرفتن دوبارهٔ رگه‌های خشم خود در شلال شعف‌بار دیدار

نظاره می‌کرد. آن سیلی که خانمانشان را برکنده بود و زلزله‌ای کـه ارکانشان را لرزانده بود، کجا و این همه سرخوشی و بی‌خبری مرد کجا؟! ابداً رسم معرفت نبود. از او انتظاری چنین نمی‌رفت. زن خود را برای دیدار از مردی شیدایـی و سودازده آماده کرده بود که نیازمند ترحم و بخشش او باشد، نه قلندری مست و رند که او را با چشمانی چنان شوخ و مشتاق می‌نگریست که هنگام نـخستین آشنایی. پس آن همه دل‌آزاری که در این میان رفته بود، چه؟!

کراخاتون زنی نازپرورده و بالیده در گهوارهٔ زرین بود، اما آگاهی مـوروثی زنانه‌اش مـی‌گفت قـیام در آن لحظه نـه جایز است، نـه نـتیجه‌ای دربـردارد. جایگاهش ایجاب می‌کند که در برابر هرچه پیش آید، سر خم کند، و گرنه جز بی‌آبرویی و سقوط دوبـاره بـه درهٔ تـنهایی نـصیبی نـخواهـد بـرد. تـنهایی را می‌توانست تحمل کند، اما آبرو حکم جان داشت و همهٔ بارش نیز بر دوش او بود. او آموخته بود که مردان بر عذری ملیح تکیه دارند که «بشر جایزالخطاست»، اما کوچک‌ترین مسامحهٔ زن، او را در هردو سرا به دار صدها مکافات می‌آویخت. چاره‌ای جز شکیبایی نبود. حریر برقع را برچشمان کشید و راه افتاد بـه دنبال زائران، اشک‌های سردش را که از شکاف یقه راهی سینه بودند از تـرس بـرملا شدن راز نمی‌زدود.

خداوندگار و زرکوب از جلو، و بقیه مثل گنجشکان تابستان شاد و پرحرف به دنبال وارد باغچهٔ ییلاقی شدند و از بیخ و بن یادشان رفته بود که بخش سخت سفر در پیش است؛ تا اینکه از دور سایهٔ ستبر و استخوانی پیرمردی را دیدند که با لبخندی کج به تیرک ایوان تکیه داده است، دل همه فرو ریـخت. چـه بـاید می‌کردند با او؟ او که مسبب اصلی همهٔ رسوایی‌ها، همهٔ دردها و همهٔ شب زنده داری‌ها بود، او بودکه آماج نفرین تک‌تک اهالی قونیه بود. ببینیدش! چه رندانه و مغرور، دست، ستون چانه کرده است و مثل شبانی که چشم بر رمه‌ای ره‌گم کرده دارد، همگان را می‌پاید! تنها وجه وجودش که خشن نمی‌نماید، گیسوان سفید و بلند اوست که زیر نور آفتاب، چونان هاله‌ای گِردِ صورت سوخته و چرمینش می‌درخشد. پنداری هزارساله است؛ یـا زال زری است پیرزاده. هـیچ صـورت خیالی نمی‌پذیرفت که او روزی کودکی ظریف یا نوجوانی سبز خط بوده است.

او بی‌گمان از ازل، به همین‌گونه رند و زمخت و پیر بوده است. سری با تکبر به نشان سلام جنباند که لابد به رعایت احترام خداوندگار بود. بعد با نگاهی تیز و پرنخوت و گذرا همه را یکی‌یکی برانداز کرد و در یک لحظه ناگهان لبخند از لبش محو شد. همه متوجه سمت نگاهش شدند و با شگفتی دیدند که چشم از چهرهٔ کیمیاخاتون ـ دختر کراخاتون ـ برنمی‌گیرد. دل دختر جوان از ترس فرو ریخت. بدتر این‌که مثل پرنده‌ای که مسحور مار شده باشد، نمی‌توانست نگاهش را از او برگیرد. چند صداکه بی اختیار فضا را شکسته بودند، دوباره به سرعت در سینه خفه شدند. چشم‌های هراسناک از نو به سمت پیر برگشتند که مات بود. کراخاتون که اضطرابش حتی از زیر حریر سفیدبرقع محسوس بود، به سمت دخترش چرخید. تعصب یا غیرتی درکار نبود. او را پیر عجوزی بیش نمی‌دانست. اما همهٔ افسانه‌هایی که پیرامون توانایی‌های وراء طبیعی چشمان این مرد شنیده بود، به یک باره به مغزش هجوم آورده بودند. نمی‌خواست این نگاه پرمخاطره گلبرگ بشرهٔ کیمیایش را بیش از آن لمس کند. چه به موقع بود صدای مردانه ومطمئن و کمی خشم‌آلود علاءالدین ـ پسر جوان خداوندگار ـ که گفت: حضرت پدر اگر رخصت دهند خواتین داخل خانه شوند. راه بس دراز و خسته‌کننده بود؛ همه به استراحت نیاز دارند. زن‌ها دیگر منتظر اجازهٔ صاحب‌خانه یا خداوندگار نشدند، مثل رمهٔ گرگ دیده به اولین دری که به اتاق‌های کوچک و تاریک روستایی باز می‌شد هجوم بردند. هیچ کس نمی‌دانست این عجله به راستی حاصل خستگی است یا به قصد خلاصی از حضور نامطبوع آن آفاقی. حتی وقتی لطیفه‌خاتون آمد تا میهمانان را برسر سفرهٔ ناهار دعوت کند، همه سرمای ایوان و خستگی راه را بهانه کردند و نرفتند. سفره را در آفتاب ایوان پهن کرده بودند و با آن که خداوندگار خواسته بود پس از ماه‌ها‌به رسم جمعه‌شب‌های حرم، نهار در میان زن و فرزند و اقوام صرف شود، هیچ کس به دیدار خداوندگار در کنار آن موجود غریب تن نداد. خداوندگار عذر زنان را پذیرفت و کیمیا وکراخاتون نفسی راحت کشیدند. اما خود خداوندگار سخت غافل از قافله‌ای که به شوق دیدار او آمده بودند ومی خواستند با او و فقط با او باشند، خرم و خوش در ایوان مشغول گفت وشنودی پرهیجان با

پیرمرد بود و دیگران، اگرچه همه گوش بودند، چیز زیادی دستگیرشان نمی‌شد. مراد و مرید با رمز و راز خود حرف می‌زدند.

همهٔ روز به همین منوال گذشت و خداوندگار سری به اتاق نزد. زن‌ها همگی نزدیک به گریه بودند. عاقبت بعد از نماز مغرب و ظاهراً به گوشزد غم‌خواری جسور،قامت عزیز خداوندگار در چهارچوب زمخت در اتاق کوچک ظاهر شد. زن و بچه‌ها زیاد بودند و جا کم؛ همان‌جا توی چهارچوب در نشست، اما نیمی از حواس و نگاهش همچنان به ایوان بود. دو کودک شیرخواره با او غریبی می‌کردند، اما حُسن حضورشان این بود که خداوندگار خود را به بازی با آن‌ها مشغول می‌کرد و دیگر فرصتی برای سؤال و جواب‌های ناخواسته ـ که به احتمال قوی اول از جانب مامی پیر و شجاع مطرح می‌شد ـ نمی‌ماند. تا وقت نماز عشا خود را به اداهای کودکانه سرگرم کرد و بعد بلند شد و گفت: چون فردا صبح سحر عازم هستید بهتر است بعد از نماز و شام زودتر بخوابید. در یک کلمه مرخصشان کرده بود. قبل از رفتن هم روی به کراخاتون کرد و با نگاهی که به زحمت می‌شد اثری از نظربازی ساعات پیش در آن یافت، گفت: بانو خانه را آماده کنید! خبری خوش دارم. هفتهٔ دیگر به قونیه می‌آییم تا مراسم عقد پسر بزرگمان چَلَبی بهاءالدین را به حول قوهٔ الهی برگزار کنیم. همه جور صدا از حلقوم زن‌ها بیرون آمد. از حنجرهٔ مامی که سؤال‌ها از ظهر مثل‌مار توی حلقومش وول می‌خوردند، جیغی تیز و بلند فوران کرد، درست مثل پرنده‌ای که تیر خورده باشد. بیچاره می‌خواست بپرسد: با کی؟ خداوندگار نگاهی شیطنت‌بار به او کرد و گفت: مزه‌اش همین است که ندانید. در عوض یک هفته در حرم خوراک مکفی برای نشخوار خواهید داشت. من هم به کسی‌که عروس را درست حدس بزند، مژدگانی خواهم داد. پس سؤال نباشد تا هفتهٔ دیگر. با این حرف همهٔ سؤال‌ها که بر زبان‌ها گل کرده بودند، خشکیدند. روی پاشنه چرخید و رفت و دست‌های دلِ مستمندِ کراخاتون که برای نیم‌نگاهی دراز بودند، خالی و تحقیر شده برهوا ماندند. دلی که زهرهٔ نفرین نداشت، اما می‌توفید و هنوز سخت عاشق بود.

اتاق به آنی شد مرغدانیِ. خداوندگار خواب را از سرشان ربوده بود. یک بار

دیگر ذکاوت فوق انسانی او کار خود را کرده بود. گویا او بر اسرار روان انسان نیز وقوف داشت. همه می‌دانستند که برخلاف بسیاری از مشاهیر منبر که پس از خلاصی از کار موعظه و ترساندن مردم و رهایی از دغدغه یافتن کلاهی شرعی برای توجیه استفاده‌های شخصی از نذورات و اوقاف، باقی اوقاتشان وقف استمالت از نسوان می‌شد، او به‌خاطر اشتغال دایم به تحصیل و مطالعه و تدریس و تحقیق کم‌تر با دنیای زنانه تماس داشت. نقله همسر اولش که در سن هیجده سالگی او را به انتخاب و دستور پدر، آن هم حین مهاجرت از این شهر به آن شهر برگزیده بود و بیچاره را با دوبچه، ۸ سال تنها در غربت رها کرده بود و به قصد تحصیل علم و به شام و حلب رفته بود و در بازگشت هم اجل مهلت چندانی برایشان نگذاشته بود، بعد از او نیز همین کراخاتون را دیده بود، که انتخاب خودش بود و چراغ خانه‌اش. از سوی دیگر اما چون محاط در حلقهٔ پیرزنان حرم بود، بر روحیاتشان وقوف و اشراف کامل داشت و در هر موقعیتی هرچند دشوار می‌توانست تک‌تک‌شان را اداره کند، مثل همین لحظه که می‌خواست از شرّ سؤالات و سرزنش‌ها و گله‌ـ گزاری‌هایشان خلاص شود و بهترین دلمشغولی را برایشان فراهم آورد.

مامی که از چشمان عقابی‌اش خشم زبانه می‌کشید، رو به کرامانا خاتون کرد و گفت: حالا چه وقت این کارهاست؟ این چه طرز کار است؟ مگر ما این‌جا برگ چغندریم؟ نوه‌مان هفته‌ی دیگر عقد می‌کند و ما باید حدس بزنیم که یارو کیست تا مژدگانی بگیریم. رسوایی پشت رسوایی! بی‌آبرویی پی بی‌آبرویی! این نور چشم سلطان ولد هم دیگر هیچ حیثیتی برای ما باقی نگذاشته است. نه آدابی، نه ادبی، نه مشورتی! مگر من می‌گذارم هرکاری دلشان می‌خواهد بکنند؟ حکایت بلاهایی است که سر دختر جوان‌مرگم آوردند. مگر کم مصیبت کشید؟ غربت، تنهایی، دست‌تنگی، دوبچه‌ی شیطانِ بی‌سرپرست، سرآخر هم در جوانی دق‌مرگش کردند. این هم از عروسی پسرش. هر ارنعوتی می‌خواهد باشد. من یکی دیگر حاضر به گذشت نخواهم بود. بروند هرچه بریده‌اند، وهرجا بریده‌اند خودشان هم همان‌جا بدوزند. ما در حرم هیچ کار نخواهیم کرد. کم خفت کشیده‌ایم حالا وسط واویلایی که راه انداخته است، می‌خواهد پسر هم زن بدهد.

مگر دوغاب زدن است؟ پسر زن دادن آداب دارد، آن هم پسر بزرگ گوهرخاتون من، نوه‌ی من و جانشین سلطان ولد بلخی. مگر هرکس را می‌شود به ریشش بست؟ اصلش از کجاست؟ نسبش از کیست؟

پیرترها با فراز و فرود غرهای مامی دهان بی‌دندانشان را به همدردی باز می‌کردند و به ضرباهنگی حساب شده صورتشان را می‌کوبیدند. کیمیاخاتون چه‌قدر دلش می‌خواست علاءالدین آن‌جا بود تا باهم به این هم‌نوازی مضحک یأس و حسرت، سیر دل می‌خندیدند. جوان‌ترها به مغزشان فشار می‌آوردند که عروس چه کسی می‌تواند باشد. کراماناگریه می‌کرد و نمی‌دانست از تحقیر است یا از غصه. او سال‌ها رؤیای عروسی دو پسری را که بیش‌تر از مادر واقعی برایشان زحمت کشیده بود درسر پرورانده بود و می‌دید که رؤیایش مبدل به کابوس شده است. اصلاً نمی‌توانست باور کند که بدون نظرخواهی از او عروس آینده انتخاب شده باشد. بالاخره او هم حقی داشت، نداشت؟

کراخاتون پنهانی و با شرمندگی، از این‌که داماد پسر واقعی او نیست، خوشحال بود. برای او حتی فکر این‌که مثلاً روزی شمس‌الدین یا مظفرالدین بتوانند در شرایطی که خانواده دستخوش بحرانی چنین سنگین بود، لباس دامادی برای عروسی ناشناس بپوشند، غیرقابل تصور بود. آن‌ها می‌بایست چنان که شایسته‌ی شأن خاندانشان است ازدواج کنند، نه با سرهم‌بندی شتاب‌زده. او برای ختنه‌سوران شمس‌الدین فقط یک هفته مراسم جشن و اطعام برگزار کرده بود.

حدس و گمان زن‌ها به جایی نرسید. سرانجام تحقیر شده و مچاله روی تشک‌های پشم که بوی گوسفند می‌داد به خواب رفتند. بعد از نماز صبح، آه از نهاد کراخاتون برآمد که می‌خواست خداوندگار را چند لحظه در خلوت برای گفت وگو پیرامون مسائلش به ویژه وضع مالی خانه ببیند. وقتی زن زرکوب با من‌ومن از قول شوهرش گفت که خداوندگار و مرادش از دوش به خلوت رفته‌اند و شب را هم نخوابیده‌اند و هنوز مشغول گفت‌وگویند و کسی را در آن خانه اجازه و یا زهره‌ی شکستن خلوت آن دو نیست، ناگهان خود را نره‌گاوی سیاه و غران دید که شاخ‌های پیچانش درِ کلون شده‌ی خلوت‌خانه را نشانه رفته است. مدعی

دیگری پیدا شده بود که به عیان از او خواستنی‌تر بود؛ رقیبی که سخت غالب بود و شاید هم مجال رقابت، دیگر از دست رفته بود. پس او چه باید می‌کرد با هزاران مشکلی که در قونیه پیش رویش بود، با زندگیِ از هم پاشیده و نان‌آوری که خود را نیز فراموش کرده بود؟ چه باید می‌کرد با سیل طعنه‌ها و خیل طعّانه‌ها و دلِ شکسته؟ تو گویی جانش بود که در قالب اشک‌های سوزان قطره قطره از چشم‌هایش روی خاک می‌ریخت ساکت به سوی چهارپایی خوشبختی که هیچ از این احوال نمی‌دانست و قرار بود او را به محنتکده‌اش بازگرداند روان شد.

قافله، حیران به حرم باز گشت. هیچ‌کس نتوانست حدس بزند نوعروس آن حرم سیاه‌بخت چه‌کسی خواهد بود.

انتظار طولی نکشید. قافله‌ی خداوندگار برای پرهیز از حسّ کنجکاوی مردم، بی‌خبر و نیمه‌شبان، زودتر از موعود به شهر درآمد و اهل حرم با شنیدن صدای کوبه‌ی درِ بالا زا به‌راه شدند. مرسوم نبود که از آن در کسی نیمه شب وارد خانه شود. زن‌ها با وحشت و دلهره، اوجی ـ کنیزک چالاک ـ را از خوابِ سنگینش بیدار کردند که پشت در برود و خبر بیاورد، تا اگر مغولی، راه‌زنی، حرامیِ زنجیر گسیخته‌ای پشت در است، فرصت فرار، از دست نرود. زن‌ها نتوانستند شگفتی خود را از دیدن لطیفه‌خاتون و دو دخترش بالای پله‌های هشتی پنهان کنند. اما تازه واردها برعکس اصلاً از تعجب این‌ها شرمنده یا ناراحت نشدند و چنان با اطمینان و سرحال از پله‌ها پایین رفتند که پنداری خانه‌ی خودشان است. لطیفه‌خاتون تند تند و خودمانی توضیح داد که چرا دیر آمده‌اند. نمی‌دانست که چهره‌های متعجب و پر از سؤال زن‌ها از این‌روست که اصلاً آن‌ها این‌جا چه می‌کنند، نه این‌که چرا دیر آمده‌اند. کرامانا آهسته به بقیه گفت: احتمالاً خداوندگار این‌ها را به پاس مهمان‌نوازی چند ماهه‌شان، برای شرکت در جشن عقد همراه آورده است.

دختر کوچک‌تر هنوز پایش به پله‌ی آخر نرسیده، به اولین نفر که برخورد، گفت: خیلی خوابم می‌آید، جای ما کجاست؟ کجا باید بخوابیم؟ همه هاج و واج یکدیگر را نگریستند؛ اما خاطره‌ی میهمان‌نوازی صمیمانه‌ی هفته‌ی پیش آن‌ها، همه را جمع‌وجور کرد و عاقبت قرار شد موقتاً دخترها در اتاق کیمیاخاتون

بخوابند و مادرشان در اتاق مامی که تنها کسی بود که در حرم اتاق اختصاصی داشت. گوشه، که اقامتگاه خداوندگار و کراخاتون بود پیشنهاد نشد و شاید عمداً، تا بلکه خلوتی برای زن و شوی فراق‌کشیده دست دهد.

صبح روز بعد هیچ‌کس نمی‌دانست با تازه‌واردها چه باید بکند. خوشبختانه خودشان هیچ مشکلی نداشتند و انگار صدسال بود ساکن آن خانه‌اند. به چشم برهم زدنی همه‌جا را یادگرفتند و جا افتادند.

سرسفره‌ی صبحانه مامی با طنز گفت: حضرت خداوندگار هفته‌ی پیش مژده‌ی نزول اجلال شما را نداده بودند. لطیفه‌خاتون که به زحمت معنی حرف او را فهمیده بود، چند بار پلک‌هایش را به هم زد و گفت: چرا داده بودند. شاید شما نشنیدید! چند نفر آهسته خندیدند. کرامانا پرسید: چه‌طور؟ هدیه خاتون کوچک که هفت هشت سال بیش‌تر نداشت، توی حرف مادرش پرید وگفت:

گفتند که عروسی است! کرای بزرگ گفت: خب؟ و تا مادرش خواست بدوبیراهی نثار دختر پرحرف و فضولش کند، کار از کار گذشته بود. دختر در حالی‌که با سر به خواهر چاق و چله و سرخ و سفیدش ـ فاطمه‌خاتون ـ اشاره می‌کرد، با عجله گفت: همین دیگر. ما هم حالا عروس را آوردیم! و لبخندی پر از افتخار زد که با دندان‌های شیری ریخته چهره‌ای بی‌اندازه دوست داشتنی و مضحک پیدا کرد. سکوتی سنگین برقرار شد. همه ابتدا به یک‌دیگر و سپس به سفره خیره شدند، فقط کرای بزرگ به روی خود نیاورد و با تحقیر پرسید: که کی باشند؟ باز تا مادر من‌ومن کند، دختربچه گفت: خواهرم دیگر، این‌هاش! و با انگشت به فاطمه‌خاتون در آن سمت سفره اشاره کرد که ده‌ساله می‌نمود و دیگر رنگ گل‌انار شده بود. حیرت مثل تندبادی فضای اتاق را در خود پیچاند. نه از کم‌سن و سالی عروس، که از انتخاب. کرامانا با دو دست زد توی سرش و بلند شد تا از اتاق بیرون بزند که هنوز به چهارچوب در نرسیده مثل کیسه‌ی آردِ پاره ولو شد. همه به سمتش دویدند و این فرصتی بود برای مادر عروس تا چند نیشگون آبدار از پهلوی دخترش بگیرد. بعد هم مجبور شد با دست دهانش را بفشرد تا محله را با جیغ‌هایش روی سرش نگذارد. زن بیچاره مستأصل شده بود. کاش اصلاً هدیه خاتون را همان‌جا در ده پیش اقوام گذاشته بودند؛ همه‌چیز را به

هم ریخت. قرار شده بود حضرت خداوندگار عروس را شخصاً به مادر بزرگ و دایه‌ی داماد معرفی کند. زن از اول به مردش گفته بود که این وصلت، وصلت مناسبی نیست، اما مرد گفته بود زن‌ها نباید در این کار دخالت کنند. مرد فلک‌زده چنان ذوق زده شده بود که به هیچ‌کس اجازه‌ی لب ترکردن نمی‌داد. در طول سه ماه اقامت مولانا در خانه‌ی آن‌ها، پسر بزرگ خداوندگار بـه آنجـا آمـد و شـد داشت، اما تنها حدیثی که به فکر هیچ‌کس خطور نکرد، پیشنهاد این وصلت بود. البته برای آن‌ها افتخاری از این بزرگ‌تر نمی‌شد، ولی او شمّ مادرانه‌اش بیدار بود و می‌دانست که این تصمیم، عجولانه است و باید تأمل می‌کردند. پسر چنان مرد عالی‌مقامی هرگز به زندگی برای هـمیشه بـا یک دخـتر بـچه‌ی روسـتایی تـن نمی‌داد. می‌دانست این هوس زودگذری است که حاصل مراوده‌ای فشرده است. وصلت اگر سر می‌گرفت هم، عاقبت نداشت. مردش اما هـمیشه از بـلاهت و سادگی او می‌نالید و گوشی بدهکار نداشت. حالا هم سر از پا نمی‌شناخت و گفته بود، سرقفلی مغازه‌ی راسته‌ی طلافروشان را پشت قباله‌ی دخترش خواهد انداخت؛ ولیکن خداوندگار از این کار به شدت منعش کرده بود.

حرم متشنج بود. میهمانانِ ناخوانده را بر سفره‌ی نیمه‌تمام صبحانه تـنها گذاشته بودند. سفره مانده بود و کیمیاخاتون رعنا و زیبا که اشرافیت از سر و رویش می‌بارید و دختر خوانده‌ی خداونـدگار بـود و بـا مـهارت حیرتش را می‌پوشاند تا میهمانان را از وضعی که گرفتارش شده بودند، نجات دهد. دختر کوچک‌تر به او چسبیده بود و مرتب با تزئینات لباس و سربندش ور می‌رفت. توی خانه‌ی خودشان هم همین‌طور او را کلافه کرده بود. اما او تصمیم داشت با آن‌ها مهربانی کند، چون می‌دانست به زودی با نیش زبان مامی و بدرفتاری‌ها و بی‌اعتنایی‌های کرامانا چه به سرشان خواهد آمد. حیاط ساکت بود و فـعالیت روزمرهٔ حرم متوقف. بهت همه را فلج کرده بود.

برخلاف نگرانی‌های مادر عروس از افشای بی‌موقع نـام عـروس، وقتی خداوندگار حوالی ظهر به حرم آمد و از ماوقع آگاهش کردند، نـه‌تنها نـاراحت نشد، شاید از این‌که می‌دید موضوعی که روش طرح آن چندی بود فکرش را مشغول کرده بود حال دیگر مطرح شده و واکنش‌های حاد و قابل پیش‌بینی کرای

بزرگ و دایه، همراه با بی‌هوش شدن‌ها و خودزنی‌ها که او از آن‌ها هراس و نفرت داشت فروکش کرده است با سبکباری نسبت به دهان کوچک و عجول هدیه خاتون احساس قدرشناسی نیز کرد و از همان موقع مهر دختر بچه سخت به دلش نشست. بعد هم همان‌طور که از مهارتش انتظار می‌رفت، بدون آن‌که مستقیم به چشم کسی بنگرد، یا فرصت اعتراض بدهد، فقط گفت: همه می‌دانید که فاطمه خاتون هنوز کم سن است و آمادگی نکاح ندارد، اما به خواسته‌ی والدین عروس و خود داماد فعلاً صیغهٔ عقد جاری می‌شود و زفاف به یاری خدا در زمان خود انجام خواهد شد. شنبه قبل از ظهر ساعت سعد است، مقدمات فراهم شود تا مراسم مختصری داشته باشیم، مفصل‌ترش هم اگر زنده باشم به موقع خود والسلام! و قبل از دادن فرصت برای وقوع هرحادثهٔ نامطلوب، روی پاشنه چرخید و در میان هلالی پلکان گوشه ناپدید شد.

از شنبه یک نفر دیگر به اعضای حرم اضافه شد: یک تازه‌عروس ده‌سالهٔ روستازاده و اقامتش نیز در حرم به ازدیاد تردد داماد مشتاق ـ بهاءالدین ـ انجامید که اصلاً باب طبع حرم‌نشینان خداوندگار نبود. بهاءالدین هرقدر در محضر پدر مؤدب و گوش‌به فرمان و رام بود، در حرم به ناسازگاری و بددهنی و زورگویی اشتهار داشت و برعکس برادرش علاءالدین که عزیز دل و نازنین همه بود و ورودش به حرم همیشه با خوشامدگویی مشتاقانه استقبال می‌شد. از برابر بهاءالدین همه فرار می‌کردند. وای به روز کسی که پرش به پر او گیر می‌کرد. حتی مامی پیر که خودش در بدخلقی شهره‌ی آفاق بود، از دست او به ستوه آمده بود و بارها شکایتش را به پدر برده بود، اما از آن‌جا که او در حضور پدر همیشه مؤدب و صالح و مطیع بود، خداوندگار مشکلات را از چشم زنان می‌دید و ابداً دل سرزنش او را نداشت؛ به خصوص این روزها که ندیم حضور و محرم راز و خادم خلوت و پیک مخصوص پدر بود و همین بس که «توریزی» هم او را پسندیده بود و دایم در وصف او می‌گفت. پس دیگر جایی برای شکایت و گله‌گزاری ضعیفه‌های حرم‌نشین باقی نمی‌ماند. در عین‌حال هرچه وجود و معاونت پسر بزرگ برای پدر و حال و هوا و عوالمش بیش‌تر لازم و غیر قابل اجتناب می‌شد، کار پسر کوچک‌تر که از برادرش رشیدتر، برازنده‌تر و عالم‌تر نیز بود، بیش‌تر گره

می‌خورد. گناه او درک نکردن اتفاقی بود که اخیراً برای پدر محبوب و عظیم‌الشأنش رخ داده بود. او که از شیرخوارگی در هاله‌ی غرور نوهٔ سلطان‌الواعظین بلخ بودن بزرگ شده بود، در سراسر جوانی کمر براین اهتمام بسته بود که فرزندی خلف برای مولانا جلال‌الدین رومی و نوه‌ای شایسته برای پدر بزرگ نام‌آور خود باشد و در حصول این هدف راهی نمی‌شناخت جز تحصیلِ هرچه بیش‌تر علم مدرسه و غور و سلوک در میان کتاب و دفتر و بحث و فحث با طالب علمان و مطالعه‌ی شبانه‌روزی. براثر همین و تلاش بی وقفه بود که پدرش به او لقب سلطان‌المدرسین داده بود، همراه با نگینی بزرگ از یاقوت بدخشان که یادگار پدرش سلطان‌العلما بود. از همان نوجوانی نیز در مدرسه توفیق چشم‌گیری در تدریس همهٔ علوم الهی کسب کرده بود و باعث اعجاب همگان و جذب طلاب زیادی به مدرسه شده بود و مغرور از موفقیت در راه علم ـ که راه آبا و اجدادی‌اش بود ـ به رغم جوانی، هر روز عیان‌تر قالب فقیهی متعصب و واعظی متعظ به خود گرفت، تا حدی که گاه میان دوستان و خانواده از تندروی و مقدس‌مآبی افراطی او گله می‌شد؛ ولی سرمشق‌ها و معلمان اول او پدر بزرگ و پدرش بودند که تا یادش می‌آمد اعتقاد و باوری بی‌چون و چرا به احکام و قوانین دین داشتند و هرگونه عدول از آن را گناهی کبیره می‌شمردند. این مرسوم صدساله خانوادهٔ آن‌ها بود؛ مرسوم پدر بزرگش بود که از آن روزها، روزهای دور اسرار را در گوشش زمزمه می‌کرد؛ مرسوم این پدر محبوبش بود که رنج‌ها برده بود تا راه پسرانش را برای دریافت و تحصیل همین باورها هموار کند پس چه‌گونه بودکه ناگهان او که به وضوح و با تأیید همگان، مستعدتر، سخت‌کوش‌تر و به سنن خانوادگی پای‌بندتر بود، بی‌گناه چند ماه از شرف حضور در خدمت پدر محروم شده بود و آن یکی برادر محرم راز و مونس خلوت او بود؟ باید می‌فهمید. باید می‌دانست خطایش در کجا بوده است. اگر چنان‌که می‌گفتند علت کدورت پدر نفرتی است که او از آغاز ماجرا و بی‌محابا نسبت به این پیرمرد اعلام کرده است، پس آن‌ها را گریزی از این دوری نیست. چون این نفرت در او هر روز ریشه‌دارتر و عمیق‌تر می‌شود؛ دست کم بعد از شنیدن خبر رسوایی تازه‌ای که این روزها برسر هر کوی و برزن جار می‌زدند و

هرکه را هنوز ذره‌ای غیرت نسبت به این خاندان در سر بـود، دسـت بـه قـبضه می‌کرد. به راستی حق این غریبه فقط مرگ بود. همهٔ جوان‌مردان نیز می‌گفتند، کیفر کسی که جرأت کرده است جلال‌الدین محمد رومی ـ روحانی عظیم‌الشأن شهر ـ و خانواده‌ی او را چنین مضحکه و موضوع هجا و هزل‌گویی یاوه‌درایان و اوباش راسته‌های بازار کرده است، مرگ است و بس. حال چه‌گونه برادر بزرگ این همه را می‌بیند و دم برنمی آورد، قابل فهم نیست و چه‌گونه پـدر چشـم برهمه‌چیز بسته است و هنوز از او انتظار دارد بـه جـمع رسـوای او و آفـاقـی بپیوندد، حیرت‌آور است. آخر او چه‌گونه می‌تواند بیگانه‌ای را سلام گوید کـه حالا دیگر در حریم خانه‌ی آن‌ها سکنی گزیده است و گفته می‌شود تا آن‌جا پیش رفته است که برای سنجش درجهٔ تسلیم در مرید و میزان خلوص در طلب مراد، روزی از مولانا زنی را از حرم او آرزو کرده است و چون کسی گلویش را در زده او را روانهٔ محلهٔ جهودان کرده است تا سبویی شراب برایش بر دوش کشد. اگر ملاحظهٔ پدر نبود، شاگردانش با نیم اشارهٔ او در دم استخوان‌های مردک اقوالی را توتیا می‌کردند. این همه بی‌آبرویی و رسوایی آیا بهای گرانی نبود برای تعلیماتی که یک دیوانه ادعا می‌کرد؟ چه‌گونه می‌شد دید و دم بـرنیاورد کـه از خـانه و مدرسه‌ای که همواره صوت قرآن و صدای بحث و تفسیر و دعا و نیایش بی‌وقفه به آسمان می‌رفت یک سره نوای چنگ و چغانه و دف و نی برخیزد و شبستان مدرسه‌اش سماع خانه‌ای شده باشد که دمادم از قوّالان و مطربان سراسر ارزروم پر و خالی شود؟ او چه‌گونه می‌توانست ببیند که پدرش دستار از سر باز کرده است عبا و قبا به‌دور افکنده است و تنها بـا پیراهـنی گـریبان‌چاک در صـحن شبستان چندان به رقص و چرخ می‌ایستد تا هم‌چون خُمزدگان کوی جهودان از پا می‌افتد؟ رسوایی‌های دیگری نیز برسر زبان‌ها بود که او حتی از یاد کرد آن‌ها هم با صدای بلند استغفار می‌کرد و هرگز دل آن را نداشت که خود شاهد عینی چنان احوالی گناه‌آلود باشد. شاگردانش هر روز صبح، هرچه را که در کوی و بازار برسر زبان‌ها بود برایش واگویه می‌کردند و او با آن‌که گاه گونه‌هایش مثل آتش می‌گداخت، دم‌برآوردن نمی‌توانست. به‌راست و دروغ حرف‌ها هم نمی‌اندیشید، فقط روزی صد دور تسبیح می‌چرخاند در لعن شیطان و دست‌پروردگانش که بر

دل پدرش راه جسته بودند. پدرش را نیز نمی‌توانست ببخشد که با همهٔ التماس و زاری او، نه تنها دیگر هرگز پا به مجالس درس مدرسه و قرائت‌خانه نگذاشت، بلکه به صراحت و در حضور همگان، درس و مدرسه‌ای را که پدر بزرگش با خون دل پرداخته بود، سخت به سخره می‌گرفت و خود به سان مکتبیِ هفت ساله‌ای سر بر پای پیری حلوافروش داشت و از هیجان افاضات نامفهوم او فریادهای شوق سر می‌داد. بساط روحانی بهاء ولد بلخی و شیخ ترمذی و جلال‌الدین مولانا درقونیه ناگهان جای خود را به مجلس کیف‌وعیش شمس‌الدین محمد تبریزی، پشمینه‌پوش لولی‌صفت داده بود و شگفت‌آور می‌نمود که تعداد مریدان پدرش نیز روز افزون شده بود و از هر صنف و طبقه‌ای ـ اعم از اعیان طراز اول، مثل صاحب پروانه تا کسبه و تجار و فتیان و سربداران قونیه ـ درمیان‌شان دیده می‌شد. می‌گفتند، وقتی بزرگان قوم شیخ جلال‌الدین را به سبب کثرت شمار عوام و مُحتَرِفه‌ی پیرامونش نکوهیده بودند، فریاد کرده بود که ای غَرْخواهرها مگر شیخ ما منصور خود حلاج نبود؟ وقتی پدرش که روزی در ادب شهرهٔ آفاق بود، ریش‌سفیدان دوستدار و دل‌سوز خود را ناسزا می‌گفت و غَرْخواهر می‌خواند، او را چه زَهرهٔ سؤال می‌ماند؟ گاه دلش می‌خواست روزی در یکی از مجالس آن‌ها برای رفع کنجکاوی هم که شده است شرکت کند، اما هم از روی شاگردانش خجالت می‌کشید و هم به آبروی مدرسه می‌اندیشید که تا همان لحظه نیز به اهتمام او حفظ شده بود. با این همه بسیاری از نذورات واوقاف از مدرسه برداشته شده، او و شاگردانش تقریباً بی‌خرج مانده بودند؛ و اگر فتوای تکفیر هنوز صادر نشده بود شاید به احترام پدر بزرگش بود همچنین دوستان فراوان پدرش و همت خودش در ادامه و ارائهٔ تمام و کمال دروس فقهیِ مدرسه و تا حدودی هم صبر و حمایت و امیدواری بزرگان به بهبود حال پدرش؛ وگرنه هر یک از صحنه‌هایی که آن روزها پیش آمده بود و نَقل محافل بود، اگرنه چوبهٔ دار، دست کم چوب تکفیرِ را برای پدر سودازده‌اش به ثبت رسانده بود. پس او را نیز چاره‌ای جز صبر و توکل به‌رحمت و توجهِ حق باقی نمی‌ماند.

روزها به همین منوال پیش می‌رفت و عن‌قریب بود که یک سال از ماجرا

بگذرد و دریغا که کار هر روز بدتر و بدتر می‌شد. کار آفاقی به‌جایی رسیده بود که بر در حجره‌ی مولای روم می‌نشست و بنابر تشخیص خود از زایران و مریدان او نیاز می‌گرفت. انقلاب عظیمی در همه احوال پیش آمده بود و به دلیلی که برای همه نامعلوم بود، جنون و عشقِ سودایی پدرش بیماریِ همه‌گیر شهر شده بود. کوچه‌های قونیه در تب می‌سوختند. بر سر هر سوق سماعی برپا بود و هر روز بر جماعت فدائیان و مریدان افزوده می‌شد. خضوع و بردباری و مردم‌آمیزی بیش از بیش پدرش، رفتار خالی از تبختر او که دیگر کاملاً تهی از غرور فقیهانه بود، دمخوری‌اش با کوچه‌گردان و کودکان، رقت قلبش نسبت به سگ‌های ولگرد، دلداری‌اش از روسپیان و دلسوزی‌اش به حال خراباتیان، شگفتی همه‌ی ساکنان شهر را برانگیخته بود و دایم داستان‌هایی از او پرمبالغه دهان به دهان نقل می‌شد. جمعیت مختلط و چند قومی شهر که سال‌ها زیر فشار اشرافیت رومی و نخوت روحانیت و خشونت ترکان، استخوان خردکرده بود، منجی خود را که راه قیام و شانه خالی‌کردن از زیر بار همهٔ قیود را نشان می‌داد، یافته بود و هرروز شمار زایران بارگاه یگانه‌ای که خاطره قیام روح موسی و عیسی و محمد را احیا و متبلور می‌کرد، بیش‌تر و بیش‌تر می‌شد. زایران غالباً از فقیرترین طبقات بودند که از راه‌های دور می‌آمدند تا این احوال مرموز را از نزدیک مشاهده کنند و حتی خود فیضی ببرند، لیکن وقتی پیر حریص را بر در شیخ و مراد نشسته می‌دیدند که به تشخیص خود برای تعیین درجه‌ی اخلاص هر مرید، وجه ورودی و نیاز تعیین می‌کند، می‌شوریدند و خشم، به دشنام و عربده‌کشی و ناسزاگویی واشان می‌داشت. هرروز معرکه‌ای برپا بود. به همان درجه که محبوبیت، و آوازه‌ی شوریدگیِ قلندر عاشق و مست قونیه عالم‌گیر می‌شد، به همان درجه نفرت و خشم مردم قونیه از رفتار «توریزی» که یک پارچه نخوت و ناسازگاری بود بالا می‌گرفت. همه منتظر بودند جرأت کند و بدون مولانا قدم درکوی بگذارد تا از هر پنج عابر چهار تن دست به قبضه‌ی خنجر برند، خنجرهایی که فقط به عشق و احترام جلال‌الدین محبوب و شوریده در نیام مانده بودند. هر غفلت او سبب می‌شد تا در دم شاهرگش را مثل ترکه‌ی بهاری بگسلند، اما موقتاً به رکیک‌ترین دشنام‌ها اکتفاکرده بودند. شاید پیش‌تر هیچ‌کس باور نمی‌کرد شهر صد دروازه‌ای

که خلق خدا از همهٔ ادیان و اقوام در آن مـوج مـی‌زدند، روزی بـتوانـد بـرسر موضوعی تا آن حد یک پارچه شود. هوا بـوی خـون مـی‌داد. از طـرف دیگر بی‌احتیاطی‌ها، بدعت‌گزاری‌ها، و همه‌گیر شدن مجلس موسیقی و سماع در شهر ـ حتی اگر ارتباطی هم با عوالم شمس و جلال‌الدین نداشتند ـ کاسه‌ی صبر فقها و علما را لبریز کرده بودند. دیگر همه‌چیز به حساب آن‌ها گذاشته می‌شد. رواق و محراب و منبری نبود که در آن حدیث و حکایتی از رسوایی‌های این مـرید و مراد نرود. محبوبیت و شهرت روزافزون جلال‌الدین محمد هم انگیزه‌ی دیگری بود برای تحریک حسادت علما که از قبل دل پری از او داشتند، اما تا آن روزها جرأت و بهانه‌ای در کارشان نبود. این گروه از فرصت پیش آمده بهره گرفتند تا آب را گِل‌آلودتر کنند و بهانه‌ای بیابند برای تکفیر. شایعه‌ی استعمال حشیش و گرایش به لواط و شاهدبازی نیز از دیرباز در اطراف خانقاه‌های ایران و بغداد و روم قوت گرفته بود، اما آن روزها دیگر هردم ماجرایی تازه از سرعت شیوع فساد برسر منابر نقل می‌شد و همواره نیز یک سر آن را به رفتار و بی‌پروایی‌های واعظ و مفتی قبلی در بدعت‌گزاری و نقض قوانین شریعت بند می‌کردند. صدرالدین قونوی که از علمای طراز اول قونیه و از آغاز رقیب مولانا بود، از فرصت پیش آمده برای تخریب هرچه بیش‌تر نام پرعزت او فروگذار نـمی‌کرد. او شـمس و مولانا و مریدان‌شان را پیشوایان ضلالت می‌خواند و اعلام «آخر زمان» کرده بود و برسر منابر وامصیبتا سر می‌داد و متعصبان را در تشدید موج تازه‌ای که شهر را درهم پیچیده بود، تحریک می‌کرد. اما هنوز به سبب آبروی خـاندان شـیخ و ملاحظات و محبت سردمدارانِ شهر نسبت به او، درباره‌ی آن‌ها حکم ارتداد و بدعت‌گزاری صادر نشده بود. البته هـراس از درگـیری خـونین و مـحتوم مـیان متعصبان از یک سو و عشاقِ طریقِ عرفان و طرفداران مولانا و شمس از سوی دیگر که به وضوح برقونیه سایه افکنده بود نیز رویارویی را به تعلیق می‌کشاند. سردمداران فکر می‌کردند که باید کاری بکنند. اوضاع نمی‌توانست به همان گونه پیش برود. قونیه هوای قبل از طوفان را داشت و همه هرآن منتظر خروش رعد بودند.

خبر پشت خبر بود که مغولان تا حلب پیش آمده‌اند. مجروحان و فراریان

جنگی با بیماری‌های واگیردار در اطراف دروازه‌های شهر پلاس بودند. دربار، فاسد و ضعیف بود و پراز نفاق و توطئه و هرگونه امیدی را از خود سلب کرده بود. همه می‌دانستند که قونیه از داخل و خارج در خطر است. دراین میانه تنها آن دو رسوا به کار خود مشغول بودند و هیچ شایعه و تهدید و آزاری هم منفک‌شان نمی‌کرد. خداوندگار راتنها بیزاری آشکار خانواده و حرم ـ به‌خصوص علاءالدین ـ از شمس‌الدین تبریز که او خورشید جان‌بخش و قبله‌ی آمال و روح مضاعفش می‌خواند، اندکی دل‌سرد کرده بود. از بیگانه توقعی نداشت. اما نمی‌فهمید چرا خانواده‌اش که همواره دیده بودند مرغ جانش در قفس تن چه‌گونه خود را به در و دیوار می‌زند و در جست و جوی حقیقت همهٔ عمر و هستی خود را در رهن باخته است و شب و روز پیچانِ سرگردانی بوده است، شکرگزار عروجی نیستند که معلمی یگانه ارزانی‌اش داشته است؛ معلمی که چونان موهبتی الهی نازل و هستی او را از همهٔ زنگارهای کسالت و پوچی و ابتذال روزگار زدوده بود و جانش را به سان منشوری بلورین تراش داده بود تا خردِ ازلی در هیأت رنگین‌کمانی پاک و درخشان در آن منعکس شود و راه بر تیرگی و عفن و جهالت زمینیان بربندد. او یک‌پارچه نور بود و زیبایی و پاکی مطلق، و چنین بود که مردم می‌توانستند او را ببخشند. چه‌گونه بود اما که نزدیکانش این استحاله را در جان او درک نکرده بودند و مثل او مسرور نبودند؟ او کین‌توزی و تبلیغات و مبالغات اهل منبر را نیز به روشنی می‌شناخت و می‌بخشید چرا که می‌دانست اگر خود او هم برجای آن‌ها تکیه می‌داشت، دقیقاً همان‌گونه یا شدیدتر عمل می‌کرد. پس با سعه‌ی صدر و مدارای بسیار با آن‌ها حشر و نشر داشت و با ظرافت و ملاطفت آرامشان می‌کرد؛ از جمله وقتی او را به اتهام بدعت‌گزاری در نواختن و شنیدن رباب و حظ بردن از این ساز سرزنش و تهدید به تکفیر کردند، ساده و معصومانه پاسخ داد: ما مدرسه و اوقاف و نذورات را با همه‌ی عزتمان به شما بخشیدیم و با این رباب، مهجور و بی‌کس مانده‌ایم؛ اگر می‌خواهید این را هم تقدیم کنیم تا دیگر هیچ چیز دل دیوانهٔ ما را خوش ندارد. این جواب، متواضعانه و در عین حال به غایت زیرکانه و چند پهلو معاندان را از پیچیدن به پای کسی که به راستی هرچه داشت داده بود و از کسی هیچ نمی‌خواست، جز که

به حال خود بگذارندش، شرمنده کرده بود. حتی یکی از معتبرترین علمای شهر فتوا داده بود که این جلال‌الدین محمد، مرد خداست و داستان او داستانی دیگر است. باید رهایش کرد؛ باید به حال خود رهایش کرد. خود می‌داند و خدای خود. شنیدن فتواهای چنین پرتساهل او را نسبت به عزیزان و نزدیکان و به ویژه پسر خلف، نور چشم و مایه‌ی فخرش حساس‌تر می‌کرد. انتظار داشت که اینان دست کم علمدار مخالفت با جانِ جانان او نباشند و هرچه می‌گذشت نیز اهل حرم را بیش‌تر در تحریک ذهن جوان و خام پسرش مقصر می‌دید. شاید اگر طوفان روح و روان او دمی آرام می‌گرفت و او رخصتی می‌یافت ؛ شاید اگر حالتی که بر ذهنش متواتر بود، برهمهٔ آن‌چه دیده بود و خوانده بود و باور داشته بود و عمل کرده بود و خوش داشته بود، خط بطلان نمی‌کشید؛ و شاید اگر جان طوفان زده‌اش نفسی می‌آسود و در بهره‌گیری از خورشید تازه دمیده به عالم هستی‌اش به فراغت می‌نشست و از انوار ملکوتی و دانش ازلی شمس سیرابی می‌داشت و اندکی خود را به جای آن‌ها می‌گذاشت؛ حتی اگر می‌توانست دمی به عوالم سابق بازگردد و جمعه‌شبی را به صرف شامی صمیمانه با شبستان نشینان هجران کشیده و گریانش بگذراند، آن همه از فاصله‌ای که آن‌ها با حال و هوای مولای خود داشتند، متعجب و خشمگین و گله‌مند نبود. اما دریغ که این رخصت اصلاً حاصل نمی‌آمد. حکایت بلند بود و وقت کوتاه. شمس او را ثانیه‌ای تنها رها نمی‌کرد، مثل مادری بود که نوزاد شیرخوارش را همه‌جا زیرنظر داشت: اگر از سفر زمزمه می‌کرد، منعش می‌کرد؛ اگر کتاب پدرش (فوائد والد) را که لالای پیر و استادش شیخ ترمذی او را به خواندن هر روزه‌ی آن توصیه کرده بود در دست می‌گرفت، از راه می‌رسید و آن را به گوشه‌ای پرتاب می‌کرد. اگر دیوان اشعار شاعران محبوبش ـ عطار و سنایی ـ راکه با آن‌ها زندگی کرده بود، برمی‌داشت، به سخره‌اش می‌گرفت. شمس برایش سرمنزلی رقم زده بود که او نخست می‌بایست به آن‌جا می‌رسید ؛ در غیر این صورت لحظه‌ای فراغ از تعلیم و تعلم و امتحان و حتی گاه قهر و تنبیه جایز نبود. او دیگر سر و جان و آبرو و منبر و مدرسه و زن و فرزند را باخته بود و بسا دریغ از هر لحظه‌ای که صرف هرچه جز طریق کمال شود، او مسافر آسمان‌ها و عرش ملکوت بود. می‌بایست

احوال زمین و زمینیان را به‌خودشان وامی‌گذاشت: و اگر جز این می‌شد، مثل غالب رهروان پیشین بهره‌ای جز نگونساری نمی‌داشت. و استاد را نیز چنین دغدغه‌هایی رنجه می‌داشت و هم از این‌رو بود اگر او را در خلوتِ به غیرِ خود و خودش مجاز نمی‌دانست.

حرم‌نشینانِ خون پالای آن سوی دیوارها نمی‌دانستند دردشان را به کجا ببرند. بعضی‌شان نزدیک به یک قرن بود که با این خاندان زیسته بودند و هم با این خاندان روز را با اذان صبح آغاز کرده بودند و شب را با تلاوت قرآن سربر بالین گذاشته بودند و حال اگر که غم حقارت و سفره‌ی تنگ و طعن و طعّانه‌ها و دشمن شادیِ رقیب و فراق بی‌پایان آقا و مولایشان را هم به جان خریده بودند، اما مانده بودند که با بانگ نی و رباب و دف و سماع شبانه چه کنند. از روزی‌که خود را شناخته بودند شنیده بودند که موسیقی حرام است. شنیدنش عقوبت دارد و لذت بردن از آن گناه کبیره است؛ حالا اما، نوای موسیقی و غوغای سماع که از شبستان به آسمان راه می‌جست، خواب را بر چشمان پیرزنان نیمه شنوا نیز حرام کرده بود. هر روز نیز باید شاهد نزاری و سودازدگی بیش‌تر و عمیق‌تر زن جوان و کودکانِ شیرخوارِ مولایشان، و از همه بدتر پسر نازنین و دردانه‌ی حرم، علاءالدین محمد می‌بودند که عصرها می‌آمد و شایعات جدید را برایشان واگویه می‌کرد و اشک حسرت و غیرت می‌بارید و به استیصال، از مادر بزرگ و سایر گیس‌سفیدان حرم چاره می‌جست. همه هم می‌دانستند که او بهانه‌ی دیگری نیز برای آمدن به حرم دارد، ولی در آن وانفسا و با آن همه پارسایی و کفّ نفسی که از او می‌شناختند، هیچ‌کس جرأت لب‌تر کردن، حتی در خلوت خود هم نداشت. خوشحال هم بودند که در میان آن همه درماندگی، حد اقل حضور او گرمای محبت در حرم می‌تراوید به ویژه برای آن کودکان نو پا و دو فرزند کراخاتون که بعد از مادرشان به راستی بزرگ‌ترین قربانیان دیوسایگی مرد آفاقی برآسمان حرم بودند. هرچند که ـ خاتون‌الخواتین و بانوی ناز پرورده‌ی قونیه ـ در کمال وقار و بردباری عزم بر تحمل داشت و هرچه زردتر و نحیف‌تر می‌شد، هرچه دندان‌هایش از شدت فشار کابوس‌های شبانه و شنیدن اراجیف روزانه‌ی عوام پُردرد و ریختنی می‌شد و هرچه دردمندی و پریشانی از بَر و دوشش بالا

می‌رفت، لب بر لب سخت‌تر می‌فشرد و سکوت پیشه کرده بود در آن عزا چه می‌کرد اگر خون نمی‌گریست؟ شوهر محبوب و دردانه‌ی مهربانش ملعبه‌ی دست رندی شده بود که برای هیچ نوع تعدی حتی تجاوز به نوامیس آن خاندان پرآوازه مرزی نمی‌شناخت. رندی به گوشش رساند که شمس از حرم خداوندگار زن طلب کرده و شویش او را ارزانی داشته است، آرزو کرد که کاش هرگز به دنیا نیامده بود و شاهد روا داشت چنان ذلت و بی‌حرمتی نمی‌بود. با این همه وقتی پسر جوانش شمس‌الدین به همراه بهاءالدین آشفته و برانگیخته از غیرت آمدند تا او را از آن خانه به باغ ببرند، نوک جوانان را چید و آب پاکی روی دستشان ریخت و گفت: همه بدانند! تا نفس از این سینه‌ی خسته برآید، چشم‌براه شویم خواهم نشست.

اگر او می‌خواست به بدتر از این‌ها هم تن در می‌داد، هر چند می‌دانست تاریخ هیچ‌گاه این‌گونه صبوری‌های همسران نامداران زمانه را به اجری یا ارجی سزاوار پاسخ نداده است. اما او را با تاریخ دروغ‌زن کاری نبود، با آفریننده‌ای درد دل بود که با تحمل بار نه‌ماهه‌ای سخت و سنگین و دردآور در بطن زن‌ها بردباری آموختشان. جایی که کلک او از ازل چنین نقش‌ها زده بود و جز بین بردباری یا تنهایی و رسوایی انتخاب دیگری در بین نبود، دیگران را چه جرأت فضولی بود؟

آن‌ها با نفرت و انزجار و نفرین‌های جگرخیز پنهان و آشکار موجبات گله‌مندی آقایشان را فراهم آورده بودند، تا جایی که دیگر نه او را حوصله‌ای برای دیدن آن‌ها مانده بود و نه آن زندانیان را چاره‌ای. در چهاردیواری حرم هم مثل شهر به وضوح حس می‌شد که طوفانی در راه است. ترس همه، بیش‌تر از لبریز شدن کاسه‌ی صبر علاءالدین بود که به جای خون در رگ‌هایش آتش جریان داشت. همه نگران بودند که مبادا عاقبت آن نامعقولیِ قبیح از این جوان سربزند که بارها برزبان رانده بود: خضاب دادن دست به خون تبریزی.

قونیه را سراسراستیصال و پریشانی درنوشته بود. دیگر عقل، نه در شهر، نه در خانه، نه در مدرسه، نه در خانقاه، نه در سر و نه در دل راه به جایی می‌توانست بردن. هوای قونیه آبستن طوفان بود.

توفان

وقتی آن روز صبح ناگهان رعدی کـه حـرم و مـدرسه و شـهر و هـمهٔ ارزروم منتظرش بودند، چرت شهر را پاره کرد، بسیاری پنداشتند که میان پدر و پسر آنچه نباید برود رفته است. همه، سروپا برهنه از حجره‌ها و اتاق‌ها زدند بیرون تا بدانند آن نعره‌ی غیرانسانی از گلوی چه‌کسی بیرون می‌آید و چه درد بی‌درمانی یکی از ساکنان آن خانهٔ طاعون زده را به چنان فریادی واداشته است، و وقتی مولانا جلال‌الدین را دیدند که بی‌کلاه و دستار چهره برافروخته و یقه دریده، با پای برهنه این سمت و آن سمت می‌دود و «کو،کو» می‌گوید، بازهم کسی هیچ نفهمید. جرأت سؤال هم نبود. تـنها زمـانی کـه بـهاءالدیـن ـ مـحرم راز پـدر ـ سراسیمه رسید و او را در آغوش گرفت و دست و پایش را بوسید و زار زنان جویای ماجرا شد، با توضیحات بریده بریدهٔ خداوندگار هـمه فـهمیدند باید اتفاقی عظیم برپیر و مراد او! شمس تبریزی رفته بـاشد. بسیاری بـه زحـمت توانستند موج شعفی راکه می‌رفت تا قلبشان را پاره کند، مخفی کنند. وقتی در حرم مژده انتشار یافت، بسیاری به خاطرش جان می‌فشاندند، اما با حالی کـه خداوندگار داشت، هیچ‌کس را زهرهٔ لبخندی هم نبود. بهاءالدین هم شروع کرد دَم‌گرفتن و با دو دست برسر کوبیدن و دور خود چرخیدن و نالیدن که «پیر ما کجا رفت؟ کجا شد؟ چرا شد؟» و عربده‌کشان به دنبال پـدر بـه هـرحجره‌ای سرکشید. به جز او و مولانا کسی دیگر را شوق یافتن آن گمشده نبود.

پس از یک سال‌واندی که برمردم آن شهر هزار سال گذشته بود، عاقبت آنچه

را که همه از روز اول آرزویش را داشتند، اتفاق افتاده بود. ظاهراً آفاقی بی‌خبر و شبانه بار از آنجا بربسته و شکرالله که هنوز کار از کار نگذشته، رفته بود. خیلی‌ها پیش‌بینی‌های بدتری کرده بودند از این‌که او خود به آسانی برود. خدا را شکر نه خونی ریخته شد و نه پردهٔ حرمتی دریده شد. قونیه اجر صبر خود را دید و بلا خود به‌خود دفع شد. اما اهل حرم را از ترس برملا شدن راز پنهان‌خانه یارای نگاه کردن به چشم یک‌دیگر نبود. بی‌چارگان براین باور بودند که این ورپریدن حاصلِ دعاها و اوراد فوت‌هائی بوده که آن‌ها شبانه‌روز به سراغ اقوالی می‌فرستادند. چنان نعره‌هایی از حلق خونین مولانا به آسمان می‌رفت که همه برجایشان خشکیده بودند. بعضی‌ها هم از مشاهده‌ی سیلاب اشکی که برچهرهٔ نجیب آقایشان موج می‌زد بی‌اختیار می‌گریستند. او سینه‌چاک و پابرهنه تا جان داشت فریاد کرد و از این حجره به آن حجره، از این‌گذر به‌آن‌گذر و از این بازار به‌آن بازار دوید. غروب مریدانش او را جامه دریده و خون پالا و تمام شده به خانه رساندند؛ خانه‌ای که او و اهل آن را بیش از همه مقصر در فرار معشوق می‌دید؛ خانه‌ای که آرزو می‌کرد ای‌کاش با شمس پا به آن‌جا نگذاشته بود و جهل و تنگ نظری ساکنان آن، عاقبت شاهباز مغرور او را نرانده بود. در عوض او هم خود خوب می‌دانست چه‌گونه انتقام بکشد. پس لب بر خورد و خوراک و سخن فرو بست. اگر خود را پیش پایش به آتش می‌کشیدند، نیم نگاهی هم حرامشان نمی‌کرد. او را دیگر با این حسودان دنی کاری نبود. در خود فرو رفت و در را به روی خلق بست.

قونیه دست از کار کشیده بود. مردم دسته دسته برچهارسوق‌ها ایستاده بودند و هرکس تفسیری داشت. با همهٔ تأثری که به خاطر مولانا قلب شهر را می‌فشرد، بعضی‌ها شربت پخش می‌کردند، عده‌ای حلوا می‌پختند، گروهی نقل و نبات می‌دادند . . .

مژدهٔ بزرگی بود رفتن آفاقی. شهر یک پارچه در غوغا بود. از خود سلطان تا جاروکش روسپی‌خانه خبردار و خوشحال شده بودند و با همپالکی‌های خود شادمانی‌ها می‌کردند. احدی را نمی‌یافتی که به نحوی از ساحر پیری که به شهرشان راه یافته بود، دل‌چرکین نباشد. حال و هوای شهر هرتازه واردی را به‌یاد

جشن‌های افسانه‌ای می‌انداخت. گویی مردم به شکرانهٔ خلاصی شاهزادهٔ شهرشان از چنگ دیو جشن گرفته بودند. در این میان فقط همان شاهزاده‌ی دردانهٔ شهر بود که حال زارش در سوگ دیو دل سنگ را آب می‌کرد. او مانده بود و دوسه تن از یاران نزدیکش: زرکوب قونیه و پسر بزرگش و نومرید جوانش - حسام‌الدین چَلَبی -که به صدق عزاداری می‌کردند و چله‌نشین شده بودند.

شهر از غریبهٔ ناخواسته پرهیخته شده بود و همه امیدوار بودند که عنقریب مولانا یشان غم فراق را به‌فراموشی بسپارد و زایرانش را مثل‌گذشته از مردم‌دوستی و عشق و فضایل و کرامات خود بهره‌ها برساند. دیگر آن توریزی حریص آنجا نبود تا بر در مولانا بنشیند و هرکه را نخواهد، براند و هرکه را بخواهد، بخواند.

علماء و اهل مدرسه امید به تعطیل مجالس رقص و سماع بسته بودند که در قونیه از نان شب‌هم واجب‌تر شده بود. آن‌ها براین گمان بودند که حالا با فرزند سودازده بهاءولد می‌توان به گفت‌وگو نشست وبرسر عقلش آورد. تنها آن آفاقی دوره‌گرد بود که اهل حرف نبود و هرعالمی راکه به مناظره با او برخاسته بود با تیر طعنه‌های تلخ و دشنام‌گونه از پای درانداخته بود. همه معتقد بودند می‌توان وضع را به حال عادی بازگرداند. منتها صبر باید داشت. اما تا کی؟ یک روز، دو روز، یک هفته، دو هفته، یک ماه و دوماه گذشت و مولانا حاضر به دیدار و گفت‌وگو با احدی نشد. با اصرار و التماس پسر محبوبش، تنها به خوردن نان خشکیدهٔ تریت شده در ماست ترش تن داد. لباس عزا دربر کرده بود و تنهای تنها، شب و روز می‌رقصید و می‌چرخید و در مدح معشوق گریزپا عاشقانه‌های ناب می‌سرود؛ به‌ویژه پس از رسیدن نامه‌ای بی‌نشان از یار که در آن مؤکداً به احتراز از خلق توصیه شده بود. اگر به اندک کسانی که برخلوتش راه داشتند، نگاه می‌کرد نیز نمی‌دیدشان. خودش تنها بود، گویی او را با بیرون و بیرونیان نه کار بود، نه حرف و نه رشتهٔ پیوندی. آتشکده‌ای ساخته بود از اشتیاق خویش جسم سوخته‌اش همه روزه آن‌قدر در طوافش پای می‌کوبید و می‌سرائید و می‌خواند تا که از پا درافتد.

نگرانی‌ها دوباره اندک اندک بالا گرفت. بیم از دست رفتن آن نور چشم هرلحظه قوت بیش‌تری می‌گرفت. اندامش به نی سوخته‌ای می‌مانست که هر

نسیمی می‌توانست خاکسترش را به تلاشی بکشاند. باید چاره‌ای می‌اندیشیدند. در حرم کار همه شده بود استغفار. درست بود که آن‌ها همه مرگ توریزی را از خدا خواسته بودند، اما نه به آن گرانی؛ نه به قیمت مرگ تدریجی مولای معصوم و محبوبشان؛ نه به قیمت آن همه استیصال و پریشانی. همه دست درکرده بودند و از خداوند طلب بخشایش می‌کردند که ناخواسته باعث آن همه عذاب برای عزیز دلشان شده بودند. کار به جایی کشید که حاضر شدند اگر بدانند آن بلای جانشان کجاست، به دامنش بیاویزند و بازش گردانند تا دیگر آن جان جزغاله از صبح تا شب و از شب تا صبح، خود را بی‌قرار به درودیوار نکوبد. یاران به همه‌ی اطراف پیک گسیل داشتند و هر هزینه‌ای را برای بازگشت او تعهد کردند، اما انگار قطره‌ای آب شده بود در صحرای شن. مولانا از دست می‌رفت و همه، هم خود را و یک‌دیگر را به داشتن تقصیر بیش‌تر متهم و سرزنش می‌کردند. بزرگان شهر هم همه نادم بودند، اگر روزی به تبریزی دندان تیزکرده بودند، یا به قصد کیفر دادنش دست به قبضه برده بودند، یا زیر لب دشنام‌های آب‌دار نثارش کرده بودند، از نتیجهٔ کار بی‌خبر بودند. تا آن روز چنان‌احوالی را نه دیده و نه شنیده بودند. سوز جلال‌الدین بار دیگر شهر را به آتش کشاند این‌بار آتش ندامت. طوری شد که همه حسرت روزهایی را می‌خوردند که مولایشان آرام و محجوب مثل کودکی سیر شیر و راضی پایین پای توریزی می‌نشست و چشم و گوش از او غافل نمی‌داشت. تازه به این درک رسیده بودند که او که به کسی کاری نداشت؛ از کسی چیزی نمی‌خواست؛ بهتر نبود رهایش می‌کردند؟ اگر دیگران به نام او هرزگی می‌کردند گناه او نبود. اما ندامت دیگر فایده‌ای نداشت. در میان همهٔ مریدان خداوندگار، محترفه و گروه فتیان که از همه بیش‌تر با شمس بد بودند، فزون از همه بی‌تابی می‌کردند. اینان به سرکردگی رییس و رهبرشان حسام‌الدین چلبی که دل و دین باختهٔ خداوندگار بود در پی کمک و چاره‌جویی بودند و با آن‌که خود با پیرمرد معارضات جدی داشتند حالا، اهل مدرسه، علما و متشرعین را در فرار او مقصر می‌دانستند و برایشان شاخ وشانه هم می‌کشیدند. روحانیون نیز دیگر نمی‌دانستند باید خوشحال باشند یا نادم. با آن‌که عامل فسق راهش را کشیده و رفته بود، اما غیبتش و دل سوختگی این محمد جلال‌الدینِ

آشوبگر هاله‌ای از مظلومیت و قداست به نام و خاطره‌اش بخشیده بود. آنها خوب می‌دانستند که عوام همیشه مظلوم‌پرست است. در نگاه عوام هرکه به هردلیل، حتی به دست خود زمین بخورد، بیچاره‌ای مظلوم است و هرکه بالای سرش ایستاده باشد، به حتم ظالم است. درستی یا نادرستی این باور نیز اهمیت نداشت. مهم این بود که خلایق ناسازی‌هایشان را با پیر فراموش کرده بودند و اندر مظلومیت و طامات و کراماتش داستان‌ها می‌بافتند. ورق سخت به نفع توریزی برگشته بود. هیچ‌کس نمی‌توانست باور کند که پیر عارف و معلم بزرگ و سالک پارسایی که همه به دنبال نشانی از اویند، همان پیر ملعون و منفورِ چندی پیش شهر است که رفتنش را روزهای متمادی جشن گرفته بودند. معجزهٔ بزرگ عشق رخ نموده بود و این کار آن سوخته و عاشق راستین بود. این سوز خداوندگار بود که جهان را پرکرده بود. شهر چندان در تب انتظار سوخت تا عاقبت خبر رسید که او را در شام دیده‌اند. روز به عصر نکشیده، کاروانی مشتاق با کیسه‌های زر به کاروانسالاری چلبی بهاءالدین روانهٔ شام شد. خداوندگار اصرار داشت خودش برود، اما روزه‌داری ممتد و شب نخوابی‌ها و ملالت‌های دیگر اجازهٔ سفر تا دروازهٔ قونیه را هم به او نداد، تا چه رسد به راه پرآشوب و جنگ‌زدهٔ حلب و شام که هزاران خطر و مشکلات جان‌فرسا پیش‌رو داشت، پسر خلف مولانا، به اصرار و التماس و با قسم به خون و شرف که «تا یار را همراه نکند، باز نگردد»، راهی شد.

هنوز کاروان از پیچ کوچهٔ مدرسه نچرخیده بود که انتظاری خارج از تحمل برنیمه جان مولانا چنگ انداخت: اگر نیاید، چه؟ اگر جوانی خام را به مأموریتی چنین خطیر فرستاده باشم، چه؟ اگر برطبع نازک و زودرنج شمس سنگین آید که خودم نرفته‌ام، چه؟ اگر کیسه‌های زری که همراه کاروان کرده‌ام کفاف ندهد، چه؟ خداوندا مباد که کافران را نیز اسیر این درد هجران و انتظار کنی که مرا کردی! چه‌گونه طاقت بیاورم؟ و کاش تا دور نشده‌اند، خود را برسانم و همراه قافله شوم.

سرو پای برهنه از حجره بیرون دوید، اما هنوز به حوض وضو نرسیده، مثل بوتهٔ گون، پخش زمین شد. چاک‌چاک و خواروزار.

چلبی بهاءالدین زیرک که به خوبی از حال و روز پدر مطلع بود، فرزانگی می‌کرد و هر روز پیکی با هزینهٔ سنگین می‌فرستاد و خبر از پیشرفت کار می‌داد. وقتی که خبر آمد که حضرت شمس را یافته‌اند و راضی‌اش کرده‌اند که بازگردد و مولانا نامهٔ معشوق را حاوی سلام و ابراز شرمندگی از زیادی وجهی که خداوندگار ارزانی داشته است، با انگشتان خود لمس کرد و برچشم گذاشت، اندکی آرام گرفت؛ و باز از همان لحظه به دقیقه شماری نشست، اما دیگر نه با هول و هراس، که این بار زمین و آسمان‌ها نوید وصل می‌دادند.

البته که انتظار خود بسی سخت بود، اما نه به سختی سه ماهی که گوشت و پوستش را چون برگی سوخته برآورده بود و استخوانش را خاکستری توتیایی. درد فراغ کجا و انتظار وصل کجا؟ شرمسار از آنچه بردیگران روا داشته بود، همهٔ وقت را یا به عذرخواهی و دلداری و شُکر از معشوق اصلی و جان جانان برسجاده می‌گذراند، یا چاووشی می‌خواند و می‌چرخید:

آب زنید راه را زان‌که نگار می‌رسد . . .

آب زنید راه را...

عاقبت روز وصل فرا رسید. بیست فرستادهٔ خداوندگار همراه با نور چشمش چلبی بهاءالدین نگار عاشق‌کش گریزپا را به دروازه‌های قونیه رساندند، اما با تحمل هزار ناز و کرشمه که جان جوان را به لب آورده بود. یک بار نیز در حلب ناگهان و بدون مقدمه سرِ مرکب را به جنوب چرخاند و پشیمان از قولی که داده بود می‌خواست همان‌جا رحل اقامت بیفکند که روح از تن جوان گریخت و ده بار مُرد و زنده شد تا توانست او را دوباره راهی شمال کند.

در فاصله‌ای که طلایه‌دار و پیک مخصوص بهاءالدین خبر را به خانهٔ مولانا رساندند تا لحظه‌ای که توفیق وصل دست داد، زیباترین اشعار عاشقانهٔ عالم سروده شد. گویی کلک استاد ازل بود که یک بار و برای همیشه عمق و عظمت شوق عاشقان راستین را در لحظهٔ وصل و وحدت، تصویر می‌کرد. **یک بار، و برای همیشه!** بعدها هرگز هیچ کسی به آن درجه از شور، و هیچ قلمی به آن بلندایِ خیال دست نیازید.

مولانا خود می‌خواست به استقبال معشوق تا دروازه برود، اما از فرط اشتیاق، نه پایش فرمان می‌برد، نه دستش، نه چشمش و نه زبانش. می‌ترسید مست شود، دیوانه شود، و باز آبروها بریزد. او را باکی نبود؛ به حد کفایت آوازهٔ دیوانگی‌اش جهان را انباشته بود، اما به ملاحظهٔ کسانش باید خودداری می‌کرد. باید در خانه منتظر می‌ماند. اصلاً چه‌گونه می‌توانست نخستین لحظهٔ دیدار را با دیگران تقسیم کند! بگذار همه بروند و او را بردروازه ببینند و بعد به او واش گذارند. هنوز هم باور نداشت که واقعاً وصلی در کار باشد. خوشبختی همواره با

ناباوری همنواست.

آخر آن‌طور که او پیرش را می‌شناخت، آن روح لجوج و دیرآشنا، آن عصیانگر به زمین و آسمان، آن یاغی زمان و فراری دوران، اگر از بامی می‌پرید، برای همیشه می‌پرید. بازگشت ممکن نمی‌نمود. باز باخود می‌گفت: همهٔ بام‌ها که بام خداوندگار نبوده‌اند. این صیاد خود نیز صید این دام است. پایش گیر است. این‌جا صید و صیاد یکی شده‌اند، رهایی نیست، باز می‌گردد. باز گشته است. همین حالا فقط به پرتاب یک تیر با من فاصله دارد. آن‌گاه به سمت در می‌دوید. نفسش به شماره می‌افتاد. زار دستش را به چهارچوب در می‌گیراند تا او را درخودداری یاری دهد. دیگر دعا هم برایش کاری نمی‌کرد. بی‌قرار بود، بی‌قرار. چه شد آن همه ریاضت‌ها که در مهار نفس کشیده بود. چرا دیگر هیچ چیز آرامش نمی‌کرد.

همهٔ اهل قونیه به دروازه بزرگ به استقبال شمس پرنده رفته بود. پرنده‌ای که با هزار ناز و نوازش و نذر و نیاز به آشیانه باز می‌گشت. وقتی در حلب زیر قولش زده بود و می‌خواست همان‌جا بماند، بهاءالدین او را به مرگ خود و مرگ پدرش ـ که در صورت باز نگشتن او امری محتمل و شاید محتوم می‌بود ـ قسم‌ها داده بود و نازها کشیده بود و شرح نیازها کرده بود و دانه پاشیده بود و مریدی‌ها پذیرفته و غلامی‌ها کرده بود تا او را دوباره همراه خود به آن‌جا کشیده بود. آن‌طور که حتی شمس نیز ـ دور از انتظار و به‌رغم عادت خود ـ در خجالت او مانده بود و از او تمجیدها کرده بود. اطراف دروازه معرکه‌ای ساکت برپا بود. همهٔ مردان قونیه ـ بعضی به خاطر کنجکاوی، بعضی برای اثبات بی‌طرفی و توجیه این‌که آن‌ها بانی هجرت تلخ او نبوده‌اند، اما عمدتاً به عشق خداوندگار و برای سهیم بودن در شادی عظیم او ـ آن روز از صبح زود زیر آفتاب کمرنگی که به دشت‌های اطراف رنگی وهم‌آمیز و غیرواقعی می‌دادند، به انتظار ایستاده بودند. مِه از سطح زمین بالا می‌رفت و این‌جاوآن‌جا برشاخ درختی، چند برگِ اکرایی رنگ با باد می‌رقصیدند. آن جماعت، و آن همه سکوت. آن‌جا چشم‌ها به جای زبان‌ها حرف می‌زدند.

سواد کاروان به‌تدریج روشنی می‌گرفت. فتیان و محترفه که بیش از همه

برای شمس شاخ‌وشانه کشیده بودند حال بیش از دیگران نیز بی‌قرار شده بودند، طاقت ایستادن نیاوردند. ناگهان همه نعره‌زنان و سینه‌چاک به استقبال شتافتند. شاید اگر پیرمرد آن‌ها را می‌دید از ترس جان واپس می‌گریخت. مثل این بود که می‌خواهند صید گریزپای مولایشان را دست و پا بسته تسلیمش دارند تا هرچه زودتر جان پاکش را از عذاب هجر خلاصی دهند. دروازهٔ بزرگ قونیه بعدها نیز دیگر شاهد استقبالی چنان مشتاقانه، پرشکوه و خالصانه نبود. پیش‌تر هم ندیده بود. شمس را برسردست به خانه‌ی خداوندگار بردند. تمامی استقبال‌کنندگان خود را دعوت شده می‌دانستند. هیچ‌کس منتظر رخصت نماند. همه فقط یک خواسته داشتند و آن، مشاهدهٔ حال خداوندگار در لحظهٔ بزرگ وصل بود. هیچ‌کس نمی‌دانست که اگر کار به خود عاشق و معشوق واگذاشته می‌شد، نصف عمرشان را هم می‌دادند تا در قلب بیابانی تهی، یا بر زورقی گم بوده در آبی ناشناخته، اما خالی از اغیار و فارغ از هیجان آنی عوام و شوق کاذب آن قوم ریایی، شربت وصل بنوشند.

شمس را جلو در مدرسه برزمین گذاشتند، درحالی‌که همه با نوای چنگ و چغانه و دهل چهل گروه قوّالِ معروف قونیه، سرودهای چندماههٔ آخر خداوندگار را چرخ‌زنان و بر سینه‌کوبان، از بُن دل می‌خواندند. زمین و آسمان را شوری سرگیجه‌آور پرکرده بود. شمس برددی نگریست که چندی پیش نیمه‌شبان از آن گریخته بود و باز همان لبخند کج و زیرکانه برکنج لبش نقش بست. دوباره دست بسته بازش آورده بودند. گویی اختیاری‌ش برای گریختن نبود. در همان لحظه یقین کرد که تقدیری راه برگریزش بسته است. به نشان تسلیم بر ارادهٔ حضرت دوست به آسمان نگریست؛ و ناگهان شاهین نگاهش در بازگشت، برفراز بام، و در میان خیل دشمنانِ حرم‌نشینِ روزهای نخست که اینک از پشت برقع و بعضی حتی با روی باز برایش امواج مهربانانه می‌فرستادند، از نو در ثانیه‌ای غفلت از حجاب برگردن بلورین بچه کبوتری قرار یافت که چشمان دریارنگش باری دیگر نیز نفسش را به بند خوانده بودند. خون در رگهایش متوقف و لبخند از لبش محو شد. اگر راهی‌ش می‌بود، می‌گریخت. آفاق را گشته بود و خاکِ تُرک و هندو و ترسا و مسلمان را در توبرهٔ کرده بود، اما هرگز هیچ چیز قلبش را چنان

نلرزانده بودند. آن چشمانی که در همهٔ روزهای اقامتش در آن‌سرا، حتی درگریزگاهش، یا هنگام بازگشتش، مثل مغولانی آخته‌تیغ بی‌هوا برذهنش تاخته بودند و او آن‌ها را به قهقرا رانده بود، حال دوباره نه در خیال، که زنده و در صحنه داشتند از فراز بام بنیادش را به آتش می‌کشیدند.باز چشمان ترسیده‌اش را بر آسمان رنگ‌پریده دوخت و گله سرداد. ای آن‌که سخت انتقام گیرنده‌ای، می‌دانم این کیفر پرسش است! می‌گویی «کلمینی یا حُمِیْرا» راکه یک عمر نفهمیدی، باش تا تو را بفهمانم. فارغ از غوغای محیط و مبهوت در حیلت دوست چشم از آسمان نمی‌توانست برگرفتن که ناگهان نعرهٔ شیر نری او را به خود آورد و در لحظه، خداوندگار چنان در آغوش فشردش که شاید اگر مولانا خود از رنج و تعب سه ماهه نیمه‌جان نشده بود، استخوان‌های پیرمرد درهم می‌شکست. عربده‌ها آسمان‌سای شدند. هرکه از هوش می‌رفت زیردست‌وپا توتیا بود. مطرب‌ها جانشان را در سازهایشان دمیدند. هرکه را آن چشم بود که فرشته‌ها را ببیند، می‌دیدشان که دست در گردن و بال‌بربال می‌رقصند. زمین و زمان درکار این عشق بود. همه‌جا و همه‌چیز **این عشق** بود و **این عشق** همه‌چیز و همه جا بود.

بیش از یک هفته شهر در تب و تاب بازگشتِ حضرت شمس به آغوش **این عشق** می‌تپید. بازار را آذین بستند. گویی شهزاده‌ای از جنگ دیوِ دوسر بازگشته است. اعیان اطعام می‌کردند؛ کسبه شربت می‌نوشاندند؛ مطربان برسر کوی و برزن می‌نواختند. بزم‌ها برپا بود و همه‌جا شعر بود و شور و سماع و قوّالی. فقیر و غنی، خاص و عام، زن و مرد، زاهد و روسپی می‌خواستند در شادی عظیم خداوندگار سهیم باشند. عظمت واقعه برای مولاناکه به راستی خداوندگار شهر بود، به آن درجه از قوت و قدرت بود که بار دیگر به‌سان تندر به یک‌باره همهٔ آن دیار را در هیبت و نور خیره‌کنندهٔ خود فرو برده بود. و اما در میان آن جمعِ مشغول فقط دو نفر غایب از میانه بودند: شمس پرنده و علاءالدین مغضوب. شمس نمی‌دانست چرا حضرت دوست با او به مزاح درآمده و در پی آن همه کفّ نفس و گسستن همهٔ بندهای تعلق ـ یکی پس از دیگری ـ و رسیدن به اقیانوس آرام و بی‌کران رهایی، جان سرگشته و خسته‌اش را در چاه عمیق و آبیِ

زلال و نگاهی وحشی، یوسف‌وار به بند کشیده بود. هرگاه ادب که او در برابر هیچ‌کس ـ مگر خداوندگار ـ خود را ملزم به رعایت آن نمی‌دید اجازه می‌داد به گوشه‌ای خلوت می‌خزید تا شاید بتواند تکلیفش را با خودش یکسره کند ـ سرش را از تن برمی‌داشت و با پتک آن‌قدر برآن می‌کوبید تا از آن سودا رهایی یابد، اما بی‌فایده.

عجب به‌موقع از دام گریخته بود و عجب آسان دست بسته بازش آورده بودند و با همهٔ غرور و وجه کبریایی، عجب ناچیز و درمانده‌اش کرده بودند. پس چیست حاصل آن همه ریاضت و سلوک؟ آن همه درس و بحث؟ آن همه قیام و عصیان؟ آن همه قهر و پرهیز؟ آن همه دربه‌دری در جست‌وجوی دوست؟ درست آن دم که با اطمینان از وصل محبوب و شمول مرحمت او سر برآسمان می‌سایید، چه‌گونه به‌سان آهو بچه‌ای اسیر چنگال ببر هوس شده بود واین اگر شرم‌آور نبود، دیر که به حتم بود! هوس دیدن او از فاصله‌ی نزدیک؛ دیدن او در خلوت خودش؛ نوازش پوست گرمش با سرپنجه‌های ترنجیده و پر تَرَک. جذب شدن در آن کمالِ آفرینش وآفریدهٔ احسن‌الخالقین! چه هوس کشنده‌ای! او آن‌جا در وجود آن کودک، اتحاد آفریننده و آفریده را می‌دید. هم همین سودا بود که او را مثل گردابی در خود می‌پیچاند و به خود می‌کشید. خدا او را از درون آن چشمان نگریسته بود و جان خسته‌اش را یک باره مجذوب خود کرده بود، حل کرده بود و به فنا رسانده بود. مستأصل بود، مستأصل هم می‌اندیشید. مگر چه می‌شد اگر او آن دریچه راکه به سمت خدا باز می‌شد، تصاحب می‌کرد؟ پیر بود که بود، او را با آن وجودکاری نبودکه پیری و جوانی‌اش دخیل باشد. او باید آن آفریده را درکنار می‌کشید. باید او را از آن خود می‌کرد. می‌توانست که حضرت دوست حتی او را خاص وی آفریده باشد؛ وگرنه چرا از نو به اسارتش باز گردانده بود و از چه بود که در نخستین لحظه‌های بازگشت، آن چشمان را به رهزنیَ دلش گمارده بود. همین است. او از ازل از آنِ وی بوده است و بی‌هیچ قباحتی یا منکری یا معصیتی می‌تواند با او باشد. چرا که نه؟ کدام شرع، کدام عرف، کدام قانون یا کدام سنت، در این کار قایل به منعی بود؟ چرا خود را بی‌جهت عذاب می‌دهد؟ چه‌قدر فرار؟ چه قدر دربه‌دری؟ تا به کیْ سرگردانی؟ تا

به کیْ روزه‌داری؟ تا به کیْ سرکوب دل؟ چرا و تا کیْ؟ او این یک بار را با خود مهربان خواهد بود. حق خود را از روزگار خواهد طلبید. حقی که دستان سرنوشت گوئی خیال تقدیم دارد، فقط باید فرصتی می‌یافت که صحبت را با خداوندگار شروع کند. با همهٔ جسارت و بی‌پروایی نمی‌دانست باید از کجا آغاز کرد. بارها وقتی هر دو تنها شده بودند، دل به دریا زده بود؛ اما باز نوعی شرم که برایش حالتی تازه و ناشناخته بود مانع کار شده بود. آخر او خیلی وقت بود که شصت را پشت سر گذاشته بود. حسابش را درست نمی‌دانست؛ زیرا باوری از زمان و گذشت و جای‌پایش نداشت. در این خیال بود که زمان برای او ساکن است. اصلاً او را با زمان کاری نبود. لیکن به تازگی درآینه پیر فرتوتی را کشف کرده بود که با سرزنش در او خیره می‌شد، حتی این هم چیزی نبود که فکرش را مشغول کند. اگر سودایی در سر نمی‌داشت، عمری رها از همه‌ی این دل مشغولی‌ها زیسته بود. اکنون مسئله چیز دیگری بود. چه‌طور با آن وجنات برود نزد بزرگ‌مردی که او را نور خدا می‌پندارد، بنشیند و دهان باز کند و بگوید: آقا، همان موقع که شما در مدح معصومیت و الوهیّت و قداست من مدیحه می‌سرودید، من در خیال با دختر خواندهٔ شما دست بازی می‌کردم.

یادش آمد که روزی برای سنجیدن درجهٔ خلوص و خودباختگی و رهایی از انانیّت از آن مفتی قدیم، حرمش را خواسته بود و خداوندگارِ دل و دین‌باخته که همهٔ الماس‌های جهان به گَرد خلوصش نمی‌رسند، پیشکش کرده بود. آن روز خندیده بود و گفته بود مزاح کرده و از سر امتحان بوده است و تیغ‌های غیرتِ قونیه دوباره در نیام شده بودند حالا چه بگوید؟ طعّانه‌ها را چه کند؟ مردم با او چه خواهند کرد؟ تا آن روز همیشه از معرکه‌ها جان به در برده بود، زیرا هیچ‌گاه هیچ چیز برای خود نخواسته بود. اگر بارها به اتهام مال‌دوستی و نیازخواری و کبر و بالا نشینی رنجش داده بودند، عاقبت نیز دیده بودند که همه و همه را به بازی و مضحکه گرفته است؛ با ضعف‌ها و حسادت‌ها و شایعه پراکنی‌هایشان تفریح می‌کند و بی‌صبری و ناچیزی‌هاشان را به رُخشان می‌کشد اما این بار چه بگوید؟ هرچند در آن شهر مردان ـ اعم از پدر، برادر یا شوهر ـ هرچه می‌خواستند برزنان روا می‌داشتند، اما یک نسبت همواره و بی‌بروبرگرد و مد

نظر بود و آن کفو بودن مرد برای زن و زن برای مرد بود. حال این می‌توانست مال باشد، مقام باشد. جوانی باشد. یا یک‌جور صلاح در کار باشد. برای او اما هیچ‌یک از این خبرها نبود. او چگونه می‌توانست کَفوی آن غزال وحشی باشد؟ لب که ترکند، حیثیت برباد است. پس از عمری دربه‌دری و جدال دایمی با نارفیقان، تازه رفیقی یافته بود که از دولتی سرش، قرین عزت و منزلت شده بود و به جا و مکان و آسایشی رسیده بود که لازمهٔ کهولت‌اند. چرا باید کاری نامناسب از او سر می‌زد و همه چیز را به هم می‌ریخت؟ باز صدایی موذی از درونش می‌گفت که همه عمر برای خود زیستی و دل را زیر پا انداختی ولگدکوبان بر آن جهان را به دنبال دوست گشتی، دل دم برنیاورد حال این یک بار و فقط همین یک بار از تو خواهشی دارد. دل آن غزال را می‌خواهد و تو می‌توانی شادمانش کنی، درمانش کنی، مرحمش گذاری، جوانیش بخشی، بیا و این را هم بیازمای. او خوب می‌دانست که در این روزها هیچ‌کس را در شهر یارای سربه‌سر گذاشتن با او نبود و خوب می‌دانست که خداوندگار آسمان را برای او به زمین می‌دوخت. پس معطل چه بود؟ آن همه وسواس برای چه؟ چرا جان تشنه را یک بار هم که شده در آن زندگی دراز از شهدی که رب‌العالمین از آب زمزم هم حلال‌تر می‌دانست، سیراب نمی‌کرد؟ دیری نپایید تا آن‌چه از آن می‌ترسید عاقبت حادث شد و عقل پیر تسلیم دل رسوایش شد فقط باید برای فرصت‌هایی که دست می‌داد گوش به زنگ می‌ماند تا ابتدا موضوع را با مولانا در میان بگذارد، بعد ببیند چه پیش می‌آید.

و اما علاءالدین، آن یکی دیگر غایب از میانه! عجبا از نابکاری زمانه که او نیز می‌باید سرگردان همان وادی می‌بود که شمس بینوا بود. او مثل بسیاری کسان دیگر آرامیدن لاشخور نگاه پیرمرد را بر چهرهٔ محبوبش دیده بود، آن هم برای دومین بار؛ و شاهد خاموش و متعجب و گیجِ جشنوارهٔ گناه‌آلود پدر و شمس و بهاءالدین و مردم ریاکار قونیه بود و دایم با خود می‌گفت، عجب صبری دارد خدا! هیچ سر درنمی‌آورد که آن بلای جان، آن کولی بی‌اخلاق، آن مایهٔ رسوایی خاندان بهاء ولد چرا باید باز می‌گشت. آن همه او در پی رفتنش شکرگزار درگاه خداوند شده بود، حالا چرا می‌آمد و دوباره همان رسوایی‌ها،

همان معصیت‌ها، همان بی‌خبری‌ها را از سر می‌گرفت؟ چه‌طور مردم شهر که چند ماه پیش، همه در برابر آن آفاقی به پا خاسته بودند و قصد جانش را کرده بودند، حالا او را مثل بت سومنات روی دست به این سو وآن‌سو می‌بردند! حتی طالب علمان مدرسه هم که شاگردان خودش بودند، دیگر داشتند از دست می‌رفتند. شاید به واقع آخر زمان نزدیک بود که دنیا پر از گناه شده بود و معصیت به یمن وجود آن آفاقی قبحش را از دست داده بود. او می‌دانست که در گذشته هم قونیه شاهد مجالس عیش و رقص و پایکوبی بوده است، ولی فقط در میان جهودان و مجوسان و ترسایان، یا در میان خراباتی‌ها و اهل بعضی خانقاه‌ها. اما در مجالس بزرگان که به مناسبت‌های نیک برگزار می‌شد، حداکثر قوّالان مؤمن با اشعار گزیده شرکت می‌کردند و از دایرهٔ نی و دف هم فراتر نمی‌رفتند. او هیچ‌گاه قبل از ورود آن دوره گرد، رقصیدن و چرخیدن و پایکوبی و عربده‌کشی و از خود بی‌خود شدن را در مجالس و مناسبت‌های خانوادگی و میان دوستان و نزدیکان ـ که همگی از معتبرین و سرکردگان قونیه بودند ـ نه دیده و نه شنیده بود. حالا هر شب و روز آواز موسیقی به آسمان بود و مجلس چرخ و رقص و سماع در هر خانه و برهر چهارسوق برگزار بود و دیگر کسی حتی از متولیان دین و شریعت هم کلامی به اعتراض نمی‌گفت و آنچه او را بیش از همه رنج می‌داد، تغییر وضع در داخل خانه و حرم بود که انتظار می‌رفت در کارزار رسوایی‌ها هم چنان پناهگاه او باقی ماند. بعد از رفتن غریبه و بدحالی و بی‌قراری پدرش، اهل حرم نذرها پذیرفته بودند و توبه‌ها کرده بودند که اگر وی بازگردد، حتی در خیال هم با وی کلنجار نروند. هرکس خود را به نحوی سرزنش می‌کرد و همه هر روز هرچه دعا و ورد و تسبیح بلد بودند، روانه می‌کردند تا مگر آن لولی صفت گریزپا به تیر ندامت و تأسف‌شان گرفتار آید، نرم شود و هرچه زودتر باز گردد. بیچاره‌ها که از انزجار عموم و دشنام‌ها و تهدیدات مردمِ کوچه و بازار کم‌تر خبر داشتند، خود را مقصر اصلی فاجعه می‌دانستند و می‌پنداشتند که چون هیچ‌گاه توصیه‌های همیشگی خداوندگار و تلاش فراسالهٔ بهاءالدین به قصد ایجاد محبوبیت و احترام برای غریبه در داخل حرم به بار ننشسته، او رنجیده و از آن خانه رفته است. با این‌که هرگز در حضور خداوندگار

اشاره‌ای یا گلایه‌ای به صراحت برضد پیرمرد بروز نداده بودند، همین‌قدر می‌دانستند که در سکوت‌شان، پسِ چهره‌های ناراضیِ آن روزها یک دنیا حرف نهفته بوده است و از غضب تندرآسای خداوندگار پس از جلای شمس دیگر براین باور قطعی بودند که آنچه پیش آمده تقصیر آن‌هاست و فقط باید در اندیشهٔ جبران باشند. از این‌رو دیگر حاضر به شنیدن تلقینات و گله‌گزاری‌های علاءالدین نبودند و وقتی او به حرم می‌رفت، برخلاف گذشته هرکس به بهانه‌ای کناره می‌گرفت و کسی را میلِ مصاحبت او نبود، مگر کیمیاخاتون که اگرچه هرگز نمی‌توانست از حدی بیش‌تر به‌او نزدیک شود، اما تنها بهانهٔ زندگی ویگانه تسلی‌بخش‌دل تنهایش، نگاه‌های همدلانهٔ او بود. او وقتی دیده بود که زن‌ها ـ از کرای بزرگ تاکنیزک ـ از شنیدن خبر بازگشت غریبه اشک شوق می‌ریزند و خود را برای استقبال از او آماده می‌کنند، حتی باورش به چشمانش را نیز از دست داده بود. چه‌طور آدم‌ها می‌توانستند آن همه ساده‌لوح باشند. آن غریبه ـ هرکه و هرچه بود ـ راه سِحر کردن آدم‌ها را خوب می‌شناخت. روز بعد از ورود شمس، وقتی به حرم رفته و شور و حال همگانی را دیده بود، از فریفته شدن زن‌ها خشمی سوزاننده در درونش زبانه کشیده بود و باز ناگهان یاد آن نگاه پرمعصیت که میخکوب چهرهٔ پاک محبوبه‌اش مانده بود افتاد و وسوسه‌های درونش قوت گرفته بود. افکاری شوم قرار از او ربوده بودند. ندایی در درونش می‌گفت اتفاقی ننگین در شرف وقوع بود. از این‌که آن همه به آن ضعیفه‌های ساده‌لوح اعتماد کرده و آن‌ها را به مشورت خوانده بود، از خودش شرم داشت. بی‌خود نبود که خداوند شهادت آن‌ها را به تنهایی قبول نداشت. آن‌ها به سادگی فریب می‌خوردند و همه چیز را فراموش می‌کردند. چه‌گونه آن‌ها به این سرعت تغییر عقیده داده بودند و یادشان رفته بود که این مرد چه برسر حیثیت خانوادهٔ آن‌ها آورده و چه‌گونه از پدرِ عالم و یگانهٔ او مردی شیدایی ساخته که ریشش بازیچهٔ کودکان سر بازار شده است؟ او این درد را به کجا می‌توانست ببرد؟ از وقتی برادر بزرگش دختری را کابین کرده بود، وسوسه‌ای که مدت‌ها در ذهنش خارخار می‌کرد قوت گرفته بود. شاید وقت آن رسیده بود که او هم برای خود فکری کند و پس از آن همه غربت و رنج وانزوا مونسی برای دل تنهایش بجوید که این

اواخر عرض اندامی هم می‌کرد و گاه چنان پرده‌در می‌شد که می‌توانست آبرویش را نیز بریزد و حاصل همهٔ پارسایی و پرهیز از منکر و گناه را یک‌باره برباد دهد. چه باید می‌کرد باتپش‌های وحشیانه‌اش که گاه از پس سینه و تن‌پوش هم محسوس بود و بعد هم سرخ شدن و گر گرفتن و بی‌خوابی و رؤیاهای خجالت‌آور! باید فکری برای خودش می‌کرد و حسابش را از همهٔ آن دیگران جدا می‌کرد. فقط ابداً جرأت ابراز آنچه راکه ماه‌ها فکرش را به خود مشغول کرده بود، نداشت. بارها تصمیم گرفته بود که به کراماناخاتون ـ که او را بزرگ کرده بود و درحقش مثل یک مادر عشق ورزیده بود ـ اشاره‌ای کند، اما حیا اجازه نداده بود. گاهی هم فکر می‌کرد خود کرامانا همه چیز را می‌داند و عمداً از صحبت با او طفره می‌رود. با اخلاق مادربزرگش هم آشنایی داشت و می‌دانست اگر تصادفاً کوچک‌ترین مخالفتی از جانب او در میان بیاید، چنان جنجالی به پا می‌کند که دیگر رفت و آمدش نیز به حرم غیرممکن می‌شود. مصاحبت پدر نیز از محاسبات او بیرون بود؛ به ویژه آن روزها که شاید اصلاً حوصله یا تحمل شنیدن حرف‌های پسری را که چندان خلف نمی‌نمود، نداشت. البته اوضاع همیشه همان‌طور نمی‌ماند. عاقبت روزی با برسر عقل آمدن پدرش، ان‌شاءالله در آینده شرایط به نفع او می‌چرخید. فقط باید منتظر فرصتی مقتضی برای طرح خواسته‌اش می‌ماند و حتی خیالش را هم غل و زنجیر می‌کرد و برهدف مهم زندگی‌اش که کسب مرتبهٔ فقاهت بود متمرکز می‌شد. همیشه آرزو می‌داشت سجاده‌نشین پدر و پدر بزرگ باشد. عمری در این راه تلاش کرده بود. اما می‌رفت که نارضایی پدر او را از این افتخار بزرگ محروم کند، خاصه با بازگشت پیرمرد که داشت همهٔ آرزوهایش نقش برآب می‌شد. پدر علاوه بر این که دیگر فرصتی یا رغبتی برای پرداختن به امور او و مدرسه را نداشت، به تبعِ نفرت لاعلاج او نسبت به آن غریبه حتی حاضر به پذیرفتنش هم نبود؛ پس چه‌گونه می‌توانست امید داشته باشد که سجاده‌نشین رسمی پدری شود که خود به احتمال قریب به یقین رفته رفته داشت مشروعیتش را از دست می‌داد. اگر کاسهٔ صبر علما لبریز می‌شد، صدور حکم ارتداد یا بدعت برایش قطعی بود. دلش شور می‌زد و نمی‌دانست آیا نگران مقام علمی و آیندهٔ خود است، یا وضع پدر، یا موهومی

دیگر. سخت‌تر از همهٔ این‌ها اینکه آیندهٔ خود را در گرو توجه بزرگ‌ترهایی می‌دید که شاید حتی آخرین دغدغه‌هایشان هم گرفتاری‌ها و غم وغصه‌های او نباشد. می‌دید که همه در هوای شمس‌اند. حتی حرم نیز که تنها پناهگاهش بود به تصرف آن یاغی درآمده بود. به وضوح می‌دید که همه از سرِ راهش می‌گریزند. دیگر هیچ‌کس نمی‌خواست گلایه‌های او را بشنود؛ حتی کیمیاخاتون محبوبش نیز که همیشه با حوصله به حرف‌هایش گوش می‌داد و هم‌دردی نشان می‌داد، سر به هوا شده بود. آشکارا محسوس بود که غرق در هیجان بازگشت غریبه است. وقتی می‌پاییدش که چه‌گونه با لب‌های گل‌انداخته از صحنه‌ای سخن می‌راند که او برفراز بام مدرسه آن را دیده بود واین‌که شمس حتی چند ثانیه به او خیره شده و گویا تنها او را در میان آن همه زن شناخته و تنها به او سلام داده است، آن هم به طریقی‌که همهٔ مردم پایین و بالای بام آن را دریافته‌اند، برقِ غیرت جانش را می‌سوخت و خشم، مثل ماری کور و سیاه به درون رگ‌هایش می‌خزید. در این لحظات بود که دست‌هایش را درون جیب‌های ردا چنگ می‌کرد تا مبادا آنچه که نباید از آن‌ها سر زند. اگر کیمیا خواهر واقعی یا همسر او می‌بود و اگر او را این همه دوست نمی‌داشت و اگر وجود بارفتنی‌اش آن همه ظریف و شکننده نمی‌بود، دهانش را پر از خون می‌کرد که دیگر جرأت نکند در حضور او با این همهٔ هیجان از آن موجود مفتضح حرف بزند. در واقع همهٔ آرامش و متانتش را از دست داده بود. قبل از رفتن غریبه هم از او همین قدر نفرت داشت، ولی دلش نمی‌جوشید و مطمئن بود که از پس او برخواهد آمد. اطمینان داشت که روزی به کمک دوستان واقعی پدرش و نیز به‌یاری وعاظ و فقهای قونیه شرّ او راکم خواهد کرد. اما همه چیز یک باره به هم ریخته و تغییر کرده بود. دیگر هیچ دورنمایی برای دفع شر نمی‌دید. خاصه این‌که او پس از بازگشت دیگر در حریم حرم سکنی گزیده بود و می‌رفت که حتی در خیروشر و مسائل خانوادگی نیز طرف مشورت پدرش باشد. با چشمان خود می‌دید که دوره‌گردی بی‌سروپا در خانه که محارم و نوامیس او سکنی داشتند مثل آشنایی محرم رفت و آمد می‌کند، درحالی‌که شیخ محمد خادم مدرسه هم، با آن‌که همه هفتاد سال عمرش را در حرم گذرانده بود، چنان جرأتی نداشت. دیگر هیچ چیز

نمی‌توانست به او آرامش دهد. مثل غریقی بود که در مرداب با هر دست و پا زدن بیش‌تر فرو رود. باید هرچه زودتر موضوعی را که مدت‌ها به آن فکر کرده بود با کراخاتون و پدرش در میان می‌گذاشت. به هر قیمتی شده بود باید فرصتی پیدا می‌کرد و تکلیفش را روشن می‌کرد. بعد هم اگر وضع به همان منوال ادامه پیدا می‌کرد می‌توانست مثل پدر بزرگش دست زن و بچه‌اش را بگیرد و از آن شهر به جایی دیگر که این همه کفر آن را نگرفته باشد مثل شام یا حلب مهاجرت کند و آن بی‌خبران را به حال خودشان واگذارد.

سرانجام روزی هرچه جرأت داشت جمع کرد و از کراخاتون خــواست تــا ترتیبی دهد که شبی در خدمت حضرت پدر و او مسأله‌ای عاجل و مهم را مطرح کند. از برقی که در چشمان بی‌حال و دردکشیدهٔ کراخاتون درخشید، پنداشت او می‌داند موضوع از چه قرار است. از این‌که احساس کرد تا بناگوشش سرخ شده است از خودش بدش آمد. چرا هرگاه به او می‌اندیشید مثل بوقلمون رنگارنگ می‌شد؟ باید کار را یکسره می‌کرد. بــاید بــر تمام بیچارگی‌هایش نقطهٔ پایانی می‌گذاشت. دست او را بگیرد و با هم بــه گــوشه‌ای دیگری از دنیا بــروند. او سلطان‌المدرسین قونیه بود و دنیایی از افتخارات خانوادگی را به دنبال می‌کشید. می‌توانست ستاره تابان هر یک از مدارس روم و بغداد و ایران باشد و زندگی تازه‌ای را آغاز کند. همین فکر قلب جوانش را مملو از سرور و امید کرد. رفت و در انتظار کراخاتون نشست تا برایش مادری کند و از ته ماندهٔ عزتی که نزد شوی دارد بهره جوید و به رغم غضب پدر دیدارش را میسر کند، مگر ان‌شاءالله گره از کار بسته‌اش گشوده شود.

هیچ نمی‌دانست که این دنیا و هرچه که در آن است از آنِ آفریدگان جسوری‌ست که چنگ می‌اندازند برای آنچه که می‌خواهند و نه آنان که به انتظار دیگران می‌نشینند، اعم از نبات و حیوان و انسان. این بقیه را فقط، مانده‌خواری اقویا می‌ماند و حسرت و بخل و مرثیه.

کیمیا و سعادت

هوا خیلی سرد بود. هنوز پاییز تمام نشده گاه برف می‌بارید. روزها بد رنگ بودند، خاکستری و سرد. پیرترها زمستان سختی را پیش‌بینی می‌کردند، از آن زمستان‌ها که غربتی‌ها توی خیابان‌ها بغل به بغل با سگ و گربه‌ها یخ می‌زدند. می‌گفتند تا وقتی بهار بیاید، قبرستان شهر مهمان‌پذیر پدر بزرگ‌ها و مادر بزرگ‌های زیادی خواهند بود. وقتی به مامی پیر که لرزش بدنش چند برابر شده بود می‌نگریستم، فکر می‌کردم هرکس هم دوام بیاورد، او این زمستان دیگر رفتنی است. خودش اما اصلاً در این باور نبود و برای ذالحجهِ آینده طرح سفر به مکه را می‌ریخت و من نمی‌توانستم پنهانی نخندم. چه‌طور او نمی‌فهمید که همین زمستان خواهد مرد؟ به غیر از او یک پیر دیگر هم بود که همه آرزو می‌کردند زمستانِ سختِ آینده او را ببرد تا خانواده ما روی آسایش ببینند. نزدیک به دو سال بود که حضورش همه چیز را به هم ریخته بود. خانه و خانوادهٔ ما از یک مجموعه‌ی اصیل و احترام برانگیز و سرمشق و گل سرسبد شهر به رسواکده‌ای مبدل شده بود که هرکس حق داشت هر داستانی که می‌خواهد درباره‌اش سرهم کند و روز بعد همان داستان سرهرگذر بی‌محابا نقل شود. خانه‌ای که روزگاری بزرگی از درش نمی‌گذشت بی‌آن که سری به احترام فرود آورد. حال از این صبح تا صبح بعد محل تردد اگرنه اوباش، دست‌کم پایین‌ترین طبقات شهر و روستاهای شام شده بود که بیش‌ترشان بویی هم از آداب نبرده بودند و اغلب فضولی و کنجکاوی خود را با بهانهٔ مریدی و فیض بردن ارضا می‌کردند. و روزی هم نبود که جنجالی برسر نیازِ ورودی برپا نشود. تمام

کوچه‌های اطراف خانه مملو از آدم بود و بیش‌تر شب‌ها از شبستان مدرسه که دیگر سماع خانه شده بود صدای مطربان تا سحر گوش فلک را کر می‌کرد. البته اعتراف می‌کنم که من نیز هرگاه که نیمه‌شبان از صدای عربده‌ای از خواب می‌پریدم، حاضر بودم چند سال از عمرم را بدهم تا ساعتی هم که شده در زمرهٔ جمعی باشم که از هلهله‌های شادمانه‌شان در دل شب برمی‌آمد که با نوای موسیقی عالمی دیگر را سیر می‌کنند که در آن اعتنایی و ملاحظه‌ای از همهٔ آنچه اینجا روح مچاله ما را می‌آزارد وجود نداشت.

ساختمان زاویه که روزگاری آشیانه‌ی عشق خداوندگار و مادرم بود، حالا خلوتکدهٔ شمس و خداوندگار بود و غالباً وقتی آن دو به خلوت می‌نشستند نه مادرم را آن‌جا راهی بود و نه هیچ‌کس دیگر را. مادرم اسکلت متحرکی بیش نبود و نه تنها نورالدین ملکه و امیرعالم را شیر نمی‌داد، بلکه حتی اشتیاقِ به آغوش کشیدنشان را هم از دست داده بود. بیش‌تر اوقات روی شیر سنگی کنار حوض می‌نشست و به انگشتان بلند و عاج گونش خیره می‌شد. دلم می‌خواست بدانم به چه فکر می‌کند. حدس می‌زدم دنبال چاره‌ای می‌گردد. در آن بیچارگی که دو سال بود گریبانش را می‌فشرد، دیگر بازشناختنی نبود. آن کراخاتون همسر و محبوبه ملای روم، یا نه، بیوهٔ جوان و جمیله و متعیّن محمد شاه ایرانی دیگر مرده بود و به جایش یک ضعیفهٔ رنگ‌پریده و رها شده می‌زیست که شوی محبوبش شیدایی‌ِ مسافری غریبه و مرموز شده و به یک‌باره فرزندان و حرم و مشکلات و نیازهای خانه را که هیچ، آبرو و حیثیت را نیز پوچ انگاشته بود و لحظه‌ای رخصت هم نمی‌داد تا اگر نه خواهشی، دست‌کم سخنی به درد دل میانشان برود. مرد ذوب در پیر پشمینه‌پوش بود و زن اگرچه در روزهای اول امید رفتن غریبه را در سر می‌پروراند، پس از غیبت ناگهانی او، تجربهٔ آنچه برسر شوی دلبندش آمده بود، مانع از آن می‌شد که حتی برای مردن یا رفتن او دعایی کند یا حتی آه سردی اگرچه پنهانی روانه دارد. از همه بدتر این‌که پس از بازگشت پیرمرد و فروکش کردن تبی که حرم را دربر گرفته بود، وضع بیش از پیش رو به وخامت گذاشته بود. ذخیرهٔ مالی او رو به اتمام بود. دوستان موافق یا مخالف، دست امید شسته و به‌خود رهایشان کرده بودند. اختلاف و نفاق در داخل خانه هر روز اعصاب او را که دیگر تنها اداره‌کنندهٔ آن مجموعه بود، بیش‌تر درهم

می‌فشرد. مرد مهربانش که روزی بابای خوب هر شش فرزندانشان بود، دیگر همه را به کلی رها کرده بود و فقط با پسر بزرگش سروکار داشت و تنها او بود که محرم اسرار و ندیم خلوت بود و دیگر هرچه برسراحساسات و عواطف دیگران می‌آمد، خاطر بابا را مشغول نمی‌کرد.

دیدن مادرم که آن روزها تکیده و مات و دل‌مرده روی آن سنگ سرد می‌نشست و وجودی چندان یخ‌زده داشت که سرمای سوزان بیرون را حس نمی‌کرد، چنان غمی به دلم می‌ریخت که بدبختی‌های خودم فراموشم می‌شد. خیلی وقت بود که نگرانی‌های مادرم، بچه‌های کوچک‌تر، علاءالدین، شمس‌الدین، الیاس و حتی اوجی که در این میان تکلیف شده بود و محل ختنه‌اش دوبار چرک‌کرده بود و هرماه یک بار از درد تا دم مرگ می‌رفت، و خبر مرگ غریبانهٔ بی‌بی‌جان که تنهایی و تحقیر را طاقت نیاورده بود، و بی‌تفاوتی دیگران، به خصوص مادرم نسبت به همهٔ این‌ها، مجال پرداختن به خودم را از من گرفته بودند. واقعاً نمی‌دانم اگر آمدورفتِ گرمابخش تنها یاورم، علاءالدین، در حرم از زندگیم حذف می‌شد، چه برسرم می‌آمد. همان چند کلمه احوال‌پرسی روزمره و همان درد دل‌ها و کمک به سرگرم کردن بچه‌ها و توجه به مشکلات روزمره، حتی مهربانی او در حق گربه‌ها، انگیزه‌هایی بودند برای شروع روزی تازه در آن محنتکده متروک. گاهی که دیر می‌کرد، قلبم می‌گرفت و هوای گریه به سرم می‌زد. اگر مطمئن نبودم که همه زیر نظرم دارند، به اتاقم می‌رفتم و در را می‌بستم و زار می‌زدم تا بیاید. وقتی پیکر مردانه‌اش را با شانه‌های قوی و سر مغرور در هلالی دهلیز مدرسه می‌دیدم، دلم آفتابی می‌شد مشتاق برای سبزی و طراوت بخشیدن به همهٔ غم بوته‌هایی که بر شانه‌ی دیوارهای بلند حرم تکیه می‌زدند. هیچ‌کس به اندازهٔ بچه‌ها که حالا به من بیش از مادرم وابسته بودند، از تعلق ما به هم سود نمی‌برد. من و او وقت زیادی را صرف بچه‌ها می‌کردیم؛ بچه‌ها هم بهانه‌های خوبی برای کنار هم بودنِ ما بودند. می‌دانستیم که چند چشم مواظب ماست، و می‌دانستیم مادام که مشغول سرگرم کردن و غذا دادن و بازی با خواهر ـ برادران کوچکمان هستیم، کسی نمی‌تواند به شرع یا به عرف معترضمان باشد. برای ما همین بس بود. همین که از هوای مشترکی نفس می‌کشیدیم و بی این‌که یک‌دیگر را بنگریم، همهٔ جزئیات و تغییرات و تپش‌های

حضور را لمس و حس می‌کردیم، بار هستی فراموش می‌شد. هیچ یک از ما چیزی نمی‌خواست، جز این که بتوانیم بیش‌تر باهم باشیم و گرمای بیش‌تری از هم بگیریم. در آن روزها که همه سر در گریبان داشتند، من و او سیراب از شهد مهربانی و هم‌دلی بنوعی خوشبخت بودیم. اگر جز این می‌بود آن‌جا دیگر نه برزخ همیشگی بلکه جهنم بود. در شرایط من که به قول ننه‌جی دیگر داشت دیرم می‌شد و به خاطر حوادث اخیر هیچ خاندان اصیلی که پسری کُفْوِ داشت، حاضرنبود خواستگار دوشیزه‌ای باشدکه پدرش مرده بود و ناپدری‌اش دچار جنون بود و آه و آبرویی در بساطشان نمانده نبود. اگر چند سالی به همین منوال می‌گذشت مثل بسیاری از زنان حرم خداوندگار پیردختری می‌شدم محکوم به زندگی ابدی در داخل آن حسرتکده. چنین دورنمایی از آینده می‌توانست جانم را که روزی سودای ملکهٔ آفاق شدن را می‌پروراند از نو به آتش کشد. اما من بی‌خبر و فارغ از همهٔ سوداهای دخترانه زیر تابش گرم آفتاب عشق او هر روز شکوفاتر از خواب برمی‌خاستم، سرشار از غنای روز گذشته و انتظار تجربه روزی نو. من و او رازی مشترک داشتیم که حتی گوش‌های خودمان محرمش نبودند، زبانمان حتی در خلوت و تنهایی یک بار جرأت بیانش را نیافته بود. این راز مثل نور زیبا و واقعی بود، و مثل نور ناپسودنی و توصیف ناشدنی. او با آن همه پارسایی و برازندگی و بزرگ‌منشی در قالب هر قهرمان افسانه‌ای ریخته می‌شد. دردانهٔ حرم و پادشاه افسانهٔ قلب من بود. دایم او را در ذهنم به هرنقشی که دوست داشتم درمی‌آوردم. اصلاً برایم مهم نبود که او از همهٔ ماجراهای درون من باخبر است یا نه. من با او خوش بودم و چیز دیگری از زندگی نمی‌خواستم جز همین با او بودن‌ها. غرق در تب‌وتاب درون از امروز به فردا راه می‌جستم و آینده آخرین نگرانیم بود.

بعد از مدت‌ها انتظار به توصیه ننه‌جی و برای احتراز از برخورد با فضولان، صبحی بسیار زود با فاطمه‌خاتون ـ نامزد پسر بزرگ‌تر خداوندگار ـ و همراه اوجی و چند پیرزن به حمام می‌رفتیم. استحمام در حمام سرد خانه عذاب الیم بود و حمام مرمر الهام‌بخش رؤیاهای شیرین. ازبچگی حمام‌رفتن و غوطه‌خوردن درون آب گرم را در فضای نیمه‌تاریک و بخارآلود و خیال‌انگیز خزینه دوست داشتم. این حمام که از مرمر سبز ساخته شده بود، یادگار دوران

رومی‌ها بود و برای استفادهٔ اعیان و درکمال شکوه و نظافت نگاهداری می‌شد. اغنیا و دربار قونیه هم در نگاهداری این ارثیهٔ گران‌بها از هیچ تـلاشی فـروگذار نمی‌کردند. سقف‌ها و دیوارهایش با تصویر خدایان و الاهگان بـرهنه و نیمه برهنه نقاشی شده بود و حوض‌های کاشی و آینه‌های بلند و گنبدهای شیشه‌ای و الوانش هر بیننده‌ای را به رؤیا می‌خواند. متعصبین بارها خواسته بـودند هـمهٔ تصاویر دیوارهای آن را گچ بگیرند، اما با همهٔ تلاش‌های مخفی و آشکار هنوز موفق نشده بودند. تنها توانسته بودند تصاویر کاملاً برهنه را بپوشانند، اما بقیه صحنه‌ها و مناظر مختلف از زندگی خدایان و امپراتوران و حیوانات عجیب به خوبی روز اول محفوظ بودند. حمام رفتن ـ البته به جز تـحمل بـار نگاه‌های کنجکاو مردم که دلشان می‌خواست تأثیر ماجراهای دوساله را در هر فرصتی در چهرهٔ ما بخوانند ـ برای من یک جشن خصوصی بود که با روح و ذهن و کالبدم ترتیب می‌دادم. آن روز وقتی بعد از شست‌وشوی مفصل و جانانهٔ ننه‌جی کـه هنوز هم قربان صدقه‌های عاشقانه‌اش را هم چاشنی کارش می‌کرد، بدنم را بـه دست موج‌های ملایم خزینهٔ بزرگ آب گرم می‌سپردم، روحم منزه و نظیف از گنبد شیشه‌ای رنگین می‌گذشت و در بی‌نهایت‌ها پرواز می‌کرد. زمانی هم کـه بالأخره به زور از توی خزینه بیرونم کشیدند، خواب‌زده و خسته و مسرور توی رختکن جلو آینهٔ بزرگ ایستادم و تازه شباهت‌هایی بین خودم و الاهه‌هایی یافتم که تصاویرشان سقف و دیوارهای بلند را از زیرگنبد تا پایین انباشته بود، مست از لذتی ناب، قدردان خالق خود شدم. کاش من هم مثل الاهه‌ها آن هـمه رهـا و خوش‌بخت بودم.

دوست داشتم توی رختکن تنها بمانم تا بتوانم خودم را نگاه کنم و واقعی بودنم را لمس کنم و میان روح حسرت‌کشیده و تن خاکی‌ام آشتی برقرار کنم. این کار همیشه به ذهن نامطمئن و دربه‌در من تعادلی سبک و آرام‌بخش می‌داد. من زیبا بودم، جوان بودم و با خودم دوست بودم. آینده ـ به‌رغم همه مصیبت‌هایی که آن غریبهٔ دوره‌گرد برای خانواده‌ام به ارمغان آورده بود ـ از آنِ من بود. او خیلی پیر بود و به زودی می‌مرد و من هم جوان‌تر از آن بودم که از امید به روزهای خوب و عمر بلندکه پیش‌رو داشتم، دست بشویم. من با همهٔ جوانی سرد و گرم روزگار را چشیده بودم و می‌دانستم از پس روز سخت همیشه نوبت روز خوش

است. مطمئن بودم که تنها مانع خوش‌بختی من حضور آن غریبه و سایه سیاهش برکانون خانوادهٔ ماست. اگر او ان‌شاءالله یکی از همین روزها می‌مرد، سرافرازی و شادکامگی از نو به خانه‌ی ما باز می‌گشت. دوباره بزرگ‌ترها فرصت می‌یافتند که به کیمیاخاتون بیندیشند. دختری که چنین زیباست، با پدری چون خداوندگار و مادری چون کراخاتون و خواهانی چون چلبی علاءالدین، دیگر چه باکی از آینده؟ عاقبت نوبتش می‌رسید. می‌دانستم و به رغم کنایه‌های ننه‌جی که گاه سخت به خنده‌ام می‌انداختند، به راستی هیچ باکیم از آینده نبود. به ویژه در آن لحظات که جسم و روح پالائیده‌ام فضای هستی را عطرآگین کرده بود.

مثل بلبلی که تن به باران صبح بهار سپرده باشد، خیس و تمیز و پرحرف و سرحال با فاطمه‌خاتون واوجی و پیرزنان حرم از حمام باز می‌گشتیم. هنوز در روی پاشنه نچرخیده بود که از حیاط سروصدایی غیرمعمول به گوشم رسید. حس کردم باید اتفاقی افتاده باشد. چیزی شوم در هوا موج می‌زد. وقتی سر پله‌ها رسیدم، دیدم کرامانا وسط حیاط غش کرده است و زن‌ها سعی دارند به هوشش بیاورند. مستی کاملاً از سرم پرید. به یک ثانیه بالای سرش بودم، اما از هرکسی می‌پرسیدم چه شده، جوابم را نمی‌داد. فقط یکی از زن‌ها در گوشی چیزی به اوجی گفت و او مثل مارگزیده‌ها مرا نگریست و زوزه‌کشان به آشپزخانه دوید. صدای ضجهٔ آیاخانم را می‌شنیدم که از پشت درهای بستهٔ اتاقم می‌آمد. چشم‌های پیر و ترسیده، این‌جا و آن‌جا از لای در اتاق‌ها و روزن آشپزخانه مرا می‌نگریستند. ملکه و امیرعالم از ته حلق شیون می‌کشیدند و کسی به دادشان نمی‌رسید. حتی گربه‌هایم هر دو بالای رف دیوار پریده بودند و با چشم‌های رمیده به تناوب به من و بقیه می‌نگریستند.

مامی معلوم نبود کجا است. مادرم هم آن‌جا نبود. غش کردن کرامانا واقعهٔ عجیب یا غم‌انگیزی نبود که زنان حرم را جن زده کرده باشد. پس باید اتفاق بسیار وحشتناکی افتاده باشد. خودم نحسی فضا را حس می‌کردم. قلبم مثل یک سیب پاییزی در سینه‌ام کنده شد و با صدا پایین افتاد. هرحدسی می‌زدم، راه به جایی نمی‌برد. دوباره درحالی‌که یکی‌یکی زن‌ها را می‌نگریستم، فریاد زدم: چه شده؟... یکی حرف بزند آخر! از فریادم هردو بچه که با دیدن من ساکت شده بودند و چهاردست و پا به طرفم می‌آمدند، ترسیدند و دوباره زدند زیر گریه.

گربه‌ها هم فرار را برقرار ترجیح دادند و از روی ناودان به پشت بام پریدند. کاش جای آن‌ها بودم. زن‌ها هم‌چنان بی‌صدا مرا مثل مرده‌ای که از تشییع جنازهٔ خودش برگشته باشد، می‌نگریستند. نمی‌دانستم چه کار کنم. هرچه بود در ارتباط با من بود. به طرف اتاقم راه افتادم. در را باز کردم و آیا را دیدم که موهایش را آشفته کرده و مشتی گل باغچه روی سرش ریخته و یقه‌اش را جر داده و سرش را به دیوار گذاشته است و با چشمان بسته زار می‌زند. به طرفش رفتم. فکر کردم نکند باز موضوعی در ارتباط با من و علاءالدین باشد که کرامانا کولی‌بازی درآورده و غش کرده و آیا خانم هم از من طرفداری کرده و دعوا راه افتاده است. بله همین است که دیگران مرا آن‌طوری نگاه می‌کنند. باید آیا را به حرف بیاورم.

هنوز بالای سرش نرسیده بودم که با وحشت دیدم پلک‌هایش را کمی باز کرده و دارد مرا با چشمان ریزش که در آن هیکل گنده، به چشم‌های فیل می‌مانست، همان‌طور شوم مثل بقیه نگاه می‌کند. تکانش دادم و فریاد زدم: چه شده؟ آیا زودباش بگو! چرا کرامانا غش کرده؟ چرا تو گل به سرت مالیدی؟ باچشمان نیم بسته و صدایی ضعیف و با صدایی ناآشنا شروع کرد قربان و صدقه رفتن. پناه برخدا! اول همه مرا مثل مادر مرده‌ها نگاه می‌کردند، حالا هم آیا خانم گریه می‌کند و قربان صدقه‌ام می‌رود. عجب کودنی هستم. مادر! بله باید برای مادرم اتفاقی افتاده باشد. چرا حاضر نیست؟ از اول باید می‌دانستم که آن همه مصیبت را دوام نخواهد آورد. مامی چند روز قبل پیش‌بینی کرده بود که کراخاتون هم به زودی مثل گوهرخاتون تب لازم می‌گیرد و می‌میرد. این یکی هم همان‌طور مثل آخرین روزهای او تحلیل رفته است. دور و برم را نگریستم، هیچ نشانی از او نبود. بی‌اعتنا به خلوت خداوندگار، به سمت زاویه دویدم. هنوزبه پله‌های ساختمان‌گوشه نرسیده بودم‌که صدای ضجه‌ای غیرانسانی مثل برق‌زده‌ها میخ‌کوبم کرد. برگشتم. آیاجان بود که به دنبال من می‌آمد و با دو دست برسرش می‌زد. دهانش کف کرده بود. ناگهان در یک لحظه مثل فیلی مسموم روی پایش تاب خورد و به سرنوشت کرامانا دچار شد. خواستم برگردم به سراغش، اما قرار نداشتم. مادرم مرده بود. تنها حامی زندگی‌ام، تنهاکسم مرده بود. از آن‌جاکه همه به آن سوی می‌نگریستند، هرچند مادرم ماه‌ها بود در آن‌جا نبود به سوی زاویه دویدم. نفهمیدم چه‌گونه از پله‌ها بالا رفتم و مقابل در بستهٔ اتاقش که دیگر اتاق

او نبود، متوقف ماندم. خدایا نیمی، نه همه‌ی عمرم را می‌دهم او را از من نگیر. بدون او من در این دنیا چه کنم! کاش بیش‌تر به او می‌رسیدم. کاش در دلم او را این همه سرزنش نکرده بودم. او که خود قربانی مظلوم سرنوشتش بود. حالا چه کنم؟ از ترس نمی‌توانستم در را باز کنم، صدای قلبم توی گوش‌هایم می‌پیچید. هرچه خون داشتم در سرم جمع شده بود. نمی‌دانستم در اتاقش با چه صحنه‌ای مواجه خواهم شد. آخرش مُرد. نتوانست طاقت بیاورد. لعنت براین مرد آفاقی! اگر یک روز هم زنده بمانم انتقامم را از او خواهم گرفت. از خداوندگار هم که مادرم را به این عاقبت دچار کرده بود انتقام خواهم گرفت. نکند در را باز کنم و به جای مادرم آن‌ها آن‌جا باشند. باید در حرم می‌پرسیدم که مطمئن باشم غریبه این‌جا نیست، بیچاره دیگر حتی از اتاق شخصی خودش هم در زمان حضور غریبه نمی‌توانست استفاده کند. مادر دردانه‌ی من مگر طاقت این همه مصیبت را داشت؟ تا حالا هم خیلی عجب بود که جان به در برده بود. دختر یک دانهٔ امیر اَکْـدَشان، زن ناز پرورده و عزیزکردهٔ محمدشاه و بانوی منتخب محمد جلال‌الدین بلخی، کارش به جایی کشیده بود که کنیزانش براو ترحم می‌کردند. به نظرم آمد از توی اتاق صدای ضعیفی مثل تنفس بلند، آه یا ناله شنیدم. در را آهسته باز کردم. دعایی زیر لب خواندم و آهسته سرم را به داخل بردم. توی آن تاریکی فقط چشم‌هایش راکه بی‌حرکت به سقف دوخته شده بود، دیدم. او مرده بود. همهٔ نیروی حیاتم در حنجره‌ام جمع شد و مبدل به فریادی شد که خودم هم نمی‌توانستم باور کنم صدای من است. به سمتش دویدم. وقتی دیدم که از جا جهید، نمی‌دانستم بین حس ترس و تعجب و خوشحالی کدام را انتخاب کنم. در آغوشش گرفتم و هردو باهم لحظاتی بلند زار زدیم. همان‌طورکه بدن نحیفش را در آغوش داشتم، به خودم قول دادم: حالا که خدا او را به من باز گردانده از این پس فقط کنیزیش را بکنم. پهلویش نشستم و دست‌های لاغرش را در دستانم گرفتم و از افکار پوچ خود بی‌اختیار خندیدم. با سرعت اشک‌هایش را پاک کرد و با چشمانی وحشت‌زده مرا نگاهی کرد و با صدایی لرزان و ملتمسانه گفت: کیمیاجان این‌طور نکن، من می‌ترسم. همه گفتند اگر بشنوی زبانم لال ـ دیوانه می‌شوی. دخترکم، عزیز دلم، طفلک من! کاش جای پدرت من مرده بودم. با دست‌های نحیفش سرم را به سینهٔ سوخته‌اش چسباند که دیگر بوی گل سرخ

نمی‌داد. قلبش مثل کبوتری ترسیده به درودیوار سینه‌اش می‌خورد. دلم می‌خواست تا آخر دنیا همان‌طور در آغوشش باشم. مدت‌ها بود که آن همه به هم نزدیک نشده بودیم. مدت‌ها بود که لمسش نکرده بودم. شاید سال‌ها بود که با چشمانی چنان زنده و متمرکز مرا نگاه نکرده بود. گفتم: شما که بیش‌تر مرا ترساندید. داشتم قالب تهی می‌کردم . . . و تازه یادم آمد که اگر او نمرده، پس آن جنجال توی حیاط برای چیست؟ گفتم: مادر پایین توی حیاط . . . خیلی عجیبه . . . خوب هستین . . . یعنی زنده هستین . . . این از همه چیز برای من مهم‌تر است. اما . . . نمی‌دانم چه خبر شده؟

ناگهان دست‌هایش را روی گوشش گذاشت و سرش را مثل جن‌زده‌ها به لبهٔ آهنین صندوقش کوبید. مات و متحیّر او را می‌نگریستم. هیچ‌گاه در هیچ سوگی او را چنان خارج از تسلط و خودباخته ندیده بودم. دهانم را باز کردم که بپرسم بالاخره چه بلایی برسر ما نازل شده، که به سویم برگشت و سخت در آغوشم کشید. نتوانستم حرفم را ادامه دهم. بغض مجال نمی‌داد. سرم را روی شانه‌اش گذاشت و دست تبدارش را روی موهای خیسم کشید. بعد گونه‌اش را به گونه‌ام چسباند و دوباره با شدت بیش‌تر زد زیر گریه. من هم از نو شروع کردم، اما هنوز هم نمی‌دانستم چرا.

هرچند دیگر تردید نداشتم که هر اتفاق بدی افتاده است با من ارتباط دارد، اما مهم نبود. همین که او زنده بود و مرا در آغوش کشیده بود و من حرارت وجودش را حس می‌کردم کافی بود. همان‌طور که چشمانم بسته بود و اشک‌های داغمان به هم راه می‌جستند، ناگهان یاد علاءالدین، شمس‌الدین و خداوندگار افتادم. وای که من چه‌قدر گیجم. اما اصلاً جرأت سؤال کردن نداشتم. نمی‌توانستم بشنوم که برای هر یک از آن‌ها مشکلی پیش آمده باشد. ذهنم مرتب می‌غلتید و از نو برمی‌خاست و خود را می‌تکاند. با خودم گفتم: اگر آن‌ها همه مثل مادرم سالم باشند واقعاً هیچ چیز دیگری برایم مهم نیست. اما به هرصورت باید می‌دانستم چه شده. عاقبت سرم را بلند کردم و گفتم: کلافه‌ام کردید تو را به خدا قسم بگو چه شده؟ شما دارید مرا دیوانه می‌کنید. کجا بروم و بپرسم که چه مصیبتی از این خانه ماتمکده ساخته است؟ آخر یک نفر باید جواب من بیچاره را بدهد. بچه‌ها که همه خوب هستند. خداوندگار . . . که نه! نکند برادرهایم؟

چشم‌های تیره‌اش را که دیگر نمی‌شد گفت روزی آبی یا سبز بوده‌اند، با حیرت به من دوخته بود. کیفیت نگاهش مثل نگاه زنان حرم بود، وقتی از حمام رسیده بودم: ترسیده و ناباور و مستأصل. یاد روز مرگ پدرم افتادم. درحالی‌که بینی ظریف و بی‌عیبش را به بیرحمی با دستمال ابریشمی کهنه‌ای از جا می‌کند، به علامت نفی سرش را تکان داد. صورتش را بی‌اعتنا به زخم پیشانی میان دستانش گرفت و دوباره شروع کرد به زار زدن، و این بار دل‌خراش‌تر از قبل. شاید خودم مرده بودم و نمی‌دانستم. خشم مثل بادی سرد در درونم زوزه کشید. تمام نیروی ذهنی‌ام را به کار انداخته بودم، ولی نمی‌توانستم بفهمم چه پیش آمده است که این‌ها تا به من نگاه می‌کنند بغضشان می‌ترکد. بلند شدم و با لحنی بی‌سابقه تند، گفتم: شما دیگر دارید مرا می‌کشید یا یکی بگوید چه اتفاقی افتاده، یا می‌روم روی بام هوار می‌زنم و از مردم کوچه می‌پرسم . . مادرم با چشمانی بی‌رمق که محاط در اشک و خون پیشانی‌اش بود با نگاهی مملو از حسرتی توصیف‌ناپذیر مرا نگریست و دهانش را باز کرد که چیزی بگوید، اما چشمانش دو دو زدند و خودش از پشت روی مخده افتاد. صدا کردن دیگران بی‌فایده بود. شروع کردم شانه‌هایش را مالیدن تا مگر به هوش بیاید. ناگهان صدای خشک و لرزان مامی را که در طول اقامت مادرم در زاویه، حتی یک بار هم به اتاق او نیامده بود، در پشت سرم شنیدم که جمله‌ای را تکرار می‌کرد؛ عروسیه، عروسی. عروسیه عروسی اما با صدایی مملو از امواج مرگ، فرتوتی، انتقام، بیزاری . . . تنها به صدای او می‌آمد که ناقل خبر یک عروسی باشد که در خانه ما عزا به پا کرده بود. از همان روزی که این عقاب پیر را دیده بودم، می‌دانستم که منقار سیاهش را روزی به نفرینی در حق من خواهد گشود. اما نه حرفش بیش‌تر به یک شوخی می‌مانست. شاید داشت اشاره به روابط من و علاءالدین می‌کرد. شاید برای این‌که حال و هوای ما عوض شود یا فرصتی باشد برای مادرم که اگر نمی‌خواهد، رازی را برملا کند. به هر تقدیر بدترین و غیرانسانی‌ترین لحظه برای مسخرگی بود. از حرصم حتی به سویش برنگشتم. همین‌طور با بی‌ادبی و سماجت پشت به او نشستم و شانه‌های مادرم را مالیدم. آنچه که شنیده بودم حتی خنده‌دار هم نبود. تهوع‌آور بود. بگذار همان‌طور کنف آن‌جا بایستد. باز خندهٔ خشکی کرد و گفت: کیمیاخاتون چنان جیغ زدی که بند

دل همه ریخت. فکر کردیم خبر را شنیدی و خدا نکرده افتادی و مردی. تو هنوز خبر نشده این جور جیغ می‌کشی، اگر بدانی چه خاکی برسرمان شده، چه می‌کنی؟ اگر بدانی عروس چه کسی شده‌ای . . . اگر بدانی که توریزی . . . تو را خواستگاری کرده . . . من گوشم را به او نداده بودم. مادرم با هق هق به هوش آمد. کمکش کردم بلند شود. متکایی پشت سرش گذاشتم. مامی جلو آمد وگفت: «ای کراخاتون بیچاره حق داری، اگر دخترت مثل گوهرخاتون من مرده بود، بهتر از این بود که عروس این حجله شود».

به مادرم نگریستم که احساس انزجار را پنهانی باهم تقسیم کنیم. پیرزن دیوانه به سرش زده بود و هذیان می‌گفت. همه آن روز عجیب و غریب شده بودند. تازه در این لحظه همه چیز برایم روشن شد. پس تقدیر این بود! از جا پریدم و با سرعت به سویش برگشتم. پس از ادای آخرین کلمه، دهانش همان‌طور باز مانده بود و با ترس، اما مزورانه از پس چشمان عقاب گرسنه به من نگاه می‌کرد. می‌خواستم به سمتش بدوم و چارقدش را روی صورتش بکشم که دیگر نتواند مرا آن‌طوری نگاه کند. بی‌اختیار جیغ زدم: توریزی چه‌کار کرده؟ از وقتی پیرمرد از حلب بازگشته بود، دیگر در حرم به او غریبه یا آفاقی نمی‌گفتند. او را تبریزی صدا می‌کردند، اما به عمد با لهجهٔ محلی که خیلی مقرون به احترام نباشند. مامی با چشمان یک عقاب از من به مادرم و از مادرم به من می‌نگریست. بالأخره تصمیمش را گرفت و این‌بار سریع‌تر گفت: از تو خواستگاری کرده؛ خداوندگار هم قولت را داده! همین پیش پایت خداوندگار از این‌جا رفت. باز دهانش باز ماند و شروع کرد به سوراخ کردن پوستم با نگاهش. خدا را شکر که چیزی توی معده‌ام نبود، فقط آبی سوزان راهی حلقوم خشکیده‌ام شد و به مغزم سرایت کرد. مثل این‌که شوخی در کار نبود. اما هنوز هم همه‌ی ماجرا را نمی‌فهمیدم. نمی‌خواستم تسلیم گوش‌هایم شوم. حتی ممکن بود توریزی این‌کار خنده‌دار را هم کرده باشد، ولی آن صحنه‌ها برای چه بود. قلبم هنوز داشت امید گدایی می‌کرد. به زحمت گفتم خب کرده که کرده، این همه ماجرا ندارد! آیه که نازل نشده! مگر ما مجبوریم که . . . اون یک غلطی . . . مگر هرچه. . . .؟ عقاب داشت از روی شانهٔ من با نگاهی پرمعنی به مادرم می‌نگریست. ظاهراً می‌گفت: این بیچاره را حالی کن! آهسته به سمت مادرم

برگشتم. تازه داشتم می‌فهمیدم. جمله‌ای توی سرم می‌چرخید. خداوندگار هم قولت را داده . . . قولت را داده . . . پس امیدی در کار نیست، دست از گدایی بردار.

توی کله‌ام ناقوسی هزار منی به صدا درآمده بود. مادرم ذلیل و شرمنده، به علامت تأیید به سرش تکان سنگین و بی‌رمقی می‌داد. شرم و اندوه همهٔ زن‌های همه‌ی اعصار در نگاه مستأصلش موج می‌زد. چشم‌هایم می‌سوخت و دیگر نمی‌دیدم. صدای گردش خونم، گوشم راکر کرده بود. به دیوار تکیه دادم که نیفتم. هرچه سعی می‌کردم نمی‌توانستم درست متمرکز شوم و موقعیت خودم را بسنجم. اول فکر کردم، خب کرده که کرده! خیلی مردان مسن هستند که از دختران جوان خواستگاری می‌کنند. اتفاق ناممکن یا نادری که نیفتاده است. یادم به حالت پرتمسخر چهره‌اش افتاد و خودم را دلداری دادم که حتماً خواسته سر به‌سر ما زن‌ها بگذارد. شاید واقعاً این یک شوخی احمقانه بیش نبود. اما رفته رفته توفان ضجه‌ها و غش کردن‌ها و نگاه‌های وهم‌آلود و صحنهٔ باغ زرکوب و پشت بام ذهنم را درهم پیچاند و به روشنی حالی‌ام کرد که موضوع از چه قرار است. می‌گفت که کارم تمام است. می‌گفت تو همین حالا که این‌جا ایستاده‌ای، مرده‌ای. آن همه عزاداری برای تو بود. تو محکوم به مرگی و خاتم هزاران قاضی شارع و مفتی عالم پای حکمت کوبیده شده است. توریزی تو را خواسته و خداوندگار هم قول داده است. همه هم می‌دانستیم مردی که به شهادت اهل قونیه همهٔ هستی‌اش در گرو اثبات اخلاص و ارادتش به آن از ما بهتران بود، روی هوا به او قول نمی‌داد و اگر پیمانی کرده است، پیمانش عین عمل است او قانوناً، شرعاً، و عرفاً، پدر، ولی و اختیاردار من بود. اگر آنچه شنیده بودم از همان شایعات ناجوانمردانه که هر روز به گوشمان می‌رسانیدند نبود و خداوندگار واقعاً خودش گفته که مرا قول داده است، کار تمام بود. والسلام! هرچه بیش از این گفته یا شنیده می‌شد فقط صوت بود. هنوز البته همهٔ ابعاد ماجرا برایم روشن نبود. به مادرم نگریستم که تا حد یک بند انگشت کوچک شده بود. این همان موجودی نبود که چند لحظه پیش فکر مرگش بنیادم را سوزانده بود؟ با او چه می‌توانستم بکنم و او برای من چه می‌توانست بکند؟ به چشمان منتظر عقاب نگریستم و به اولین چیزی که فکر کردم این بود که حالا چه‌گونه باید به آن حیاط برگردم. به هیچ‌وجه تاب تحمل آن نگاه‌ها و آه‌وناله‌ها و غش و ضعف‌ها را

نداشتم. باید با خودم خلوت می‌کردم. باید همه‌چیز را یک بار از اول وا می‌رسیدم. قبلاً باید تکلیف آن عقاب گرسنه را روشن می‌کردم که با چشمان کوچک و دهان‌باز بدون پلک زدن مرا می‌نگریست. باید ناامیدش می‌کردم. باید وانمود می‌کردم من طعمه‌اش نیستم. با صدایی به زحمت صاف گفتم: بسیار خوب! این‌که معرکه راه انداختن ندارد. هرکسی می‌تواند از یک نفر خواستگاری کند. طاعون که نیامده است. مرا نیمه‌جان کردید، اول فکر کردم برای مادرم یا برادرانم اتفاقی افتاد، خدا را شکر نه . . . مامی پا پیش گذاشت. بیهوده هم سعی می‌کرد حدقهٔ چشمش را به نشان وحشت بدراند. حادثه‌ای در شرف وقوع بود که می‌توانست ملال هزارسالهٔ همهٔ حرم‌ها را درهم بشکند و او قادر نبود با نمایشی مسخره وجد و حظ بی‌انتهای خود را بپوشاند. گفت: آخر کرامانا خاتون دارد خودش را می‌کشد، می‌گوید اگر علاءالدین بشنود، خون ...

دیگر تحمل نداشتم. خودم را داخل کتاب‌خانهٔ خداوندگار انداختم و در را بستم و گوش‌هایم را با دست گرفتم. اشتباه می‌کردم. صداها همه از بیرون نبودند توی کله، توی سینه، توی روح و توی ذهنم توفان نوح به پا بود و از همه بدتر این‌که به نظرم می‌آمد خبر برایم تازگی ندارد. گویا قبلاً آن را شنیده بودم؛ شاید هم همیشه آن را می‌دانستم. به نظرم می‌آمد تقدیری است مرقوم بر لوح محفوظ که قبل از تولدم در گوشم زمزمه کرده‌اند. من روح تسلیمم را می‌دیدم که داشت به تقدیر خود از پشت همهٔ غوغاها سرک می‌کشید. خاطرات درهمی از دریافت امواج یاس‌های بنفش روز خواستگاری خداوندگار، نگاه‌های تیرهٔ الیاس، حس خاصی که روز اول دیدن شمس در خانهٔ صلاح‌الدین و روز بازگشتش از بالای بام باعث شده بود مثل گنجشکی مسحور مار، فلج شوم، همه و همه به‌سان گردبادی توفنده در ذهنم می‌چرخید و سرم را به دوران انداخته بود. آری من این را از پیش می‌دانستم و این یعنی که کار من تمام است. تقدیری است که امید خلاصی از آن نیست. دلم می‌خواست دست‌هایم را روی گوش‌هایم بگیرم و زوزه‌کشان تا آخر دنیا بدوم. دلم می‌خواست دود شوم و از روزن سقف بیرون بزنم. دلم می‌خواست بیدار شوم و ببینم سحر گذشته است و نمازم دارد قضا می‌شود، بروم سرحوض وضو بگیرم و روی شیر سنگی بنشینم و بگویم چه کابوس بی ربطی و چیزی نذر کنم و صد رکعت نماز شکر بخوانم. دلم

می‌خواست درِ کتاب‌خانه را باز کنند و ببینند یکی از تیرک‌های سقفم، یا کتاب کهنه‌ای هستم روی طاقچه. از خودم که ساعتی پیش آن همه به جمال بد یُمن خود نازیده بودم، نفرت داشتم. تنی که قرار بود دست‌های بیگانه و زمخت زالی پیرزاد برآن سیر کند، بهتر آن‌که خوراک کرم‌های گوشت‌خوار قبر می‌شد. چشمانم بی‌اختیار به دنبال دشنه‌ای، خنجری، یا برندهٔ دیگری در گوشه و کنار اتاق می‌گشت. تنها راه همین بود. اما دیگران چه؟ خداوندگار، مادرم، علاءالدین، بچه‌ها؟ وحشت از شوربختی‌ای که ناگهان در آن اسیر شده بودم، معده‌ام را به آشوب کشید. فکر کردم دارد جانم بالا می‌آید، اما فقط آبی زرد از گلویم روی دستمالم ریخت که برلبه‌اش گل یاس بنفشی گلدوزی کرده بودم. آخرین کلمات مامی به سرسامم می‌خواند: اگر علاءالدین بفهمد، خون . . . خون داشت از گلویم بیرون می‌زد. از گوشهٔ چشمم نیز اشک‌های خونین داغ روی چارقد سفید نمدار حمام می‌ریخت. خون چارهٔ من بود. خون چارهٔ شمس بود. از پشت پلک‌های بسته‌ام فقط رنگ خون می‌دیدم. همه جا خون بود، خون . . .

با همهٔ قدرت خودم را به گردابی خونین پرتاب کردم که جریان داغ و لزجش آرام‌آرام مرا دور می‌کرد و به اعماقی امن و بی‌درد می‌کشاند.

آنان که خاک را...

ماه صفر بود و زمستان دل‌سیاه. باید صبر می‌کرد. قرار وصلت را به روزی پرشگون در اوایل ربیع‌الاول انداخته بودند. آن حرم‌نشینان بی‌خبر از عالم عاشقی، ظالمانه بر او چنین ستمی روا داشته بودند. بعد از اعلام نظر و قول موافق خداوندگار، دیگر او چه‌طور می‌توانست صبر کند؟ هریک لحظهٔ انتظار به درازی همهٔ عمر بلندش سخت توان‌فرسا می‌نمود. او خدا را در آن زن یافته بود. چه‌گونه جرأت می‌کردند وصلی چنان واجب، چنان مقدس و چنان کبریایی را معطل ملاحظات نجومی و سایر مزخرفات انباشته در ذهن پوسیده پیرزنان کنند؟ گفته بودند وصلت در صفر شوم است. وقتی باخشم به تاریخ تعیین شده اعتراض کرده بود، خداوندگار، در اصل به ملاحظهٔ دهان مردم و مهار خشم زنان حرم، اما به ظاهر بهانه آورده بود که چون قرار است چند حجره برای او و همسر آینده‌اش پشت کتاب‌خانهٔ مدرسه، جنب مدخل حرم بسازند، باید صبرکرد تا خانه آماده شود و وسایل لازم فراهم آید. او اما این‌ها را نمی‌خواست. فقط می‌خواست عروسش را بی‌درنگی درآغوش کشد. خانه نمی‌خواست. اسباب و لوازم نمی‌خواست. آتش اشتیاق او و نمد سیاهش هردو راکفایت می‌کرد. اگر آن همه مدیون یگانه دوست و حامیش نبود، و اگر نبود حرمت کلام او، ابداً منتظر نمی‌ماند. وقت تنگ بود و طاقت تمام. عوام هرچه می‌خواهند بگویند، کم هم نمی‌گفتند. نیمی از شهر از حسادت چنان سعادتی که نصیب او شده بود، به‌پا خاسته بودند و هوار می‌کردند که این پیر عجوزکفْوِ آن دختر نیست! همه از بخل است و بلاهت. بمیرند از این درد، به جهنم بروند،وگرنه ذره‌ای از آن غیرتی راکه لافش را می‌زنند، ندارند. چه‌طور اگر سلطان چغندرالدین از این دختر

خواستگاری کرده بود و ۹۰ سالش هم بود کفْوَ بود و باد در غبغب می‌انداختند که تنی از شهرشان یا خانواده‌شان ملکهٔ آفاق شده است، اما ما که سلاطین هفت اقلیم را به غلامی هم نمی‌گیریم و نظر بر پادشاهی عرش داریم، چون پیش آن کوردلان درویشی پشمینه‌پوش می‌نماییم کفْوِ او نیستیم. بروند به اسفل‌السافلین. ما را که با عوام و رؤسایشان کاری نیست. هرچه می‌خواهند بکنند. هرچه می‌خواهند بگویند. عمدهٔ دل‌ناگرانی ما از اکراه خانواده و خود دختر بود، که اکراهی در کار نبود، بحمدالله!

همه زود خواهند فهمید که ما خود آن کیمیا هستیم که ریختنش برمس ضرورت نیست. همان که برابر مس بنشینیم زر می‌شود. احوال کیمیا نیز این چنین خواهد بود. ما خام وجودش را زر خواهیم کرد و آنان باید که از حسد بمیرند. چرا که همهٔ وجودشان به قدر چند سرگینی که بهر افروختن تون حمام برند، برای عالم و کائنات عایدی ندارد. . . بارالها . . . تو خود می‌دانی تسخیر دل یاغی و کولی‌صفت ما کار هرکسی نبود و می‌دانی دل ما با هوس بیگانه است. حکایت من این است که من تو را در کیمیا یافته‌ام. به عشق وصل توست که پا در این بیابان پرمغیلان گذاشته‌ام. حرف لهو نیست، وگرنه جوان هم که بودیم و آتش تندمان دمار از بند تنبان درمی‌آورد، پارسایی کردیم و بتِ چین را به هیچ گرفتیم. حالا که دیگر ما را با این احوال ابداً کاری نیست. این راز آشکاری است. من به همه گفته‌ام که خدا را در او می‌بینم. حضرت دوست خود می‌داند که چرا ما را در این دایره انداخته است. ما هم او را از نَفَسِ اول سَلَّمَ و تسلیماً گفته‌ایم، تا آخرین نَفَس هم می‌گوییم. فقط خودش باید مرا صبر دهد تا روز وصل. از پس آن روز خود به محبوبه‌ام خواهم آموخت که چه فرقی است میان ما و آن رعنا جوانی که حد معرفتش از کبریای کالبد خاکی او همان است که هر وزغی را نیز هست. او این کمال جمال را مزرعه‌ای می‌انگارد که شیار بنشاند و تخم بیفشاند بر این غایت کمال در آفرینش. من خدا را در این کمال می‌بینم. چه کسی بیش از من کفْوِ این آیت حسن و جمال حضرت دوست می‌تواند بود. ما که وجه جلال دوست را به غایت تجربه کرده بودیم، حال وجه جمال را نیز هبه کردند. کیمیا

همان حمیرای من است و این همه را فقط همین مولانا جلال‌الدین قدرت درک است. باقی را جملگی نه فهم آن است، نه لزوم فهمیدن آن.

شبِ وصل

صدای برف تازه باریده زیر قدم‌هایش، نور مرموز فانوس دستی که رنگ برف‌ها را به زردی برمی‌گرداند و صدای زوزهٔ گرگ‌ها از دوردست، در فاصلهٔ کوتاه میان اقامتگاه خداوندگار و حجله‌ای که عروس جوانش در آن به انتظار نشسته بود، احساس غریبی در او بیدار می‌کرد. همه چیز غیرواقعی می‌نمود. مبادا زایری راه گم کرده پای برهنهٔ برشن‌های داغ کویر است که به بیراهه افتاده است. مبادا مرده است و روحش در برزخ و کالبد خاکی‌اش در فضایی ناشناخته سرگردان است. مبادا در توهم جستن آنچه که عمری را در جست‌وجویش شهر به‌شهر و دیار به‌دیار مرارت‌ها برده، کارش به این خودفریبی کشیده است.

احساس دامادی را که به حجله می‌رود، نداشت. تردید همه‌ی وجودش را قبضه کرده بود. شاید راه صواب نرفته که خواسته بود به جز حضور در لحظات جاری کردن صیغه‌ی عقد، او را ناگزیر به مشارکت در هیچ مرحله‌ای از مراسم مقدماتی عروسی نکنند. به خداوندگار التماس کرده بود دستور دهد بدون وجود او هر کار می‌خواهند بکنند و فقط وقتی او را خبر کنند که خانه را خالی کرده و عروس را به حجله برده‌اند. شاید بهتر می‌بود شخصاً مراسم را تمام و کمال به‌جا می‌آورد . . . شاید در آن صورت ورود به این دنیای ناشناخته آسان‌تر می‌نمود. اما او نمی‌خواست مقدس‌ترین شب زندگیش ـ شب وصل با آیت جمال احسن‌الخالقین ـ را در مجاورت عوام بگذراند. همهٔ شب را به نیایش و گریه و سجده گذرانده بود و حظ برده بود. او در آن مقدس‌ترین لحظات زندگی‌اش می‌خواست چشم جز برهلال روی عروس خود که برایش آیت‌الله بود، برهیچ شاهد و همراهی که عرف می‌پسندید، نگشاید. می‌خواست در لحظات وصل

یار، حضورِ قلب داشته باشد. عوام همیشه خونش را به جوش می‌آوردند و پرخاشجویش می‌کردند. می‌خواست آن شب آرام باشد. برای او آن وصلت، تکاپویی تازه و ناشناخته در راه وصل یار بود. او به آن وصلت به چشم یک عروسی زمینی نمی‌نگریست. او رخ یار را در چهرهٔ زیبای آن محبوبهٔ زمینی دیده بود و در آن روزها بیش از هر وقت دیگر نیاز به خلوت و سکوت روحانی داشت، بسان زایری پیش از زیارت یارِ در کعبه. عجب آن‌که، اگرچه زمانی دراز را در خلوت گذرانده بود و به‌جز خداوندگار و نازنین پسرش چلبی بهاءالدین کسی را به خلوت راه نداده و بسیار مناجات‌های زیبا کرده بود و خود را متصل می‌دید اما حالا، درست در این لحظات، حضور قلب را باخته بود. قدم‌هایش را آهسته‌تر کرد. چه روزها و شب‌هایی را در این سودا به سرکرده بود، اینک در چند قدمی اجابت، حالی چنین دگرگون داشت و نمی‌دانست به کجا می‌رود. از همه بدتر، وقتی پشت در حجله رسید، از درک احساسی که تازگی با آن آشنا شده بود ـ یعنی شرم ـ خنده‌اش گرفت: شرمی که به او اجازه نمی‌داد در را باز کند و قلبش را وحشیانه در سینه‌اش به تپش انداخته بود و دستانش را به لرزه. ناسزایی آبدار بار خود کرد و بسان دامادی نوجوان با دلهره‌ای وصف ناشدنی در را گشود. بوی خشت نو و خیسِ اتاقِ تازه‌ساز به تندی توی مشامش زد و مستی را از سرش پراند و اندیشید که بی‌خود نیست که این بو را برای به هوش آوردن غشی‌ها به کار می‌بردند. چشمانش را مالید و چند قدم جلوتر رفت. همه‌جا ساکت بود. فقط صدای پارس سگ‌های ولگرد از دور به گوش می‌رسید که محتملاً گرگ‌ها را می‌رماندند. زیر نور کمرنگ و وهم‌آمیز شمع‌ها به جای جلوه‌ای پرشکوه از نورالله و زیبایی ربانی و حال و هوای پرطپش وصل، دختر بچه‌ای به‌غایت رنگ‌پریده با چشمانی بیش از اندازه گشاد، و نامتعارف برای صورتی لاغر و تیرکشیده، وسط تشک نشسته بود و زیر لب وردی می‌خواند که با دیدن او ناگهان مثل جن‌زده‌ها از جا پرید و به‌گوشه‌ی دیوار پناه برد. اگر از ته ماندهٔ آبرویش نمی‌ترسید، همان‌جا روی پا می‌چرخید و تا حلب روی برف‌ها پا برهنه می‌دوید. این چه بازی‌یی بود که با او می‌شد؟ او این‌جا چه می‌کرد؟ او را پس از عمری به ریشخند گرفتن، این احوال با این موش کوچک ترسیده چه کار! ای جبار، ای سخت امتحان، ای سخت انتقام، دریافتمت. زنهار که بتوانی شمس را

بفریبی. روی پا چرخید که برود . . . اما به کجا؟ دوباره به خود هی زد. فانوس را پشت در آویخت. در را چفت کرد و خود را به تأنی خواند تا تدبیری بیابد برای این‌که رسوایی تازه‌ای به رسوایی‌های دیگرش افزوده نشود. در این فاصله دختر دوباره ساکت روی تشک اطلس که رنگ سرخابی آن با پوست سفیدش بازی می‌کرد خزید، معلوم بود به او گفته بودند باید آن‌جا بنشیند. داماد هم آرام و بی‌صدا رفت و با اندکی فاصله روی تشک نشست. ناگهان به نظرش آمد که صدای دندان‌های عروسش را می‌شنود. نگاهی کوتاه و سریع به چهرهٔ او انداخت، سعی کرد آنچه را که می‌بیند جدی نگیرد: ترس، انزجار، یخ‌زدگی، استیصال ومیل به فرار. هیچ خبری از جلوه‌های ربانی که آن همه برای خود ترسیم کرده بود نبود. باید موضوع را به نحوی پایان می‌بخشید. و بعد تا به ماچین از این‌جا فاصله می‌گرفت. به زحمت فکر خود را موقتاً از آن دایره رهانید و به این دل خوش داشت که فعلاً دارد از نزدیک‌تر آن چشم‌های جادویی را باز می‌شناسد. آن‌ها یک جایی توی آن حدقه‌های گشاد، اگرچه بیگانه، اما مراقب او بودند. با تعجب دریافت که این برایش بسیار مهم بود و هنوز آن نگاه منقلبش می‌کرد. امید در دلش جوانه زد. کمی نزدیک‌تر شد. دختر با عضلاتی منقبض بی‌اختیار خود را عقب کشید. لرزی سرد اسکلت پیرش را فرا گرفت. بی آن‌که به او نگاه کند، پاهای یخ بسته‌اش را با گوشهٔ لحاف پوشاند. چرا ناگهان آن همه سردش شده بود؟ همان روز به اصرار خداوندگار به گرمابه رفته بود و برای اولین بار در طول عمر درازش خود را در آیینه آراسته بود. همان خودی را که فکر می‌کرد پس از همهٔ ریاضت‌ها و سیر سلوک‌ها رهایش کرده است و با وحشت دوباره توی آیینه کشفش کرده بود. آری، خود را برای همین عروس یا بهتر بگویم عروسک گچی آراسته بود که چنان با او غریبی می‌کرد.این اواخر همهٔ نصایح خداوندگار را که خود محبوب نسوان قونیه و مردی زیرک و بس ظریف بود، پذیرفته بود، در این سودا که بتواند اندک اندک به دل آن آهوبره که چندی بود خواب و خوراک را از او ربوده بود و روحش را با دنیای انسان‌ها پیوند زده بود و مفاهیم شیرین و بدیعی را راهی ذهنش کرده بود، نقبی بزند و به او نزدیک‌تر شود و یک بارهم خدا را از وجه جمال لمس کند و بیش از پیش بشناسدش. او برحضرت دوست همه‌گونه سجده و تعظیم برده بود، جز تحسین او در خلق

انسان. هرگز با انسان‌ها کنار نیامده بود. هیچ چیز در این مخلوق نمی‌دید که او را وادار به سپاس و تهنیت کند. نعوذبالله، گاه حتی با شیطان هم‌دردی کرده بود. اما با شناخت خداوندگار و در پی آن دیدن همین مرغک ترسیده روزی هزاربار گفته بود «تبارک‌الله، احسن‌الخالقین» واین تجربه‌ای بس تازه در عمر دراز آکنده از ریاضت و عبادت و سیر و سلوک و کشف و شهود او بود. از برخی عرفای هندومسلک شنیده بود که لحظهٔ اوج وصال جسمانی هم می‌تواند برای سالک، وسیلهٔ درک عمیق و ملموس معنی وحدت و فنا فی‌الله باشد. در آن روزهایِ دورِ اقامت در هندوستان؛ او همیشه این بهانه را به ریشخند گرفته بود. حال چندی بود که خود را تشنهٔ تجربه کردن آن می‌دید. گویی تا آن روز جفتی راکه لایق این تجربهٔ مقدس باشد، نیافته بود. مبادا که حالا هم با موجودی طرف است که طالب همسری است با تصویر و توقعاتی از او، که با عوالم وی به کل بیگانه بود. یحتمل همین‌طور هم بود. بی‌خود نبود که خداوندگار با اصرار تمام دستور داده بود همهٔ رسوم مربوط به عروسی را به‌جا آورند. او چنین چیزی را نخواسته بود همهٔ این‌ها برای رعایت حال دختر بود تا او خود را برای ورود به زندگی جدید آماده کند. شاید این کارها چندان هم که او می‌اندیشید بی‌فایده نبودند. بیچاره رفیقش چقدر اصرار برای به گرمابه فرستادن او سرِ سیاه زمستان داشت. چه‌قدر اصرار در تعویض لباس و اصلاح مو و ناخن و ریش و محاسن او داشت. چه قدر تأکید بر لزوم رعایت این آداب داشت. حتی کارشان تقریباً به جدال کشیده بود. او برای سودایی که در سر داشت این کارها را نه در شأن خود و حتی غیر لازم و مضحک می‌پنداشت. اما خداوندگار آراستن و پیراستن را برای حضور در محضر یار، نه یک حکم مباح، که واجب می‌دانست. هرچند از همان آغاز کار خوش نداشت قید و بندهای تازه او را به کارهایی وا دارند که دوست ندارد، اما از طرفی می‌دید که دوست و یاور یگانه‌اش خود تا چه حد به پاکیزگی ارج می‌گذارد وچه‌گونه و در همه حال نظیف و برازنده و منظم است و خوش بوی‌ها را از یاد نمی‌برد، تا این روزها هرگز به او که برای ظاهر قایل به هیچ وقعی نبود و از نظر عامه مردی ژولیده وناخراشیده بود، تذکر نداده بود. پس اگر اصرار می‌ورزید، مصلحتی درکار بوده است. سرانجام نیز به احترام و اصرار آن رفیق به حمام رفته بود، اما دیگر بعد از آن بدبختانه حتی، نمد سیاهش نیز گرمش نکرده

بود. استخوان‌های پیرش نم کشیده بودند و پوستش زبر و حساس شده بود و اکنون به رغم تحمل آن همه درد اشتیاق، درست در لحظهٔ وصل دیگر روح و ذهن و تنش هیچ نمی‌خواستند جز خواب و گرما. حق تعالی را شکرگزارد که ادب و نیوشایی را در همهٔ عمر فقط یک بار، آن هم در حق فرزانه‌ای چون حضرت مولانا روا داشته است، و گرنه تکلیفش در زندگی چه باید می‌بود اگر قرار بود زندگی را حرام تکلف کند؟ آسمان دید که لبخند کجش باز برصورتش نشست؛ نیم نگاه دیگری بر دختری انداخت که آدم‌برفیِ نشسته در روزی آفتابی بود. دلش برای اولین بار برای کسی سوخت. پس با احتیاط دستش را دراز کرد، پنجه‌های سرد و گریزانش را گرفت، اما هرچه در ذهنش کاوید کلامی نیافت که مفتوح باب آشنایی باشد. پنداشت ذهنش نیز مثل تنش یخ بسته است؛ یا نه! از شرم حضور است. جای‌گزین سخن، لبخندی به پوزش زد که بی‌پاسخ ماند. و او با تعجب بسیار دریافت که موجی از آرامش وجودش را فراگرفته است؛ از این‌که عروس را هم مثل خودش خواب‌آلوده، سرد، خسته و بدون انتظار یافت. آهسته لحاف را باز کرد و مهربانانه روی او کشید و خود نیز تا گلو زیر آن سُر خورد. حتی چندان بیدار نماند که نفس راحت عروسش را بشنود و ببیند که وحشت حاصل از تذکرات و راهنمایی‌ها و تعلیمات زنان حرم، طی همهٔ روزهای گذشته در پیرامون وظایف عروس در حجله از چشمانی که آن‌قدر دوستشان می‌داشت رخت بربسته است و جای خود را به بارقه‌ای از قدردانی آمیخته به ترحم سپرده است. عروس که دامادش به گردش چشمی در خواب یافته بود، می‌اندیشید که این پیرمردِ کم‌حرفِ نحیفِ و خجالتی چه‌گونه می‌تواند همان جادوگری باشد که بیش از دوسال شهری بزرگ را به آشوب کشیده و خواب از چشم همگان ربوده است. آیا این توده سفید و تمیز و شرم‌آگین زیر لحاف اطلس همان غول دوسری است که او با نشانی‌هایی که این و آن می‌دادند در ذهن خود ترسیم کرده بود؟ وقتی از خواب وی اطمینان حاصل کرد باجرأت او را به خوبی نگریست: موجودی اثیری و شکننده و شفاف، مثل یک قندیل، که اگر خدا بخواهد خیلی زود، در یکی از همین روزهای زمستانی آب خواهد شد و دیگر نخواهد بود. گویی سنگی هزار منی از روی دلش برداشته شد شکری بی‌صداکرد سر به بالش گذارد و با خاطری آسوده و امید تازه و شاکر از زفافی چنان معصوم و حجله‌ای

چنان سرد، پس از مدت‌ها به خوابی آرام و عمیق فرو رفت. هـفته‌ها بـود کـه بی‌توجه به شدت تألمات روحی او بدنش را شکنجه می‌کردند به بهانهٔ عروسی. او اگر عروس حجلهٔ علاءالدین هم بود آنچه با او برای آماده کردن بدنش برای زفاف کردند چیزی جز شکنجه نبود. پیکرش تکیده شده بود و چند بار از درد از هوش رفته بود. و مثل محکومی که برای اعتراف شکنجه‌اش می‌کنند، تسلیم و آماده پذیرش همه چیز بود. آنچه امشب تجربه کرده بود با آنچه منتظرش بـود آن‌چنان فاصله داشت که موجی از قدردانی و رحمت در دلش نسبت به دامادش خزیدن گرفت.

که عشق آسان نمود اول...

اشعه‌ی آفتاب از روزن سقف مثل آبشاری برمزرعه‌ی طلایی گیسوان دختر که روی بالش ابریشمین رختِ زفاف پراکنده بود، سرریز کرده بود و پوست خوش‌رنگش را تلألؤ مروارید بحرینی بخشیده بود. چهره‌اش درخواب کودکانه‌تر می‌نمود. مثل نوزادی سیراب از شیر مادر آرام و عمیق و راضی خوابیده بود. مرد جرأت نفس کشیدن نداشت؛ مبادا خوابی چنان شیرین را بیاشوبد. از سحر که به عادت همیشه برای مناجات برخاسته بود، قادر نبود لحظه‌ای چشم از او بردارد. هیچ شباهتی به آدم‌برفیِ دوشین نداشت. هنوز باور نمی‌کرد که این دردانهٔ آفرینش از آنِ او و در بستر او آرامیده است. آن روز مناجاتش تفاوت داشت؛ غرور درویشی رخت بربسته بود؛ شکسته و گریان می‌نالید:

بارالٰها برجای درست نشسته‌ای! می‌دانم اگر به جای این شصت‌واندی، شصت هزار سال در جست‌وجویت بیابان نوردیده بودم و عاقبت براین خیال منزل گزیده بودم که یافته‌امت باز هم همین شعبده را با من سر می‌کردی. می‌دانم که باز هم می‌خواستی و می‌توانستی گوشه‌ای از مکر خود بنمایی و سرگشته‌ترم کنی. حال دیگر خوش دریافتمت. با من سرِ بازی داری. آخر این حیرانی چرا؟ بنگر چه‌گونه تن خسته‌ام را نظارهٔ این تودهٔ ناچیز که آن‌جا به آرام است جانی تازه می‌بخشد. جز این است که این همه سحر قلم توست؟ جز این است که رنگی است از بیداد تو با ما؟ و هرچه می‌کشیم از شرّ همین چشم ام‌الفساد است که کور بادا. چشمی که تو به خشم و سیاست، آدم خاطی را بخشیدی و از بهشتش راندی؛ هرچند که خود آیت قدرت لایزالت است اما گویا به عمد از کمال و معرفت بی‌بهره است و بیش از همه حواس دیگر فریب می‌خورد و فریب

می‌دهد. اصلاً مأموریتش همین است، از آن لحظه که چشم را به آدم دادی و پس از آن او و شیطان را از عرش به فرش خاکی تبعید کردی زمین هرگز روی آرامش ندید. چشم چشمهٔ بخل است. همین چشم، توحید و بی‌رنگی را اسیر افتراق رنگ‌ها و نقش‌ها می‌کند اگر چشم نبود بسیاری اسارت‌ها هم نبود. اگر چشم را توانِ دیدنِ حقیقت بود، آدم از بهشت رانده نمی‌شد! او خود نفْسِ حجاب است. تو به ما چشمِ سر دادی تا چشمِ جان را کور کنی؟ مأموریت او توّهمِ بینایی است، تا پای همه دیگر حواس را توی گِل بگذارد. اگر چشم نبود رنگ هم نبود و دیگر حواس را همه اشتیاقِ توحید می‌بود و جهان این همه جولانگاه شیطان نبود. همگی مست از شهد بی‌رنگی و وحدت بودیم. پنجره‌ای به باغ شیطان در سر ما تعبیه کردی که اگر هم چون منی آن را به هزار زحمت ببستی، بازهم به رندی با او چنین می‌کنی. سال‌ها بود که یقین حاصل کرده بودیم که دیگر هیچ وسوسه‌ای در این خاکدان، باطن گشاد ما را سد نمی‌کند که همه پرتوی از شعشعه عشق توئیم. شعشعه‌ای که عمری همه شب تا صبح ذکرگویان در جست‌وجویش به آسمان می‌نگریستیم . . . و بعد تو خود می‌آیی و از پشت چشمان این کودک ما را می‌نگری. بگو تو چه کاره‌ای آخر؛ رحمان و رحیمی یا جبار و محیل. آخر با من چرا. جز این‌که از پدر و مادر، از شهر و دیار، از یار و یاور از مال و منال به خاطرت گذشتیم و برهنه پای و پشمینه‌پوش از آموی تا گنگ از هامون تا نیل بی‌وقفه جستجویت کردم و درست همان درنگ که گفتم در بی‌رنگی یافتمت و شناختمت رِنگی تازه و نیرنگی تازه زدی. اما بدان، بدان که من تو را به روشنی در او می‌بینم. بیش از آن‌که تو را در کعبه، تو را در قلبم و تو را در طلوعِ آفتاب از پس هندوکش و در غروب گنگ و سوز چغانهِ مطرب قُونوی دیدم. او مظهر کمال تست برای من. پرستش او پرستش تست، ستایش او ستایش تست، می‌دانم از من می‌پذیری چگونه می‌توانی این را از من نپذیری. وقتی که خود این دام راگستردی. می‌دانم تو عشق صاف را همیشه و به هر قالبی پذیرا هستی. اصلاً تو خود عشقی و عشق همان توست از آن‌جاست که می‌دانم تا این عشق در جانم ریشه دارد تو در من هستی و من در تو.

چشم از دختر خسبیده که بازی انوار آفتاب بر گیسوان زرینش هوش‌ربا بود، نمی‌توانست برگرفتن. اشک می‌ریخت و حالتی براو می‌رفت که اگر عروسش در

خواب ناز نبود عربده‌ها سر می‌داد و عاقبت برای این‌که صدا در گلو خفه کند به سجده رفت و درجا از خود بی‌خود شد. هیچ نمی‌دانست چه‌قدر وقت در آن‌حال بود که ناگهان متوجه گرمای تنفسی آهسته نزدیک گوشش شد. یادش نبود کجاست و دیگر کمرش از آن سجدهٔ طولانی راست نمی‌شد پس در همان حال روی به آن طرف برگرداند که هراسان از دیدن دوچشم سبز ترسان جلوی بینی‌اش ازجا پرید. دختر که از او بیش‌تر وحشت کرده بود، جیغ کوتاهی کشید و به گوشهٔ اتاق گریخت.

وقتی که امواج نور از روزن سقف، روز را به حجله هدیه دادند،عروس کم‌کمک از خواب بیدار شده بود اما دلش نمی‌خواست از گرمای مطبوع زیر لحاف بیرون بیاید هوای اتاق سرد بود. غلتی زد و ناگهان از دیدن پیرمردی که گوشه‌اتاق نماز می‌خواند هراسیده اما خیلی زود همه چیز یادش آمده بود و از فرصت این سجده طولانی داماد استفاده کرد تا خود را جمع‌وجور کند و خاطره دوشینه شب نیز به کمکش آمد تا دل خون شده‌اش را که از ترس دوباره مثل کبوتر توی سینه‌اش بی‌قراری می‌کرد آرامش دهد. وقتی به خود مسلط شد چشم به پیرمرد دوخت تا کی سر از سجده بردارد اما بی‌فایده. دقایق طولانی و شاید حتی ساعتی مردد در همان حال مانده بودو کم‌کم ترس برش داشت که نکند مرده باشد. یکی از زن‌ها برای دلداری او همین پیش‌بینی را کرده بود و گفته بود گاه اتفاق افتاده که پیرمردان در حجلهٔ عروسان جوان، درجا جان به جان آفرین تسلیم کرده‌اند. او البته این را نمی‌خواست. باید کاری می‌کرد. از رختخواب بیرون آمد و بی‌صدا چهاردست و پا روی نمد کف اتاق جلو رفت سرش را جلوی سر او برده بود که ببیند نفس می‌کشد یا نه و با تعجب می‌دید که دلش اصلاً نمی‌خواهد او مرده باشد. علی‌رغم همهٔ رنج‌هایی که کشیده بود، حال مرگ او را آرزو نمی‌کرد. ناگهان دید که مرد به آرامی سرش را همان‌طور در حال سجده برگرداند و با چشمانی غریب و متعجب او را می‌نگرد. هردو از جا پریدند، گویا پیرمرد هم به شدت ترسیده بود. همهٔ این‌ها چند لحظه بیش‌تر طول نکشید و بعد هر دو به یکدیگر نگریستند بی‌اختیار از این وضع به خنده افتادند. مرد با خشنودی می‌دید که دیگر اثری از آن غریبی و نگرانی و واهمه‌ای که دیشب زیر نور شمع در آن چهره محبوب او را آن همه یخزده و ناتوان و مرده کرده بود،

نیست. حالا مقابل چشمانش چهره‌ای آشتی و گلگون از شرم می‌دید که کودکانه می‌خندید. با چشمان جوانی تازه بالغ به آن رگ‌های آبی که زیر پوست یاس‌گونه گردنش می‌طپید و همه قرار را از او ربوده بود، نگریست و آهسته کمی جلوتر خزید و با احتیاط بسیار از ترس رماندن آن بچه‌آهو، هوسی که از سحرگاه قرارش را ربوده بود با نوازش محتاطانه آن گیسوانِ خرمنِ طلا برآورده کرد. دختر مقاومتی نکرد و همین به او کمی جسارت داد. پس بازوان را گرد پیکر نازک او حلقه کرد و او را کمی به خود فشرد، آهسته آن سر زیبا را روی شانه‌هایش گذارد و چشم‌ها را بست.تنها استشمام عطر موی او با هر نفس سرش را به دوران می‌انداخت، در مرز مدهوشی بود. لحظاتی بیش نگذشت که همه‌ی وجودش ـ متکاثف و لطیف ـ به چرخش درآمد. هیچ‌گاه در اوج سماع نیز چنان چرخشی را تجربه نکرده بود؛ چرخشی‌که کلّ مفاهیم و عناصر را به وحدت می‌خواند و باز از نو همه را تجزیه می‌کرد؛ چرخشی‌که از او، محبوبه‌اش و کائنات عنصری واحد می‌ساخت و هم‌زمان در خود خُردشان می‌کرد. درکی بسیار بدیع و فرّار و به غایت لطیف داشت. جریانی ازلی رگهایش را پرکرده بود. مرغ ذهنش به جای پرپرزدن از این شاخه‌به‌آن شاخه، پروازی بسیط به بلندای عرش را سرگرفته بود و نَفَسش واقعی‌ترین درک را از تناوب کثرت و وحدتِ عالم به او می‌چشاند. همه عمری که صرف تحصیل و جست‌وجو در کشف اسرار عالم وحدت و وحدت عالم کرده بود یک طرف و آنچه در این لحظه از اتحاد عشق و عاشق و معشوق و زمین و زمان و خود و خدا و کائنات تجربه می‌کرد، یک طرف. خود را در نوری که از روزن سقف می‌تابید مستحیل می‌دید و می‌دید که از همان روزن به آسمان عروج می‌کند. اینک در عالم نبی و حمیرا بود. با خود می‌گفت که این تجربه به هرآنچه در برابرش باخته است، می‌ارزد. دیگر همه‌ی تردیدهای دوشین از ذهنش رخت بربست. او دیگر از این پس عبید این عشق تازه بود که ناجُسته یافته بودش. با عالم عوضش نمی‌کرد. هرچه بود همین‌جا بود، باقی دیگر هیچ.

روزهای خوش از پی همه‌ی در به‌دری‌ها از راه رسیده بودند. سیراب از شهد عشق و کامیابی، معشوقه را لحظه‌ای رها نمی‌کرد و از نوازش او سیر نمی‌شد. چندین هفته از وصلتشان گذشته بود و پیر مست بود؛ مست از آن دست که خود

می‌دانست. خداوندگار و مریدان، حتی مردم کوچه‌بازار از تغییر کردار و رفتار او در حیرت بودند. نرمی و خوش‌خویی بی‌سابقه‌ای پیدا کرده بود. دوستدارانش با لبخندی پُر از طنز و مهر پشت‌سرش به‌هم چشمک می‌زدند و دشمنانش از هیچ فرصتی برای نقد مغرضانه‌ی سعادت ناب و گاه کودکانه‌اش دریغ نمی‌کردند. اینان خود را به آب‌وآتش می‌زدند تا بفهمند آن سوی ماجرا چه نهفته است. هم‌زمان با پخش خبر این وصلت در شهر که ناباوری دوست و دشمن را برانگیخت، شایعات بسیار محرمانه‌ای نیز در اطراف عشق کیمیا و علاءالدین برسر زبان‌ها افتاد. بوالفضولان و حاسدان برآن بودند تا بدانند آیا همسر نو سالِ شمس نیز به اندازه‌ی خودِ او شادکام است. غافل از این‌که در دنیای عاشقی غم یک‌طرفه می‌شود، اما شادمانی یکطرفه ناممکن است. همسر شمس نیز شاد بود از این‌که شوی بلند مقام خود را شادمان و سبک‌بار و سخت عاشق می‌دید، اگرچه زندگی با او نساخته و همه‌ی آرزوهای دل جوانش برباد رفته، اما او برسر دو راهی مرگ و اطاعت ـ فقط به خاطر دیگران؛ به خاطر مادر، و به خاطر خداوندگار ـ اطاعت را برگزیده بود. زیرا در راه مرگ، هم خود فدا می‌شد و هم دیگران پریشان. با نگاهی دوباره به عقوبت‌های دهشتناکی که در کتاب‌ها برای کسانی که خود را می‌کشند، ترسیم شده بود، برایش مسجل بود که این دنیا را با حسرت ترک خواهد کرد و آن دنیا نیز چه‌ها که در انتظارش نیست. مُحرز بود که انواع جزایی که به خودکشی‌اش تعلق می‌گیرد، به مراتب از زندگی با عجوزی که خود را شیفته‌ی او می‌داند، هولناک‌تر و سنگین‌تر است و با این تفاوت مهم که آن یکی عذابی زمینی و این یکی عذابی جاویدان و الهی خواهد بود. روزی که مهلت جواب به سر آمده بود، برخلاف پیش‌بینی‌های مختلف زنان حرم و به رغم همه‌ی خون گریستن‌ها و نفرت و وحشتی که از پیرمردِ غریبه داشت، و با آن‌که مادرش به او اطمینان داده بود که خداوندگار هیچ‌گاه او را با زور به حجله نخواهد فرستاد، کفنی برهمه‌ی آرزوهایش پوشیده بود و با بدنی سرد و تکیده‌وپوک، مثل نی خشکیده‌ای از یک نیزار زمستانی به کارزار ازدواج با آفاقی تن در داده بود، به‌ویژه آنکه علاءالدین هم که برای او آخرین امید نجات بود هیچ‌کاری نکرده بود به غیر از لاف برسر بازار مسگرها. پس او را مستحق این مکافات می‌دید. وسواس‌ها و بزدلی‌ها و خشکه مقدسی‌های او بود که کار را به

این‌جا کشانده بود. اگر علاءالدین اندکی از شجاعتی که لافش را می‌زد، بهره داشت، او محکوم به چنین سرنوشت تلخی نبود. شاید همه چیز تفاوت می‌کرد. دریغا از آن عشق. اما این روزها گاه حتی از بخت خود ممنون هم بود. زیرا پیرمرد با آنچه درباره‌اش شنیده بود توفیر بسیار داشت. وجودش ازجهاتی برتری‌هایی‌هم برعلاءالدین‌داشت. برخلاف‌شخصیت تک بُعدی واپسگرا و بسیار محزون آن مرد جوان، این پیر از چنان جذبه و شوری آکنده بود که گاه دیوار را به رقص وامی‌داشت. باهمه‌ی پیری و فقر می‌گفت: گویند دنیا زندان مؤمن است، اما ما ندیدیم جز همه عزت و همه شادی و همه نعمت. می‌گفت: شادی مثل آب روانی است که به هرجا رود شکوفه برآرد، و غم همچون منجلابی که به هرجا رود عفن. از همه مهم‌تر این که از او فقط همان را نمی‌خواست که تمام زنان حرم از آن حرف می‌زدند. می‌دید که مردش او را مثل یک الهه‌ی آسمانی پرستش می‌کند و روزی صدبار از فرق سر تا نوک پایش را می‌بوسد وبه او غرور معشوقگی می‌بخشد. او در تمام زندگی، رنج بیهودگی و زیادی بودن را مثل کوله‌باری بردوش کشیده بود؛ وقتی می‌دید وجودش جایگاهی چنان عزیز و لازم یافته است و عزتی که در همه‌ی عمر آرزومند و تشنه‌ی آن بود در اطرافش موج می‌زند، شادی چون نیلوفری از مرداب درونش سرکشید و او این را اجرِ مهر و ادبی می‌دانست که ایثار کرده بود. وقتی در هرفرصتی خداوندگار او را به خاطر تأثیری که براخلاق شمس گذاشته بود، می‌ستود، مغرور از جایگاه رفیع خود به آسمان فخر می‌فروخت. وقتی خداوندگار می‌گفت با همه‌ی آنچه ما نثار پیشگاه شمس‌الدین تبریز کردیم، حضرت شمس مصاحبت کیمیا را به ما نمی‌فروشد، گویی فرمان جهان را زیر نگین داشت. او به راستی ملکه شده بود، ملکه روح و قلب کسی که خود معشوق یکتا و بی‌بدیل بزرگ‌مردی بود چون خداوندگار، شیخ و مراد صدها هزار سالک که در آرزوی پابوسی‌اش می‌سوختند. این همان رؤیای ملکه‌ی آفاق شدن بود که به واقعیت پیوسته بود.

کم‌کم کهولتِ همسر را فراموش کرده بود، یا اصلاً لمس نمی‌کرد .می‌گذاشت تا پرستیده شود. می‌گذاشت تا او ساعت‌ها با آبشار طلایی گیسوانش مشغول باشد. دل‌وتن به آرام می‌سپرد و می‌اندیشید که معشوق بودن عجب عالمی دارد.

شمس به او عشق می‌بخشید و عزت بی‌کرانه، و در مقابل هیچ نمی‌خواست جز باهم بودن. او برخلاف شایعات درگوشی حرم، خشونت و زبری سرپنجه‌های پیری راکه‌گاه بدنش را سراسر شب می‌نواخت، لمس نمی‌کرد. اگر این بود خواست او، بگذار هرچه می‌خواهد بر اندام نئین و پوک او روا بدارد. این در برابر مفاهیم تازه و تجربیات بدیعی که زندگی مشترک کوتاه با چنان مردی برایش به ارمغان آورده بود بهای غیرمنصفانه‌ای نبود. او و اطرافیانش زندگی با آن غریبه را از نوعی دیگر و به مراتب سخت‌تر فرض کرده بودند. مرد، چنان که در ذهن می‌نشست، خشن و خرق‌عادتی نبود. آدمی بود نرم‌خو، عاشق و از فرط عشق حسود. کیمیا را فقط برای خود می‌خواست. زنان حرم که روزهای اول عروسی کیمیا را به چشم بره‌ای گرگ دریده، با چشمانی خیس و پرترحم می‌نگریستند، رفته رفته از سکوت و آرامش وی به خشم آمده بودند. به نظرشان او مرموز و متکبر شده بود. زن‌ها اگرچه دل‌نازک و مهربان می‌نمودند و از نابودی افسانه‌ی عشق و آینده‌ی او به شدت غمگین، ولی مطابق عرف حرم با هیجان به‌وقوع داستان دنباله‌دار هزار و یک‌شب دل بسته بودند که روز کسالت‌بار و یک نواخت حرم را تنوعی مملو از حادثه و ماجراجویی ببخشد و نشخواری جانانه برای شب‌های تیره و سرد و دراز زمستان فراهم آورد. اصلاً حرم‌ها، زنده به چنین وقایعی بودند. اما این‌جا با ناباوری و تعجب می‌دیدند که شب زفاف گذشت و پشت آن هم روزها و شب‌های دیگر و حتی هفته‌ها آمدند و رفتند و نه تنها هیچ یک از حوادثی راکه پیش‌بینی می‌کردند، به وقوع نپیوست، بل کیمیا خاتون آرام و با چهره‌ای راضی در خانه‌اش زندگی می‌کند و برای سؤال و جواب با دیگران هم به فرصت چندانی تن نمی‌دهد. علاءالدین نیز که آن همه خط و نشان می‌کشید و ادعا می‌کرد که اجازه نمی‌دهد دست آفاقی به جنازه‌ی کیمیا هم برسد و تمام شهر را برضد این ازدواج بسیج کرده بود، بی آن‌که معلوم باشد چرا تهدیداتش را عملی نکرده است، از مدتی پیش از شهر خارج شده بود، یا به عمد روانه‌اش کرده بودند. شمس و خداوندگار هم مسرور و خوش‌حال، سرگرم کار و رفت و آمدهای روز و شب و معاشرت با یاران و مریدان خود بودند. کیمیا وقتی شمس خانه نبود، سری به حرم می‌زد و انگار هیچ اتفاقی نیفتاده با هرکس که می‌خواست حرف می‌زد و با بچه‌ها بازی می‌کرد و کمک به انجام کارها می‌داد و

کمی سر به سر آیا خانم می‌گذاشت و بعد هم می‌رفت، بی‌آن‌که چیز تازه‌ای به اطلاعات همسایگانس بیفزاید. بعضی از آن‌ها که بیش‌تر ماجراجو بودند، مثل فاطمه‌خاتون ـ نامزد بچه‌سال چلبی بهاءالدین که غوره نشده مویز شده بود ـ در بعضی فرصت‌ها به کیمیا کنایاتی می‌زد که او یا نمی‌فهمید یا ناشنیده می‌گرفت. می‌گفتند: «دخترهای روستایی گستاخ‌تر وزودرس‌ترند، چون از بچگی شاهد جفت‌گیری حیوانات خانگی، مثل مرغ و خروس و گوسفند و گاو و نزدیکی پدر و مادر خودند. هیچ موضوعی برایشان اسرار مگو نیست». می‌گفتند: «فاطمه‌خاتون اما، علاوه بر این پر رویی‌ها، اصلاً پدیده‌ای بسیار مستعدی است برای دریافت هرچه سریع‌تر همه‌ی فوت و فن‌های زنانگی و حرم‌نشینی. با همه‌ی سن و سال کم، به سرعت تمام هنرهای لازم، از جمله غش کردن، توداری، کنجکاوی، گوش ایستادن، کنایه‌های جانانه، رقابت، حسادت، حرص، بدخواهی، هشیاری منفی و شیوه‌ی نقل گستاخانه‌ترین شوخی‌ها و لطیفه‌های جنسی را ظرف مدت کوتاه اقامتش در حرم آموخته است». سوای این نقل و گپ‌ها، فاطمه‌خاتون اما به لحاظ فاصله‌ی زیاد سنی با دیگران هدف همه‌ی هنرنمایی‌ها، و چشم و هم‌چشمی‌هایش کیمیای بی‌نوا بود. اگر وقار و سنگینی ناشی از بزرگ‌زادگی و غرور و استغنای طبع کیمیاخاتون، او را در جایگاهی رفیع و غیرقابل دسترس برای این موجود جسور قرار نداده بود، فاطمه‌خاتون به تنهایی می‌توانست زندگی را برای او به جهنمی مطلق بدل کند. اما کیمیا بی‌اعتنا به او و بقیه در عالم خود سیر می‌کرد. بیش‌تر اوقات اصلاً متوجه روابط اطراف خود نبود. این خاصیتی بود که او از بچگی داشت و شاید هم عامل بقایش همین بود.

به او گفتند که کسی پرسیده بود که حمام رفتن عروس را هیچکس ندیده پس او کجا غسل می‌کند، فاطمه‌خاتون گفته است: کسی‌که شوهرش بیش از بیست سال از شوهر ننه‌اش پیرتر باشد، احتیاج به غسل ندارد.

یکی از روزها هم وقتی خود کیمیا به حرم وارد می‌شود، هیجان فوق‌العاده و صحنه‌های درگوشی زنان توجه او را جلب می‌کند. وقتی علت را می‌پرسد، همه با لبخندهای معنی‌دار و ادا و اطوارهای خاص خود طفره می‌روند تا بالأخره

فاطمه‌خاتون او را کنار می‌کشد و می‌گوید: در حرم شایع شده که از بس کراخاتون از بی‌مهری حضرت مولانا نزد خود ایشان گلایه کرده است، دیشب حضرت ایشان سراغ خاتون رفته‌اند و تا چهل بار با ایشان نزدیکی کرده‌اند، طوری که کراخاتون به پشت بام مدرسه فرار کرده است و امروز هم صبح زود به حمام بعد چشمکی به او می‌زند و می‌گوید: شاید حضرت خداوندگار خواسته درسی به همسایه‌ها هم بدهد. مشتی به پهلوی او می‌زند و خود از خنده ریسه می‌رود.

این برخوردهای تحریک‌کننده بیش‌تر به خاطر این بود که کیمیا به طرزی باور نکردنی آرام و راضی به نظر می‌رسید: چیزی که هیچ‌کس از آن سر در نمی‌آورد و دلیلش را هم نمی‌فهمید. اما کیمیا کوچک‌ترین واکنشی که حاکی از دلگیری باشد، نه نشان می‌داد و نه در خود می‌یافت. او همیشه بالای سر جریانات خانگی حرکت کرده بود و می‌کرد. برای او همین بس بود که با تسلیمش به خواست خداوندگار، موجبات بهجت زائدالوصف او، مادرش و شمس را فراهم آورده بود و محیط پیرامونش را نوعی هماهنگی و آرامش بخشیده بود. شکایتی از شرایط نداشت و شور زندگی و جوانی هم کار خود را می‌کرد. در پس همه‌ی حقارت‌ها و ناچیز انگاشته شدن‌ها، می‌رفت که ذهنش را روشنی مهر و محبت خالصانه و عشق ورزی‌های شمس که هیچ نشانی از سالوس وریا در آن‌ها نبود، از سایه‌ی تیره‌ی غصه‌ها شست‌وشو دهد. تنها موضوعی که نمی‌دانست باید با آن چه‌گونه کنار بیاید، نفرت لاعلاج همسرش نسبت به زنان حرم و نارضایی او از رفت‌وآمد آن‌ها به خانه‌شان، یا برعکس تردد او به آن حیاط بود. این یک امتیاز را دیگر نمی‌توانست به مردش بدهد. نمی‌خواست از خانواده‌اش ببرد. چه‌گونه می‌توانست از دیدن مادر، برادرانش، دایه‌اش و بقیه‌ی کسانی که با آن‌ها بزرگ شده بود، صرف‌نظر کند، درحالی‌که میان آن‌ها فقط یک دیوار خشتی فاصله بود و پنجره‌های خانه‌اش به حرم باز می‌شدند و تمام روز تنها بود و همه او را از آن طرف صدا می‌کردند. دلش پر می‌کشید که بچه‌ها را در آغوش بکشد. تنها راه چاره‌اش این بود که چیزی نگوید و فقط وقتی همسرش خانه نیست به آنجا برود.

زندگی داشت به روال عادی باز می‌گشت. به جای وظایفی که کیمیاخاتون در حرم داشت، حالا باید خانه‌ی خود را تمیز می‌کرد و برای شویش غذا می‌پخت. با این که پیش می‌آمد که یکی دو شب هم به خانه نیاید، اما انتظارش از همسرش این بود که در خانه باشد و وظایفش را نیز انجام داده باشد. در آن روزهای بلند مقدار کاری که او داشت، بخش کمی از وقتش را پُر می‌کرد. بقیه را مجبور بود به کاری بپردازد که مردش اصلاً خوش نداشت، یعنی وقت گذراندن با مادرش و بچه‌ها و اوجی و دایه خانم در حرم. شمس بارها نارضایی خود را از این کار به کیمیا اظهار کرده بود؛ او در زندگی فقط یک زن را دوست داشت آن‌هم کیمیا وگرنه به زنان اعتماد نداشت و آنان را مایه شر می‌دانست، به خصوص که خوب می‌دانست زنان آن‌جا دلخوشی از او و این وصلت ندارند و همیشه می‌توانند با حرف‌هایشان کار را بر او دشوار کنند. از طرف دیگر، غیبت‌های بلند و وقت زیادی که او به مجالست مولانا و مریدان می‌گذراند و نیز مجاورت حرم با خانه‌اش که در صُفّه‌ی مدرسه بود و حتی نورگیرهایش به لحاظ شرعی فقط به حرم باز می‌شدند، تحریم همسر نوجوانش بی‌ارج و بی‌فایده بود. هربار که پا از خانه بیرون می‌گذاشت، این فکر که عیالش بلا فاصله پشت سرش راهی حرم می‌شود، مثل خاری، پای آزارِ خوش‌بختی درخشان و نویافته‌اش بود و اگر افق دغدغه‌ها در همین حد محدود می‌ماند، دندان روی جگر می‌گذاشت و به پاس همه‌ی شور و وجدها این گذشت را بر خود هموار می‌کرد؛ اما مشکل اصلی از جای دیگری آب می‌خورد: چندی بود که برق غیرت داشت جانش را به آتش می‌کشید. دو ماهی از وصلتش نگذشته بود که به حکم همسایگی، او باید تحمل می‌کرد که پسرجوان و برازنده‌ی خداوندگار ـ علاءالدین محمد، که شهره‌ی کمال و جمال نیز بود ـ هر روز به بهانه‌ی دیدار والدین از برابر ایوان خانه‌ی او بگذرد و وارد حرم شود، و او که خود سخت سوخته‌ی عشق بود، بوی آن را از هزار فرسنگی درمی‌یافت. از شایعات درگوشی پیرامون این دو جوان که همبازی و مونس هم بودند، چیزی نشنیده بود، یعنی کسی را زهره‌ی آن نبود که در باب این‌گونه مقولات با او سخن براند، اما او موهایش را در آسیاب سفید نکرده بود چندان زیرکی داشت که فقط از چند حرکت نامحسوس جوان توجه خاص و کشش انکارناپذیر او را به همسرش، بی‌هیچ نشان آشکاری دریابد و

هرچند آن‌ها هم‌بازی و هم‌خانه و مونس کودکی هم بودند و الزاماً محبت‌شان در خور سرزنش نبود و او با همه‌ی حساسیتش نتوانسته بود شاهد رفتار قابل سرزنشی میان آن دو باشد، اما کار از محکم‌کاری عیب نمی‌کرد. غیرتش برنمی‌کشید که این جوان برومند، با هر سودا و انگیزه‌ای ـ خوب یا بد ـ دوروبر خانه و همسرش بپلکد. وجود و حضور او در آن‌جا آرامشش را مختل می‌کرد، خاصه این‌که علاءالدین برخلاف آن برادر دیگر، از همان ابتدا در زمره‌ی علمداران مخالف او، دشمنیش را آشکار کرده بود. هیچ‌یک از دو طرف نیز سعی یا انگیزه‌ای در ترمیم با پوشاندن این رابطه‌ی تیره و دشمنانه نداشت. حالا این یک باید هر روز با بیچارگی ناظر تجاوز آن یاغی سرکش و رهزن دل به حریمی باشد که کیمیای سعادتش را در خود جای داده بود. دم هم نمی‌توانست زدن و این با طبع پرخاشگر و بی ملاحظه‌ی او تعارض بسیار داشت. تا کی سکوت کند! چه‌قدر دندان روی جگر بگذارد و از طرق مختلف نارضایتی خود را محترمانه به این جوان ابراز دارد و او به روی خود نیاورد! کار داشت به تدریج بالا می‌گرفت. وسواسِ خلیده به جانش، دیگر حتی برون از خانه، در سفر، یا در مجلس میهمانی و قوّالی و سماع نیز نیمی از حواسش را به گذرگاه برابر ایوان خانه‌اش معطوف می‌داشت. گاه ناگهان مثل جن‌زده‌ها برمی‌خاست و خود را به خانه می‌رساند تا ببیند چه خبر است، و وقتی همه چیز را در امن و در امان می‌یافت، شیطان را لعنت می‌فرستاد و خود را ملامت می‌کرد که چه‌گونه دستخوش چنین وسواسی شده است. کیمیا را به نواختی خشنود می‌کرد، اما خود سر به گریبان و بدخلق باز می‌گشت و می‌دید که شرم و بیزاری‌اش از خود دارد به تدریج تشدید می‌شود. حضور خطرناک آن قامت رعنا و خط سبز که مثل یوز آنجا می‌پلکید و با چشمان مشتعل خود او را آن‌طور دشمنانه می‌نگریست آشوبی در ذهنش برپا کرده بود. باز همه درس مدرسه و مصاحبت فرزانگان و نصایح استادان و پند و اندرز میراث گذشتگان را در ذهنش مرور کرد تا بلکه آرامشی دست دهد. نشد که نشد. **پای استدلال نه در عشق که در نفرت هم چوبین بود.** باید خود را از عاقبت شوم این تشویش می‌رهانید.

یک بار به کیمیا گفته بود که به زودی دست او را خواهد گرفت و از آن‌جا خواهد برد، اما کیمیا که خاطره‌ی بی‌بی‌جان مثل برق در ذهنش جان گرفته بود،

گفته بود این یک کار را نمی‌تواند با او بکند، حتی به قیمت مرگ یا طلاق. می‌دانست که خداوندگار هم هرگز برای رفتن کمکش نمی‌کند. هرچه بیش‌تر در ذهنش دنبال چاره می‌گشت، کم‌تر می‌یافت. دربد دامی افتاده بود، با همه‌ی رندی و جسارتِ پرده‌دری و صراحتی که گاه در او تا حد وقاحت پیش می‌رفت، با نور چشم و فرزند حضرت مولانا، که محبوب قلوب و مورد احترام و تکریم همه‌ی مردم قونیه بود و سلطان‌المدرسین لقب داشت، چه می‌توانست بکند؟ آن هم در شرایطی که جوان، به ظاهر، فقط برای دیدن دایه و مادربزرگ و خواهر و برادر و سایر بستگانش به حرم می‌رفت. این تنها معبری بود که از مدرسه به حیاط حرم خداوندگار راه داشت. نمی‌شد به او تکلیف کرد که کوچه را دور بزند و از در زنان تردد کند. اما این رفت و آمد به هرقیمتی که بود، باید قطع می‌شد. هرچه گشت هیچ دلیلی برای اعتراض به عبور علاءالدین نیافت. پس تنها یک راه می‌ماند: انگیزه را باید می‌کشت. پای خود مرغ را باید می‌بست.اگر پیر بود و میهمان بود و مدیون بود وزورش هم به آن شاهین جسور نمی‌رسید، اختیار ماکیان خانگی خود راکه داشت. این موقتاً تنها چاره‌ای بود که به عقلش رسیده بود. سرانجام روزی به رغم میل باطنی‌اش در رنجاندن کیمیا، اعلام داشت که نباید بدون مجوز او پای از چهارچوب در بیرون بگذارد و دیدار هریک از اهل خانه را ـ اعم از زن و مرد ـ به جز در موارد خاص و با حضور خودش یا شخص مولانا براو حرام شمرد. بعدها اگرچه می‌دانست که زن در روزهای دور بودنش از شهر، به حرم تردد دارد، اما چشم‌هایش را به گناه او می‌بست و می‌گذاشت این کار را در عین ممنوعیت انجام دهد. این دستاویز او را طلب‌کار می‌کرد. می‌توانست در هر فرصت مقتضی، به بهانه‌ی سرپیچی از فرمان شوی، به او درس‌های سخت و سخت‌تر بدهد، بی‌آن‌که اعتراض اطرافیان را محلی در اعراب بماند. با این همه درخود می‌پیچید. یک عذر شرعی برای نشخوار، عوام راکافی بود، اما او با درون هشیار وبی‌قرار خود چه می‌کرد. هنوز اندک زمانی از قرار جدید نگذشته بود که حسی به او می‌گفت، می‌رود که دوران شادکامی به سر رسد. می‌دید که زن هر روز پژمرده‌تر وبی‌حوصله‌تر می‌شود، اما او با همه‌ی دانشی که یک عمر اندوخته است، نظاره‌گر و پای در گِل است. این‌جا دیگر هیچ‌یک از ریاضت‌های معنوی‌اش که سال‌ها در خانقاه‌های سراسر گیتی به کفّ

نفس و تسلط بر خشم و حسد و وسوسه و وسواس و جز در راه خدا نیندیشیدن و جز از او نترسیدن و توکل خالصانه و رها شدن در تقدیر و خواندن ذکر و دعا و توسل به ایثار و بخشش و عشق بی‌انتظار، تخصیص یافته بود و به پشتوانه‌ی تک‌تک آن‌ها به مراتب عالیه و منازل غایی طریقت دست یازیده بود، یاری‌اش نمی‌دادند و در عمل بازی‌هایی کودکانه بیش نمی‌نمودند.

خود را نهیب می‌زد که چه خوش گفته است آن شیخ کامل به آن دیگری که در پس کوه‌ها در بیابانی عزلت گزیده بود و طیّ منازل می‌کرد: اگر راست می‌گویی و زهره داری و اگر انسان کامل خواهی شدن، به میان انسان‌ها باید آمدن، و گرنه در میان ددان که خود انسان کاملی. چه راست است و چه سخت است اگر پای امتحانی حقیقی در میان باشد. فرزانه‌تر از آن بود که نبیند در چه دام بلایی گرفتار آمده است. مستأصل بود و هراس برش داشته بود. به وضوح می‌دید که هیچ‌کس در مقام سرزنش نیست، جز این عشق بی‌امان که او را چنین مقهور دیو حسد کرده است. ***این عشق*** از قلندر مست و بی‌پروایی که او بود، گدایی جبون و محتاج نیم‌نگاه معشوق که جز به ملامت چشم بر او نمی‌دوخت ساخته بود. روزی هزار بار می‌مرد. عشق نفسش را بریده بود و دم‌به‌دم حلقه‌ی زندگی را بر او تنگ‌تر می‌کرد. به چشم خویش می‌دید که درخت خرّم سعادتش دست‌خوش خزان است. وه که عمر شادکامی چه کوتاه بود، از بهار هم کوتاه‌تر. گاه می‌اندیشید که چیزی تغییر نکرده است و فقط این خود اوست که بی‌قرار و دچار توهم است. بیش‌تر که دقیق می‌شد، می‌دید دیوی در درونش زنجیر گسیخته است که البته باید مهار می‌شد. تا دیر نشده بود، باید کاری می‌کرد. دیگر نمی‌توانست ساکت بنشیند و شاهد مرگ عشقی باشد که طعمی شیرین و بُعدی تازه از زندگی را به او شناسانده بود. می‌گفت همهٔ این فاجعه، زاده‌ی بی ملاحظگی جوانکی سرکش است که یا سودایی خام در سر می‌پزد، یا به فرضِ توهم، صرفاً برای ملاقات والدین به حرم رفت و آمد می‌کند، اما من عاشقم و حسود، و نمی‌خواهم او را این‌جا ببینم. او باید رعایت کند. دهان مردم را که نمی‌توان بست. اگر مردم براین پندار روند که این جوان را با عیال من کاری

هست، و نَقل ما نُقل محافل شود، آن وقت دیگر چاره‌اندیشی بی‌ثمر است. دوست مرا بی‌رحمانه به این بوته‌ی آزمایش کشانده و من خود کار را باخته‌ام، و نه فقط کار را، بلکه همه‌ی آن عمر پرمشقت و ماجرا را که با کتاب و مدرسه وطلب جست‌وجو گذرانده‌ام. این‌جا دار عمل است و تا به حال هرآنچه دیگر بود سراسر ادعا بوده است و بس.

برای اولین بار در زندگی از نگاه‌های دیگران واهمه داشت و از تصور این‌که درباره‌اش چه می‌اندیشند، آتش خشم در جانش می‌افتاد. پس کجا شد آن وجه کبریایی. از آن پس باید جایشان عوض می‌شد: خداوندگار مراد و شیخ، واو مرید و طلبه می‌شد. کفش‌هایش را جفت می‌کرد و خاک پایش را به چشم می‌کشید. او برنده‌ی بازی بود. او در امتحان اخلاص و سعی و پاک‌باختگی و رهایی، گوی سبقت را از وی ربوده بود. با رنجی وصف ناشدنی می‌دید که دیگر این حرف‌ها هم کمکش نمی‌کنند و ثانیه‌ای غافل از این که معشوق کجاست و چه می‌کند، نیست. حسد و غیرت و تعصب، شعله در خرمن پارسایی و دانش و کمالش زده بود. دیگر نمی‌توانست طاقت بیاورد. چند بار عمداً برسر راه رقیب خیالی سبز شد و تلویحاً اشاراتی کرد. جوان که بیزاری از نگاهش می‌ریخت، گذشت و پاسخی نداد. مار خشم درونش هردم پیچان‌تر می‌شد. عاقبت در غروب‌گاهی، مُسلح و ستبر بر سرِ راه او ایستاد. چون جوان آمد که باز بی‌اعتنا به او عبور کند، راه را بر وی بست و صراحتاً تذکر داد که رفت و آمد او از این راه باید به حساب و اندازه باشد و این‌طور نیست که او هروقت بخواهد بتواند از مقابل خانه و حریم حرم او عبور کند واگر رعایت این تحریم را نکند، هرچه ببیند از چشم خود بیند. فکر می‌کرد که به وقت تذکر داده است و انتظارش هم از فرزند تربیت شدهِ حضرت خداوندگار چیزی نبود جز رعایت حرف، و احترام به خواسته‌ی او و چنین نیز شد. شایعه‌ی این تهدید عجیب و جسورانه مثل رعد در قونیه صدا کرد و مردم، طالب علمان، حتی فتیان و اخیای آن را جایز و لازم ندانستند. دوباره زخم قدیم سر باز کرد؛ به خصوص که گروه بزرگی از مردم، از این‌که دیگر بار حضور شمس، امکان باریافتن آنان را به درگاه مولانا محدود و

دشوار کرده بود، نسبت به او خشمی فروخورده داشتند. تحریم علاءالدین دست‌مایه‌ای بود برای هیاهوی مخالفان به‌ویژه علماء تا برسر منابر فریاد برآورند: غیرت کجاست! سبیل‌ها را بتراشید و روبنده بیندازید . . . این چه فضیحت است؟ . . . کجا دیده شده که مردی فحاش، ژنده‌پوش و آفاقی از در درآید و شیخ شهری را شیدایی کند و گل سرسبد حرم او ـ دختر نوجوان و جمیله‌اش ـ را به بستر برد و پسر شیخ را نیز به گناه رفت و آمد به خانه‌ی آبا و اجدادی تحدید و تحریم کند و خود به در نشیند و با دشنام و پرخاش برای دیدن صاحب‌خانه نیاز گزاف از مریدان فقیرش طلب کند و هیچ کس هم لب تر نکند؟ آخر تا کجا این غریبه را میدان جسارت می‌دهید؟ او دیگر چه باید بکند تا شما خواب‌زدگان بیدار شوید؟... باید همه روزه در کاسه‌ی شیرتان ب...؟ یا روزی به حمام درآید و شما یا زنانتان را ب ... . این تحریکات منبری مثل همیشه سخت کارگر افتاد و مردم گروه گروه این‌جا و آن‌جا برسرِ گذرها موضوع حضور آن پیر جنجال‌آفرین را در شهر از نو وارسی می‌کردند.

پیرمرد، پریش و مستأصل دوباره شاهد تغییر سریع و ناگهانی در رفتار مردم بود. احترام و عشق و محبتی که در آن چند ماهه کسب کرده بود، همه برباد بود. باز جوانان تا او را در پیچ کوچه‌ها می‌دیدند، دست به قبضه می‌بردند مردان زیر لب دشنام می‌دادند و زنان نفرین می‌کردند. البته او همه را معجزه‌ی منابر می‌دانست که به روزی از وی ولیّ کامل و هم‌مرتبه‌ی عرشیان و به دقیقه‌ای پشمینه‌پوشی حقیر و بیگانه‌ای متجاوز و لایق مرگ می‌ساختند. دل‌خوشی‌اش این بود که دوست و ولی‌نعمتش از عوالم عوام به دور بود و در راه خوشی و راحتی او از بذل هیچ کوششی دریغ نمی‌کرد. دو سه تن از مریدانش را نیز هنوز با خود داشت؛ مثل بهاءالدین، پسر بزرگ مولانا و حسام‌الدین ـ مرید جوان ـ و صلاح‌الدین زرکوب. آنچه متحیّرش می‌کرد، این بود که اگر آنچه میان او و علاءالدین گذشته است، خاطر پدر و مولای او را و نیز برادران او را مکدر نکرده است، دیگران چه کاره‌اند. به آن‌ها چه که میان او با زن و برادر زنش چه می‌گذرد؟ اینجا همیشه چیزی در ذهنش خار خار می‌کرد. . . مثل یک زالوی سیاه. با

وحشت می‌دید که اندک اندک، و بی‌آن که بخواهد، تقصیر همه‌ی این ناگواری‌ها را به گردن زنان حرم و به‌خصوص همسرش کیمیا می‌اندازد که احتمالاً در سربینه‌ی حمام و کوچه و بازار با مظلوم‌نمایی و پرگویی و ژاژخایی به آتش ماجرا دامن می‌زنند. وگرنه مردم چه می‌دانستند پشت دیوار خانهٔ او چه می‌گذرد. حکایت غریبی بود. خشمی روزافزون و چاره‌ناپذیر نسبت به همسرش حس می‌کرد. نمی‌توانست انکار کند که اگر کیمیا برسر راهش سبز نشده بود، اگر با آن چشمانش او را سحر نکرده بود و اگر به فرجام، آن همه نارضایی و محنت‌زدگی در وجناتش موج نمی‌زد، او امروز گرفتار آن همه واکنش و مصیبت نبود. عشق و پیوند کیمیا، مثل خواب خوشِ بامدادِ رحیل او را از کاروان باز داشته بود. می‌دید که کاروان رخت بربسته است و زایران رفته‌اند و او مانده است با آتشی سرد و خاکستری از عشقی نافرجام که سرمه‌ی چشم فضولان و دشمنان است، در دل شهری حسود که به هزاران تیغِ آخته رقص مرگش را آغاز کرده‌اند. خود را و او را لعنت می‌کرد، و او را بیش از خود، زیرا در پایان همه‌ی خیالات جنون آسا، می‌پنداشت اگر کیمیا با او هم دل بود و اطوار و احوالش بهانه‌ای به دست دشمنان نمی‌داد، همه چیز توفیر داشت. دیگر قادر به حفظ ظاهر هم نبود. با کوچک‌ترین بهانه‌ای می‌خروشید و صدایش هفت سوق شهر را در می‌نوردید. همه نگران بودند. نزدیکان دختر، در غم موجود سرگشته‌ای که اصلاً نمی‌دانست گناهش چیست، خون می‌گریستند؛ اما کسی را زهره‌ی دم‌زدن نبود. هر روز که می‌گذشت، نفرت پیرمرد از خودش واطرافیانش اوج تازه‌ای می‌یافت و خُلقش تنگ‌تر می‌شد. دیگر بدرفتاری‌اش با همسر نوجوان و معصومش وجهی آشکار و بی‌حد خشن گرفته بود و زنِ درمانده که تنها دل‌خوشی‌اش هِبه‌ی سعادت به همسر ناکفو، اما بلندپایه‌ی خود بود، رفته رفته درمانده‌تر می‌شد. به صیدی می‌مانست اسیر در تور، که هر جنبیدنی، گرفتارترش می‌کرد. بدخلقی مرد به سر زبان‌ها افتاده بود. همسایگان هر روز شاهد کشمکش آن دو و خشونت و ناسزایی بودند که پیرمرد عبوس برهمسر جوانش روا می‌داشت. موضوع به گوش مولانا هم رسیده بود و او با همه‌ی وسعت صدر و ملاحظه‌ای که در حق شمس روا می‌داشت، عاقبت روزی سکوت را جایز ندانست. ذکاوت فوق انسانی‌اش خطر را حس کرده بود و به رغم میل باطن و به رعایت مصالح

دوست، پرده‌ی سکوت را با ظرافتی که خاص کسی جز او نبود، درید و شبی که شمس را بی‌حد ملول یافت، فرصت را مغتنم شمرد. پرسید: نمی‌دانم چرا چندی است که شمس برسر دیوار ما مکدر طلوع می‌کند، تا کجا توفانی برپاست! باید بدانیم. شما که بس سعادتمند می‌نمودید. ما را گمان بر این بود که آنچه را که می‌جستید، یافته‌اید. با آن فرزانگی‌ها که در شما می‌شناسیم، یقین به ثبات و توفیقتان در ادارهٔ اوضاع داشتیم. این چه حکایتی است که برآن جناب می‌رود!

شمس چندی با بدخُلقی و شک مولانا را نگریست و با اندکی تکبر گفت: کاش همه‌ی آن دیگران نیز مثل ماهِ وجود شما بودند که تحمل نور شمس را داشتند و از او روشنی می‌گرفتند تا عروس کائنات شوند؛ اما دریغ که دوروبرمان را خفاشان گرفته‌اند: کورند و تحمل نور ندارند. اگر برآنید که بدانید، حکایت همین است و بس. ما را حوصله ذکر مصیبت نمانده.

مولانا به تأمل گفت: بر این گمان بودم که وظیفه این است که اگر نه هیچ کس دیگر، لااقل ما باور داشته باشیم برحکمتی که قائل به ضرورت حضور خفاش‌ها نیز هست. حتی از این هم بیش‌تر برویم و به رسم تعظیم به آن حکمت حتی دوستشان داشته باشیم؛ خاصه من و شما که حرفمان از وحدت است. اگر ما هم بنالیم، تکلیف دیگران چیست؟ حضرت شما را همیشه عادت به تحمل همه‌ی ناسازگاری‌های خَلق بوده و کار هم همیشه برهمین منوال بوده است. ما شما را هرگز در برابر این‌گونه مقولات این همه آشفته و عاجز ندیده بودیم. گره‌ای دیگر باید در کار باشد، جز این‌ها که رفت.

مولانای عاشق بی‌درنگ بارقه‌ی خشم را در چشم معشوق دید و با خضوع افزود: شما می‌دانید که بحث از خود ما نیست. آتش عتابِ شما هرچه بیش‌تر بر خرمنِ ما زند، پخته‌تر و سوخته‌ترمان می‌کند و ما را بِه؛ اما همه‌ی آن دیگران تاب این ندارند؛ فی‌المثل تاب این را که گفته می‌شود درخانه بی‌حد بلوا می‌کنید، آن هم با آن کس که او را دوست می‌دارید و ما و همه‌ی مردم او را مظلوم و نازنین می‌دانیم. می‌دانید که این مسبب بلاهای بسیارِ خانگی می‌شود. اگر او را مقصر می‌پندارید، پندش دهید، عفوش کنید گولش زنیدلیکن شما را به

سبحان قسم می‌دهم کینه توزش نکنید. برحذر باشید از مکر زنان؛ آفت دینند این‌ها. از نبی ما پند بگیرید که چه‌گونه با سیاست و ملاطفت این قوم زیرک و آگاه بر مصالح خویش را اداره می‌کرد. یا وارد این کارزار نباید شد، یا باید به کیاست لازم رسید. مرد نیکو نباید قافیه را ببازد تا حدیث ناموسش بر زبان هر نامرد در افتد.

شمس فی‌الفور دریافت که موضوع از حد خیالات و توّهمات و وسواس‌های درونی او فراتر رفته است و همه، همه‌چیز را می‌دانند. زیر لب دشنامی سنگین ارزانی کیمیا داشت که مسبب همه‌ی بی قباحتی‌های عوامانه‌ای بود که او عمری را فارغ از آن‌ها زیسته بود. کار باید واقعاً به‌جای باریک کشیده باشد که مولانای شوریده‌اش که در سیروسلوک فارغ از دوعالم طی‌طریق می‌کرد، چنان تذکری را لازم دیده است. پس زمانش رسیده است که تکلیفش را یکسره کند. اورا بس‌است. باید کار را پایان دهد. برمخده‌ای لمید وبه‌حوصله گفت:

«اول این‌که بدانید، مرد نیکو دیگر است و مرد عاشق دیگر.

دوم این‌که با کیمیا صبرها کردم که با کس نکردم. اوست که هرلحظه سر از روزن بیرون می‌آورد و ضعیفه‌ها را می‌خواند که بیایید و شوی مرا ببینید.

سوم آن‌که فکر کردم دوستش دارم، اما دوست ندارم الاّ خدای را.

و آخر این‌که همه را حلال کردم، و او را هم حلال کردم.»

او را حلال کردم، زیراکه با همه رسوایی‌مان از او پندی گرفتیم که حدیثش را عمری بر زبان می‌راندیم؛ اما دل به آن نداده بودیم و آن این که در این وادی فقط قال کار نمی‌کند. حال تازه دریافتیم که شیخ ما چه می‌گفت که «هزارسال کشف‌وشهود خانقاه، کار یک روز زندگی میان عوام را نمی‌کند». طلبه باید به میان مردم درآید و سیر منازل در عمل کند، نه در خلوت، که گاه همه‌ی شهود آن ارزنی نمی‌ارزد . . . داستان عشق رسوای ما و این دختر به تازگی پس از نیم قرن ریاضت و آوارگی و طلب، حقیقتی را به ما فهماند که فکر می‌کردیم دیری است در یافته‌ایم و سرانجام جوهر و پیام حکایتی را به رساند که روزی در مکتب، ملایمان آن را بازگفت و ما را از همان خردسالی آواره‌ی لولی‌صفتِ گِردِ این

خاکدان کرد. تا قبل از این مصیبت حتم داشتیم، و دریغا از آن یقینِ باطل که «رسیده‌ایم و گرفته‌ایم و فهمیده‌ایم». زهی سودای خام. همه جوانی را در پرهیز گذراندیم. درِ اربابِ دنیا را نکوبیدیم و فعلگی کردیم. بند تنبان بافتیم و فروختیم. در این خیال که در راه او قدم می‌زنیم، هر مرارتی را به جان خریدیم. این یک چند را هم در توهم وصل یار وقت از کف دادیم. حال دیگر نیمه جانی بیش نمانده است؛ اما اگر یک نفس هم باقی باشد، بهتر که باز در جست‌وجو بالا بیاید تا در جهلِ مرکّب و در پسِ حجابِ علم، که عاقبت همان به این روزم نشاند. ای دوست! کاش هیچ‌گاه چنین محاوره‌ای با شما نداشتم. اما به سبب آنچه اینک از شما شنیدم، به غایت ضرور می‌دانم که بیش‌تر از احوال فعلی من بدانید. اگر قبول این زحمت کردید و پرسیدید، مبادا که ناصوابی از فضولان بی سر پا ذهن شما را نسبت به این باخته دنیا و آخرت از این بیش کدر کند!

مولانا لبخندی دلجویانه زد و دستش را بر شانه‌ی او گذاشت و گفت: این همه مکدر نباشید. کارها با جماعت زن همیشه سخت پیش می‌رود. این مقولات کاری به عوالم ما ندارد اما مشتاقم می‌کند که اگر به آرام می‌توانید بود و می‌خواهید، داستانی را برایم نقل کنید که بارها به واگویه‌اش بشارتم داده‌اید.

شمس مست از شهد مهربانی خداوندگار، و غرق امتنان از همدردی صمیمانه‌اش، نفسی به راحتی کشید و جرعه‌ی آبی نوشید و با منّت گفت: فقط به قصد روشنی خاطر شماست که آن داستان ناگفته را برزبان می‌رانم تا اگر روزی دیگر نبودم، سوگند به احوالی که با هم داشتیم، دیگر مرا مجوئید و باز می‌گویم که روزگارِ مرا و همچون مرا بهتر بدانید و بعدها بر من خرده مگیرید. مبادا به سبب آنچه که امروز، در این دیارِ متفرعنان و فرعونیان برمن سوخته‌ی برهنه پا رفت و آنچه که در ذهن دارم، خاطر شما عزیز را از ما مکدر نماید:

گویند در دشت‌های بلند ختن آهوبچه‌ای می‌زیست به غایت غرّه و خوب صورت و هوشیار. گردش نمی‌کرد مگر در بلندترین مرغزارها؛ چرا نمی‌کرد مگر از پرآب‌ترین علف‌ها و نمی‌نوشید مگر از بلندترین و زلال‌ترین سرچشمه‌ها. سخت مغرور و مطمئن به خویش بود. با همه‌ی رعنایی و زیباییِ شاخ و سُم و

پوست، شکار هیچ شکارچی نشده بود، از چالاکی بسیار. روزی از روزها، وقتی که دیگر جوانی رعنا شده و از سحر تا شام محصور در میان گله‌ی ماده آهوان عاشق از این سوی به آن سوی می‌رفت، درحال چرا رایحه‌ای به غایت خوش به مشامش رسید. آن چنان که اگر شمیم همه‌ی بهارانی را که پشت‌سر گذارده بود و عطر آن همه دشت‌های پر سوسن وسنبل را که زیر پا نهاده بود، یک جا اکسیر می‌کردند، به قدرت آن نمی‌شد. مست و شیدا سر به دنبال منشأ آن عطر گذارد. توگویی عصاره‌ی عشق بود که این چنین بی‌قرارش کرده، پس باید می‌یافتش، که از کجا برمی‌خیزد.

رفت و رفت و رفت، اما بی‌حاصل. آن عطر جادویی هم‌چنان همه‌جا منتشر بود. تا هرکجا که می‌رفت، گویی در پیش‌رو بود و اگر خسته از جست‌وجو رو به سوی بازگشت می‌گذاشت، بازهم همان بو در مقابلش بود. رو به شمال مقابلش بود، رو به جنوب هم بود. رو به غرب مقابلش بود، رو به شرق هم بود. کارش به جنون کشیده بود، اما این وسوسه رهایش نمی‌کرد. بهار و بعد تابستان هم گذشت وعجایب آن که عطر زایل نمی‌شد و او غافل. از قشلاق تا به ییلاق باز به دنبال آن از این صخره به آن صخره و از این کوه به آن کوه می‌شتافت وهم‌چنان شیدا و بی‌قرار بود که اول روز. اما هیهات که مظهر آن را نمی‌یافت که نمی‌یافت.

همه‌ی صحراهای عالم را در نوردید و زیر سنگ سنگِ قُللِ سر به فلک کشیده را بوئید، اما بازهم چیزی نیافت، سالیان دراز در این جست‌وجو به سر شد تا که نوجوانی را به جوانی و جوانی را به پیری برد. تا جایی که عمر رو به آخر می‌برد. روزی در زمستانی سخت، پیر و خسته و ساق و شاخ درهم شکسته روی برف‌های قله‌ای بلند ناغافل طعمهٔ شیرکوهی شد و درست در همان لحظه که دندان شیر شکمش را درید، در آخرین نفس‌ها، با اقیانوسی از حسرت و شگفتی سرانجام آنچه که عمر را به خاطرش باخته بود جورید: آن رایحه جادویی از مُشک پنهان در ناف خودش بود و او غافل در طلبش عالم را درنوردیده و عمر را باخته بود و عاقبت ذلیل، پاکباخته و شکم دریده حقیقتی را یافته بود که دیگر به کارش نمی‌آمد.

ما چون این حکمت از کودکی شنیدیم، بس غرّه بودیم که به حتم دیگر آن فریب را نمی‌خوریم و هم این بود که عمری دلمان به مُشک خودمان خوش بود. حال روزگار را ببین. ببین که ما هم چه‌گونه شکممان دریده است و تازه می‌رویم که به درستی ببینیم که باز آنچه در جست و جویش بودیم هیچ‌جا نیست، الاّ در جوف غلاف همین وجود درهم کوفته، و باز چه نیکو دریافتیم که همهٔ حجاب‌ها یک حجاب است و جز آن یکی حجابی نیست و آن همین **خود** است که باید از میانه برخیزد. تو بگو آیا مرا چاره‌ای می‌ماند جز این‌که به جهل پیشین اعتراف کنم و بگویم خدا را در کیمیا می‌دیدم، اما این‌طور نبود. چه کنم و چه بگویم که این مردمان به نفاقْ خوشْ‌دل می‌شوند و با راستی بس غمگین. با مردمان به نفاق باید زیست تا در میان ایشان با خوشی باشی. و همین که راستی آغاز کردی، سر به کوه و بیابان می‌باید بُرد که میان خلق راه نیست. پس باید، باید بروم. مرا از آغاز با مردمان کاری نبوده است. شمس را پدرش هم درنیافت. به او گفتم، یک سخن از من بشنو. تو با من چنانی که خایه‌ی بط به زیر مرغ خانگی نهند. چون بط سر از تخم درآورد، راهِ دریا گیرد. اما تو همان ماکیانی که لنگ‌لنگان برخشکی رود تا بمیرد. احوال ما باهمه‌ی مردمان همیشه همین بوده است. پس با هرکس رازِ دل نگفتیم. من سرّ به آن کس توانم گفت که او را در او نبینم، خود را در او ببینم. پس سرِّ خود را با خود گویم و اگر با تو سرّ گفتم، خود را در تو دیدم؛ و در حال سّرِی دیگر را نیز باز با تو می‌گویم: درمانده‌ام ای شیخِ کامل! بدان که سخت سرگشته‌ام با این همه شهرت در زیرکی. اصلاً اغلبِ دوزخیان از این زیرکانند. از این دانایان که آن زیرکیِ ایشان حجابِ ایشان باشد و همین می‌شود که سرِ منصورِما که زیرکی نکرد به تاجِ دار منوّر می‌شود و رستگاری می‌یابد و سندِ جاویدانِ بلاهتِ عوام و رؤسایشان می‌شود و سرِ ما معلوم نیست که کجا کاسه‌ی مار و مور شود. من باید بروم و همه چیز را از سرگیرم تا از خجالتِ خود درآیم. حالا که رازی بس بدیع بر من روشن شده که آن برای تو نیز باز گویم، تا وقت هست باید بروم و تلاش از سر گیرم. ای شیخ! بدان که من در این عشق زمینی تصویری از عشقِ ازلی را دیدم. میلِ به اتحادِ اجسام، شوقِ اطاعت و بندگی، سهولتِ خضوع، میلِ به تسلیم، لزوم ایثار و رهایی از خود که همه از خواصِ عشق او و جذبه‌ی ازلیِ کائنات و اولین تپش هستی و دلیلِ آفرینش

بوده. تمام کمال در این عشق قابلِ لمس است. منتهیٰ همیشه به دنبال درک و استکشافِ آن توفیرِ مرموز و پنهان بودم که در آن عشق هست و در این یک نیست، و از این روی است که سالک را از آن هشدار می‌دهند و برحذر می‌کنند. حال خرسندم که عاقبت در تجربهٔ این عشق کشف کردم **چیزی که عشق ازل از آن فارغ و رهاست، همان عاملی است که خودْ غلافِ همه‌ی آیات و نشانه‌ها و آثارِ امواج کلِ هستی است، اما هستیِ کل از آن فارغ است. آن عامل و موکّل را مأموریتی بس عظیم در جهان است که هیچ چیزی از کوچک‌ترین ذراتْ تا عظیم‌ترین‌ها از آن جان به در نمی‌برند. آن را برما همه فایق کردند و با آن‌که هیچ نمی‌دانیم چیست واندک درکی از واقعیتِ آن به ما نداده است، اما دوست به آن قَسَم‌ها می‌خورد. حتم می‌خواهی بدانی آن سر عظیم، آن غلافِ هستی و آن پیشکارِ خالق بر روی زمین چیست. پس بشنو! آن، همانا عامل زمان است که قَسَم حضرتِ حق است و بسی کارها در زمین دارد.** اگر باور نداری به همه‌ی آنچه که می‌شناسی بیندیش. زیبایی‌ها که خود آیات روشنی برکمالِ حضرتش هستند: آسمان، زمین، ستارگان، ماه، خورشید، لبخند، جوانی، شادی، سرور، بهار، پائیز، زمستان، کوهساران، چشمه‌ساران، رودها، جنگل، گل‌ها، زن‌ها، طلوع‌ها، غروب‌ها، این‌ها همه و همه را می‌بینی که سخت اسیر پنجه‌ی موکّل زمان هستند. خوب که بیندیشی عظیم سرّی در آن است که سر را به دَوَران می‌آورد. و اما حوزه‌ی مأموریت این موکّل، تا مرزِ قلمروِ یارِ غدّارِ ماست. از آن‌جا به بعد او را قدرتی نیست، حتی اگر هزارهزار کرور واحدِ خود را یک‌جا فرود آورد. و اما همان‌طور که تو نیز خوب می‌دانی عشق هم مثل تمام دیگر نعمات و آیاتِ خداوندی از پنجه‌ی بی‌رحم این موکّل در امان نیست، مگر در یک صورت و آن این که پرتوی از جذبه‌ی حقیقی و عشق ازلی و برخاسته از قلمرو الهی باشد، که آن خود انگیزه‌ی آفرینش بود. فقط در این یک صورت عشق در اراده و حیطه‌ی مأموریت موکّل زمان ـ که همانا محو تدریجی و استحالهٔ عناصرِ زمینی است ـ نیست و جاودانگی می‌پذیرد. چه این که زمان از آن حد فراتر نمی‌تواند رفت که آن‌جا قلمروِ خودِ خداست و عجب آن‌جاست که از قضا عشق زمینی بیش از هر پدیدهٔ دیگری طعمهٔ موکل خون‌آشام زمان است.

هیچ چیز به اندازهٔ آن عشق نامطمئن نیست، از آن‌جا که هزاران فریب ـ آگاه و ناآگاه ـ به آن رنگ می‌دهند. عشق فقط اگر بی رنگ شد، **عشق است**. همیشه گفته بودیم، لیک حال به درستی فهمیدیم، فرق است میان این دو: و **باز بدان که عشقِ ازلی و خدایی توّهم نیست، سفسطه و فلسفه نیست، واقعیتی قابل لمس و اثبات است. مادر و زاینده‌ی همهٔ پدیده‌هائیست که باز تنها جاودانگی‌های هستیِ زمینی هستند. این عشق همانا زاینده و مادر همه‌ی هنرهاست و ازاین‌روست که موکّل زمان را با هنر ناب کاری نیست. هم این است که هنر ناب هر روز زنده‌تر و زاینده‌تر می‌شود. اگر رَباب و چنگ و چغانه، تو را به آسمان می‌برند، همان از گرمای این عشق و نیروی جاودانگی هنر ناب است؛ و اگر شعرِ ناب، اگر صورتگری استاد و اگر سخنِ فرزانگان، باشد که از هزار سال پیش هم مانده باشند، طراوت و تازگیِ خود را از دست نمی‌دهند، از بابتِ همان ذرات عشقِ ازلی است که در آن‌ها موج می‌زند و جاودانگیشان می‌بخشد و همین‌طور است که تو اگر از بلخ می‌آیی و من اگر از تبریز می‌آیم، آن قوّال عاشق قونوی، ما را به عرش ملکوت و مشاهدهٔ جلوه‌های لاهوتی تواند بردن. این همه از آن است که هنرِ ناب زاده‌ی این عشق و از مرز زمان و مکان خارج است. فی‌المثل آن مطرب که عاشق نباشد، دیگران را سرد کند، چراکه هنرش درگروِ زمان است و مکان که خود از مشتقات زمان است و از آثار عشق ازلی خالی. همه چیز در زمین میراست و از همه زود میراتر همین عشق زمینی است** که ما را هم مدتی این چنین بازیچه کرد؛ چون همه رنگ بود. شاید اگر چون همیشه پارسایی کرده بودم و این جذبه را در خودِ خود پخته و سوخته می‌کردم، آن‌گاه این عشق می‌رسید و رنگ جاودانگی می‌گرفت. حال به وضوح می‌بینم که اشتباه بود. فکر کردم خدا را در او می‌بینم. حتماً نبوده که زمان توانست با عشقِ ما چنین کند. پس باید رفت و بیش‌تر کندوکاو کرد و بیش‌تر پنجه بر صخرهٔ زمان کشید، تا بلکه از ته مانده‌های سهمیهٔ خویش باز راهی به سوی او باز کنیم. هرچند درباره‌ی خود و آنچه در پیش دارم، دیگر هیچ اطمینانی درکارم نیست. اما در این دنیا که همه‌چیز نامعلوم است، یک چیز برایم معلوم است و آن این‌که از میان خلق این زمانه، تنها تو یکی

رسیده‌ای. ای شیخ! از آن روی که **خلوص در طلب** داشتی و نه صِرفِ **سعی در طلب** و کار ما هم با تو همان بود که حجابِ علم را که سخت‌ترینِ حجاب‌هاست برداریم تا پس از آن مست از تجلیات حضرت محبوب در او فنا شوید، جاودانگی یابید. خوشا بر **روزگارت! بدان که همین شعرت جاودانه خواهد ماند که بر من یقین است شعشعه‌ی عشق ازلی و هنر ناب است. موّکل زمان را با او کاری نمی‌تواند باشد. اگر هزار سال هم برآن برود، هرسحر سرخ گلی تازه بر شاخسار سخنت خواهد شکفت. تا دنیا دنیاست و من بر این باورم تا بعد از آن هم باز تو خواهی ماند و شعرت خواهد ماند، و سخنت خواهد ماند که تو دیگر از مرز جاودانگی گذشتی.** باز آنچه نیک می‌دانم این است که کارِ من هم با شما تمام است. ما صِرف می‌خواستیم که شما ترک جاهِ فقیهانه و ترکِ حجابِ علم و ترکِ مُرده‌ریگِ مدرسه کنید و شما خود یک شبه رهِ صدساله رفتید؛ الباقی همین است که خود را نیک دریابید. آن آهوی ختن را و آنچه براو رفت در یاد داشته باشید. شما را دیگر نیازی به ما و مثل ما نیست.

خداوندگار که تا به این‌جا سراپا گوش نشسته بود، ناگهان از جای جست و چهره‌اش غم عالم را منعکس کرد و بی‌تابانه برپیشانی کوفتن گرفت با دیدگان خیس؛ چنان‌که شمس بهتر دید فعلاً مقوله را بگذارد. با آن‌که نیک می‌دید و می‌دانست که زمانش در آن‌جا به سر آمده است، اما طاقت دیدن کدورت خاطر نازک مولانا را نداشت. یقین داشت که دیگر آن مرد که فرزندش، شاگردش، دوستش، عاشق و معشوقش، پیرو مراد و مریدش، همه یک‌جا بود، نیازی به او ندارد. آن‌ها تا آخرالزمان ـ و شاید بعد از آن هم ـ در قالب آن اشعار ناب باهم و دست در گردن کائنات را سیر می‌کردند، اما حالا باید می‌رفت و باید بی‌خبر می‌رفت. میان آن دو وداع مقدور نبود. مولانا را وداع نمی‌توانست گفت. وجودش آن‌چنان مملو از جذبه‌ی عشق بود که گویی مغناطیسِ همه‌ی عالم در پیکر کوچکش تجمع کرده‌اند. پس ترک با وداع مقدور نبود. باز هم باید فرار می‌کرد؛ فرار از آن جذبه، فرار از آن سرنوشت، فرار از آن شهر و فرار از آن عشق.

او بط بود و دریا مأوای او. او را چه به این خاکدان. مگر نه اینکه کنیه‌اش در بسیاری دیارها شمس پرنده بود؟ پس می‌دانست چه‌گونه از آن بام و از آن دام وارهد. الا ای مرغ پیر، دل خوش دار که باز پرواز در پیش است.

آخرین پرواز

نور سرخی از پشت پلک‌هایم به درون تابید. صدای آشنایی می‌شنیدم. درز پلک‌هایم را بازکردم. الیاسم را دیدم که می‌خواست از در بالا وارد حرم شود. مریدان و شاگردان مدرسه را پشت سرش می‌دیدم که با چشم‌های خون‌گرفته او را می‌زدند. یکی فریاد کرد: او را نزنید! او ولیِّ مستور است از سلاله‌ی شبلی. او گوش‌هایش را گرفته بود و با همان نگاه تیره از درون چشمان پیر و اشکبارش مرا می‌نگریست. کشان‌کشان بیرونش می‌بردند. سبدی از گیلاس‌های صورتی روی زمین ولو شده بود. زن‌ها همه گریه می‌کردند نه برای من، نه برای الیاس که دیگر نسلش را برانداخته بودند، برای آن همه گیلاس که روی زمین ریخته بود.

بار چندم بود که این‌طور از خواب بیدار می‌شد، نمی‌دانم، دیگر تفاوت میان رؤیا و کابوس و واقعیت را نمی‌فهمیدم. با زحمت زیاد چشمانم را کاملاً گشودم. الیاس داشت بالای سرم گریه می‌کرد و سبد گیلاسش روی نمد ولو شده بود.

بار اول، صدای ضجه‌ی اوجی بیدارم کرده بود. او را هم داشتند به زور می‌بردند. کجا؟ نمی‌دانم من بعد از عروسی آزادش کرده بودم. اما خودش نخواسته بود برود. گریه‌کنان پیش من آمده بود که «چرا می‌خواهید مرا بیرون کنید؟». سند آزادی‌اش که تنها شرط من برای ازدواج با شمس بود در دستش بود. نمی‌خواستش. می‌خواست کنیز بماند. می‌خواست میان همان دیوارها زندگی کند. شاید او اصلاً نمی‌دانست آزادی یعنی چه. جایی خوانده بودم، تعداد اسیرانی که اصلاً نمی‌دانند اسیرند بیش از اسیران واقعی‌ست. مگر نه این‌که همه‌ی ما در جایی اسیریم بی آن‌که باوری از آن داشته باشیم؟ من اما دیگر خوب

می‌دانستم که آزادی که آن همه خوابش را دیده بودم واژه‌ای دروغین است بر روی زمین. ما را از ازل اسیر در کالبدی که زندان هارون یک خشتش هم نیست به ورطهٔ هستیِ کور و ظالم پرتاب کردند تا آزموده شویم. برای چه؟ نمی‌دانم.

بار دوم از صدای نوحهٔ مامی همراه با اذان علاءالدین چشمانم را باز کردم و بالای سرم صورت عاجیِ مادرم را دیدم که چشم نداشت. خواستم بگریزم که دردی هم‌سنگِ دردِ نیش همهٔ مارهای عالم در گردن و شانه‌ها تا ستون فقراتم پیچید و دیگر هیچ نفهمیدم.

حالا باز با صدای الیاس چشمانم را باز کرده‌ام، اما جرأت تکان خوردن ندارم. هیچ چیز یادم نمی‌آید. نمی‌دانم چرا این‌طوری مرا این‌جا به چوب‌هایی بسته‌اند. بچه‌ام کو؟ بچهٔ من یک بره است. من نمی‌توانم بچه‌ای داشته باشم، چون شوهرم پیر است. به جای آن در راه باغ یک بره زائیدم، یک برهٔ سفید و کوچولو، نرم و گرم باید شیرش بدهم. از یادش سینه‌هایم تیر می‌کشد. سینه‌هایم از شیر سنگین است. بیاوریدش. کجاست بچهٔ من؟ یادم می‌آید او را همان‌جا توی باغ گذاشتم. ترسیدم شمس بدخلقی کند، یا به او بربخورد. او همیشه به آن چوپان حسودی می‌کرد. نمی‌توانستم بره‌ام را از باغ بیاورم. ممکن بود فکر کند به او خیانت کرده‌ام. یک چیزهایی داشت یادم می‌آمد . . . دیر به خانه آمده بودم. او مرا می‌زد . . . از میان پنجه‌های استخوانی‌اش به بالای صندوق گریختم تا از حرم کمک بطلبم . . . در همهٔ عمر از کسی این‌همه نترسیده بودم. صداهایی دهشتناک و غیرانسانی و بدطنین از حنجره‌اش بیرون می‌آمد. ناسزاهایی می‌گفت که معنی هیچ‌یک را نمی‌فهمیدم. اما دیگر چیزی به یادم نمانده است. چرا مرا این‌طور بسته‌اند؟ همسرم کجاست؟ چرا صدای او را نمی‌شنوم؟ از همهمه‌ها برمی‌آید که آدم‌های زیادی بالای سرم هستند؛ فقط چرا او نیست؟ چشمانم را دوباره باز کردم. حکیم اکمل‌الدین را شناختم. دست‌های چاقالو و گرمش را روی پیشانیم گذاشت و چشمانش را بست. زیر لب چیزهایی می‌گفت. خدا کند بتواند خوبم کند. چرا این همه آدم با چشم‌های قرمز دور رخت‌خواب من ایستاده‌اند؟ نمی‌توانم نفس بکشم. هرچه می‌گفتم باید به خانه بروم، دیر شده، شوهرم از راه می‌رسد و خشمگین می‌شود، گویی‌کسی حرف مرانمی‌شنید؛ فقط بیش‌تر گریه می‌کردند. حکیم دستش را از پیشانیم برداشت و گفت که دهانم را باز کنم. من

نمی‌توانستم. از درد حتی جرأت نداشتم پلک‌هایم را کاملاً باز کنم، دهانم که جای خود داشتند. او چه‌گونه حکیمی است که نمی‌دانست اگر حتی لبم را تکان دهم باید چه‌قدر درد بکشم. گفت یک نی باریک آوردند و آن را میان لبانم گذاشت و بعد قیفی چوبین روی آن سوار کرد و از آن‌جا مایعی گرم و مطبوع را قطره قطره وارد دهانم کرد. پشت‌سرهم می‌گفت قورت بده، قورت بده، و من با قورت دادن هرجرعه از درد می‌مردم و زنده می‌شدم. اگر قورت نمی‌دادم، ممکن بود سرفه‌ام بگیرد و آن وقت دیگر شاید خدا هم نمی‌توانست به دادم برسد. گویا بی‌چاره حکیم پیر خسته شد و با درماندگی رهایم کرد. گرمای دستش هنوز روی پیشانی‌ام مانده بود. از من هیچ‌کاری جز تحمل برنمی‌آمد؛ این را در طول زندگی خوب فرا گرفته بودم. هرچند قورت دادن آن قطرات مرا کشت، اما در عوض حس کردم رفته رفته دارد درد از وجودم رخت برمی‌بندد. نمی‌دانم چه چیزی در آن مایع بود که به من آرامش می‌داد. انگار روی تشک پر، یا روی ابرها خوابیده بودم و در آسمان‌ها سیر می‌کردم. خاطرات دور و نزدیک به یادم آمد. خاطراتی که هیچ‌گاه قبل از آن فکرم را مشغول نکرده بودند. اصلاً نمی‌دانم واقعی بودند یا نه. تنها پرستوها را خوب می‌شناختم که توی جمجمه‌ام لانه کرده بودند.

یادم آمد که همین چند روز پیش دور خزینه‌ی حمام مرمر ده‌ها زن جمع شده بودند و راجع به روابطشان با همسرانشان لطیفه می‌گفتند و باهم می‌خندیدند. یکی از زن‌ها که میانسال، اما خیلی شلوغ بود، همه را ساکت کرد تا لطیفه‌ی تازه شنیده‌اش را واگویه کند. گفت: خداوند در آغاز خلقت نشسته بود و هرچیز را تقسیم می‌کرد، از جمله قوای جنسی را. به همه‌ی حیوانات سهمیه‌ای داد و به آدم که آخرین مخلوق بود، چهل سال رسید. حوّا گله کرد که این کم است و آدم رفت و از خدا بیش‌تر خواست. خدا گفت دیر شده و کار تقسیم به اتمام رسیده است. برو ببین اگر کسی زیادی دارد، خودت از او بگیر آدم درخواست خود را با هرمخلوقی که در میان گذاشت، خواهشش را رد کرد، به جز میمون و طوطی که آدم را خیلی دوست داشتند و می‌خواستند یک روز بتوانند مثل او حرف بزنند و راه بروند. پس برای این‌که خواهش او را اجابت کنند و بتوانند باهم مراوده داشته باشند، طوطی بیست سال و میمون ده سال از سهمیه‌ی خود را به او دادند و این‌طور شد که آدم چهل سال می‌تواند. ده سال ادایش را در

می‌آورد و بیست سال حرفش را می‌زند. اول همهٔ زن‌ها از خنده غش و ریسه رفتند، بعد نمی‌دانم چه‌طور و چرا همه یک باره ساکت شدند و به من خیره ماندند. شاید به خاطر این که من اصلاً خنده‌ام نگرفت چون راستش زیاد نفهمیدم چه می‌گویند. بعد می‌خواستم بی‌اعتنا از زیر نگاهشان فرار کنم که پایم لیز خورد و از پشت توی آب افتادم. همان زیر آب هم صدای قهقهه‌ی آن‌ها را می‌شنیدم، حالا هم می‌شنوم. دلم می‌خواست همان‌جا می‌مردم و دیگر بیرون نمی‌آمدم. چه‌قدر آن زیرها گرم و تاریک و امن بود. نمی‌خواستم بیرون بیایم. دوباره در اعماق آن خزینه بودم نمی‌دانم حکیم به من چه خوراند. هرچه بود، همان را لازم داشتم. آرام توی آب‌های ماندهٔ خزینه فرو رفتم. زن‌ها آن بالا قهقهه می‌زدند، شاید هم زار می‌زدند. برای من فرقی نمی‌کرد. مهم این بود که من گرم و امن و در فضای تاریک بودم. اصلاً دلم نمی‌خواست به آن زندگی باز گردم. دلم می‌خواست همیشه در همین حال باقی بمانم. همه چیز داشت آرام آرام به یادم می‌آمد، مثل این‌که پرده‌ای را به آرامی از روی تابلو دیواری بزرگی کنار بکشند. همهٔ تصاویر با جزئیات کامل هنوز هم جلو چشمم هستند. یادم آمد تنگ غروب بود. از فرط ملال دیوانه شده بودم که صدای سنگِ اوجی را به پنجره شنیدم. طبق قرار، اگر از آن طرف کاری با من داشتند، باید خرده ریگی به پنجره می‌زد. اگر اوضاع آرام بود، خودم روی صندوق می‌رفتم و با او حرف می‌زدم و اگر نه باید صبر می‌کرد. روی صندوق پریدم و از پنجره به حیاط حرم نگریستم. اوجی از آن پایین گفت: خانم‌جان قرار است فردا همه دسته‌جمعی به باغ برویم. بیگم‌جان گفتند به شما بگویم «اجازه‌تان را بگیرید و بیایید. اگر نشد بیگم خود با حضرت خداوندگار صحبت می‌کنند. زود بخوابید که فردا بعد از نماز صبح راه می‌افتیم». سپس گفت: خانم‌جان تو را به خدا، خودتان کاری کنید که بتوانید بیایید. در نگاهش التماس خوانده می‌شد، شاید هم ترحم. روزگارم چنان بود که کنیزکم به حالم ترحم می‌کرد. از خبرش قند توی دلم آب شد. از صندوق پایین رفتم. مدت‌ها بود که از ترس شمس هیچ‌کس جرأت نداشت پا به این طرف بگذارد. چندین هفته هم بود که تماس من با دنیای خارج منحصر به همین مکالمات پنجره‌ای بود. گاه هم به ضرورت حمام می‌رفتیم. خیلی آرزو داشتم وقتی از حمام برمی‌گردم، با آیاجان به زیارت پیرشاه جاوید برویم تا ببینم

دخیل من در چه وضعی است. بلکه بار دیگر با خلوص و حضور قلب، او را به وساطت بخوانم تا چاره‌ای برای بینوایی‌ام بیندیشد. اما از وحشت مواجه شدن با شمس ـ که گاه دورادور مواظبم بود و انفجار خشمش در حضور مردم حد و مرزی نمی‌شناخت، جرأت نکرده بودم.

این‌که یک دختر جوان زن مرد پیری شده باشد، اصلاً پدیده‌ای غریب و بی‌سابقه نبود. همه‌ی گرفتاری من در شهرت بد و اطوار غریب او بود و او که هرروز نشخواری تازه برای مردم کوچه و بازار فراهم می‌آورد.. از وقتی علاءالدین را تهدید کرده بود، احساس می‌کردم مردم شهر در من به چشم زنی زناکار می‌نگرند. آن‌ها هیچ دلیلی را برای این حکم شوی من موّجه نمی‌دانستند، مگر این‌که او ناظر خلافی بوده باشد. در نگاه آن‌ها، علاءالدین همبازی کودکی و برادر ناتنی من و نیز دست پرورده‌ی خداوندگار، کسی بود که التزامش به شریعت و سنت، زبان‌زد خاص و عام بود و همین پارسایی او اخیراً مایه‌ی اصلی اختلاف او با پدرش بود، پس چرا باید کار به جایی بکشد که به او تهمت و اهانت زده شود. تا جایی که حتی از دیدار والدین وتردد به خانهٔ خود منع شود؟ او که البته پاک و منزه است. پس لابد کرم از درخت است که غیرتِ باغبان خود را جنبانده، چنین بود که اصلاً نمی‌خواستم کسی را ببینم. تا می‌توانستم می‌خوابیدم. خواب بهترین مرهم دردهایم بود. کثیف و ژولیده شده بودم، مثل خود شمس؛ و خدا را شکر می‌کردم که دست‌کم علاءالدین از سر غیرت به حول و هوشم پا نمی‌گذارد. دلم نمی‌خواست نه او و نه هیچ‌کس دیگر مرا به آن شکل ببیند. از مادر و برادرم انتظاری نداشتم. می‌دانستم آن‌ها هم مثل من حلقهٔ گرفتاری آن زنجیرهٔ شوم‌اند. رفت و آمدی هم با هم نداشتیم. به شدت از رفتار شمس رنجیده بودند، اما به ملاحظهٔ خداوندگار کناری گرفته بودند و در امور دخالت نمی‌کردند. چنان تنها بودم که وقتی کارهای مختصر خانهٔ محقرم با بی‌حوصلگی پایان می‌گرفت، روی صندوقم چمباتمه می‌زدم و از روزن سقف به ذراتی که در هوا معلق بودند، خیره می‌ماندم. نمی‌دانم به چه می‌اندیشیدم. حوصلهٔ خواندن هم نداشتم. کتابی‌هم در دسترسم نبود. شوهرم دوست نداشت کتاب بخوانم. می‌دانست خواندن زندگی را تلخ‌تر می‌کند. براین باور بود که زندانی را بهتر آن‌که کم بداند، کاش اوجی هم از سفرشان به باغ نگفته بود. همه

می‌دانستند که او اجازهٔ گردش با زنان حرم را به من نمی‌دهد.اگر ده کلمه با من حرف می‌زد، نُه کلمهٔ آن هشداری بود که مرا به منع معاشرت با آن‌ها می‌خواند. اما اوجی هم حق داشت. خوب می‌دانست که باغ برای من یعنی چه. شاید فرصتی بود که دیگر تکرار نمی‌شد. بهار داشت به پایان می‌رسید و من هنوز بوی یک گل را استشمام نکرده بودم. دلم برای صحرا، برای شقایق‌ها، برای آلاله‌ها وبرای کرت‌های یونجه پر می‌کشید. یاس‌ها حتماً پُرگل بودند. تاک‌های آلاچیق که باید سرریز کرده باشند... نیلوفرها... کفشدوزک‌ها... ای خداکاش این‌ها را نشناخته بودم...

نه من باید می‌رفتم. به هر قیمتی که بود باید می‌رفتم. چه او بخواهد و چه نخواهد. باغ با جاهای دیگر فرق دارد. مردم راکه نمی‌دیدم. بلافاصله هم بعد از چند کوچه که بالای حرم و مدرسه بود، وارد صحرا و دشت می‌شدیم و بعد دیگر شبانان معصوم و بی‌خبر بودند که بویی هم از رسوایی‌های عالمگیر ما نبرده بودند و این برای من که آن همه مردم‌گریز شده بودم بهترین وضع بود. باید می‌رفتم من به آن گردش مثل ماهی به آب نیازمند بودم. باغ و صحرا صدایم می‌کردند. از لحظه‌ای که اولین قدم را در راه زندگی برداشته بودم با آن‌ها عجین بودم و فکری مثل شهاب از سرم گذشت. شاید اصلاً بتوانم به همان‌ها پناهنده شوم و باز نگردم. باز از ساده‌اندیشی خودم خنده‌ام گرفت. شمس آن‌جا را با خاک یکسان می‌کرد و من خوب می‌دانستم که هیچ‌کس از من حمایت نمی‌کرد، مگر الیاس بی‌چاره که او هم دیگر زوری نداشت. وقتی روز عروسی‌ام برایم تحفه‌ای از باغ آورد، حتی درست و حسابی به هم نگاه هم نکردیم. گویی هردو شرمنده بودیم. به نظرم آمد که هزار ساله شده است، پیر و شکسته و غمگین؛ و این آخرین بار بود که دیده بودمش. با زبان بی‌زبانی وداع آخر را کرده بودیم و از آن پس فکر می‌کردم شاید او که آن همه خسته و دردمند است، خیلی زود بمیرد. گذشته از او هیچ‌کس را نداشتم؛ وگرنه اگر برادرم شمس‌الدین برادری کرده بود و مادرم به جای همهٔ ملاحظه‌کاری‌ها، مادری. یا اگر همین علاءالدین به جای آن همه شاخ‌وشانه کشیدن، رفته بود و با پدرش چند کلمه حرف حسابی زده بود، کار من به آن‌جا کشیده نمی‌شد. همه بیش‌تر ملاحظهٔ خودشان را می‌کردند. من زن تنها و وامانده‌ای بودم که جز مرگ هیچ خلاصی برایم متصور نبود. حتی اگر

شویم می‌مرد، باز بیوه‌ای می‌شدم مدفون در حرم خداوندگار، مثل بقیهٔ خویشاوندانش که همه را در جوانی، جنگ و مهاجرت بیوه کرده بود و هزار سال بود که داشتند آن‌جا می‌پوسیدند. آخر کدام نجیب‌زاده‌ای در شهر جرأت بردن بیوهٔ یک رسوای آفاقی را به خانه‌اش می‌داشت، حتی اگر او دختر شاه‌پریان می‌بود. دیوانه‌ای، که هیچ حیثیتی برایمان باقی نگذاشته بود. در ذهنم صدها نقشه برای گرفتن اجازهٔ گردش کشیده بودم، اما هیچ‌یک را نپسندیده بودم. پاسی از شب گذشته بود و من همان‌طور منتظر نشسته بودم تا ببینم چه پیش می‌آید. تازه فهمیده بودم که چه‌قدر خوب است که هیچ‌گاه منتظرش نبوده‌ام، چون رفت‌وآمدش حسابی نداشت. آن شب هم بالأخره نیامد و من به این نتیجه رسیدم که چه بهتر. اگر می‌آمد حتماً اجازه نمی‌داد؛ اما با نیامدنش می‌توانستم بگویم که چون نبوده، مجبور شده‌ام بروم. هرچه بعد از آن پیش می‌آمد مهم نبود، مهم این بود که بهار باغ را یکبار دیگر می‌دیدم. کارهایم راکردم و خوابیدم، خوابی که از ترس جا ماندن اصلاً عمیق نگرفت، با اولین الله‌اکبرِ اذان از جا پریدم، بقچه‌ام را برداشتم و با شهامت از دهلیز تاریک میان مدرسه و حرم ـ که دیگر کسی در آن‌جا پیه‌سوزی روشن نمی‌کرد ـ وارد حیاط شدم. زن‌ها داشتند وضو می‌گرفتند. هواگرگ و میش بود و همه سرشان به‌کار خودشان بود. خدا را شکر؛ کسی وقت فضولی نداشت! به تالار رفتم. بچه‌ها که به زور بیدارشان کرده بودند بدخلق بودند و از بس مرا ندیده بودند، غریبی می‌کردند. حتی میان من و مادرم هم دیواری از یخ پدید آمده بود. من نمی‌توانستم او را ببخشم، چون ازدواج او مایهٔ همه بدبختی‌های من بود، اما آن روز برایم هیچ چیز مهم نبود. من آن روز به عشق باغ آن‌جا رفته بودم. نمازی دسته‌جمعی خواندیم و چاشتی که با همهٔ اختصار برای من شاهانه بود صرف کردیم. دلم می‌خواست هرچه زودتر، تا او نیامده برویم. وگرنه در آخرین لحظه نیز باز مرا به همان دخمهٔ مرگ می‌کشید. عاقبت نوکرها از بالا در زدند که چهارپاها آماده‌اند. خدا خدا می‌کردم زودتر راه بیفتیم. شمس بسیاری مواقع سحرگاه از مجلس سماع به خانه باز می‌گشت. مطمئن بودم اگر سربرسد، دیگر نمی‌گذارد بروم. وقتی کاروان به راه افتاد، خورشید تازه پنجهٔ طلایی‌اش را برگردن دیوار بلند حرم انداخت. نفسی به راحتی کشیدم و آرزو کردم که دیگر هرگز آن دیوار را نبینم. دلم می‌خواست در راه

سیل بیاید و مرا ببرد. یا ماری که نیشش درد نداشت، خلاصم کند. من دیگر کاری در عالم نداشتم. . .

هوای تازه صبح داشت کم‌کم حالم را جا می‌آورد. وقتی کوچه‌های بالا را رد کردیم و وارد راه مالرو شدیم که میان دشت‌های وسیع قونیه مارپیچ می‌زد، نزدیک بود از شوق مدهوش شوم. از دیدن قله‌های پربرف سر به فلک کشیده دامنه‌های پرشقایقشان و جویبارهای کوچک زیر که نور آفتابِ نو آوازخوانان راهی دشت بودند. بوی وحشی علف‌ها فضا را آکنده بود. شبانان، خواب‌آلود گوسفندان مست را به چرا می‌بردند. بره‌های نوزا عقب می‌ماندند و با بع‌بعِ مظلومانه، از چوپان گله می‌کردند. دلم برای درآغوش کشیدنشان ضعف می‌رفت. بچه که بودم دوپایم را در یک کفش می‌کردم تا خوشگلترین‌شان را توی آغوشم بگذارند. نسبت به آن‌ها حس غریبی هم داشتم. خوب که رفتارشان را زیر نگاه می‌گرفتم، حسی مثل خشم توی سینه‌ام می‌پیچید. هرچه جلوتر می‌رفتیم طوفان جذبه و شوق در وجودم بیش‌تر قدرت می‌گرفت. اشک‌های کهنه‌ای که مدت‌ها بود پشت سد چشم‌های خشک و بیزارم مردابی سیاه و عمیق ساخته بودند، به آرامی از گوشهٔ گونه‌هایم راهی گردنم بودند و سینه‌هایم را نمناک کرده بودند. چه خوب بود که پیشاپیش همه حرکت می‌کردم و کسی نمی‌توانست حالم را ببیند. دلم می‌خواست تنها می‌بودم و می‌تاختم و همهٔ فریادهای عالم را از سینه‌ای سوزان، پیش‌کش قله‌های پربرف و سرد می‌کردم تا شاید آن‌ها هم متقابلاً کمی از قدرت وجبروت و آزادگی خود هدیه‌ام کنند.

سواد باغ که پیدا شد، مثل همیشه از زود رسیدن‌مان متعجب شدم. همه‌ی راه به نظرم چند دقیقه‌ای بیش‌تر نکشیده بود. از همان دور هیکل خمیده‌ی الیاس را که خبر آمدن ما را داشت، تشخیص دادم. داشت به طرف ما می‌آمد. قلبم از شوق دیدن دوست تپیدن گرفت. کاش می‌توانستم به آغوشش بیاویزم. کاش می‌توانستم سرم را روی شانه‌هایش بگذارم و به وسعت همه دریاهای دنیا اشک بریزم. من قدر او را ندانسته بودم. او تنها کس من بود. تنها دوست من بود. او با نگاهش رازها با من گفته بود و من نفهمیدم.

خیلی زود به هم رسیدیم. افسار حیوان را گرفت و با چشمان بی‌رنگش مرا نگریست. ناگهان نمی‌دانم در چهرهٔ من چه دیده بود که نگاهش مثل برق گرفته‌ها

رویم خشکید. دستی به صورتم کشیدم و خنده‌ای مصنوعی کردم و گفتم: سلام بایی‌جان، مگر جن دیده‌ای؟ بی‌چاره دست‌پاچه شد و گفت: نه بی‌بی‌جان، ببخشید. چشمم دیگر درست نمی‌بیند!. ناگهان مرا رها کرد و به سمت مادرم دوید. بی‌آنکه برگردم، فهمیدم مکالمه‌ای سخت میانشان می‌گذرد. اولین بار بود که او بیش از تعارفات لازم، چند کلمه، آن هم با صدای بلند و معترض با مادرم سخن می‌گفت. دانستم دربارهٔ من صحبت می‌کنند. ذرات وجودم میل به گریز داشتند. گیج بودم. حقیقتی گنگ داشت به من چهره می‌نمود.

نگاه الیاس مثل آب داغی که زمستان‌ها روی یخ حوض می‌ریختند، با صدای مهیب تَرَکی عمیق در برزخ ذهنم ایجاد کرد. حق با نگاه الیاس بود. چه جای نشستن؟ باید فکری می‌کردم آن همه آه‌وناله برای چه؟ شمس دیگر مرا دوست نداشت و فرصتی را هم برای گوشزد کردن این نکته به من، از دست نمی‌داد. حتی به من گفته بود که این را نزد خداوندگار هم اعتراف کرده است. زمزمه‌ی رفتن می‌کرد و می‌گفت: این بار دیگر احدی به گردش نخواهد رسید. از فکر رفتن او و معرکه‌ای که راه می‌افتاد برخود می‌لرزیدم.اما حالا این‌جادر بهشت زادگاهم چیزی به من الهام شد: تصمیم گرفتم پیش از آنکه ناگهان غیبش بزند و معرکه‌ای تازه برپا شود و کاسه‌کوزهٔ آن را این بار برسر من بشکنند و شهری ریایی و بلغمی‌مزاج برسر من هوار شوند، خودم پیش خداوندگار بروم و بخواهم تکلیفم را با او یکسره کند. بعد هم اجازه بگیرم که در باغ زندگی کنم. این تنها راه من بود و با عطوفتی که در خداوندگار سراغ داشتم، می‌دانستم که حتماً چاره‌ای برای مَنِ سرگشته می‌اندیشد. او خود، با همهٔ شناختی که از احوال آن لولی‌صفت داشت، پیشنهاد این وصلت را پذیرفته بود و به تنها عاملی هم که نیندیشیده بود، من و سرنوشتم بود؛ حالا هم خودش باید فکر چاره می‌کرد. من سهم خود را در اطاعت از میل و خواستهٔ او ـ با این امید که برکتِ نَفَس گرم و دعای خیرش رستگارم کند ـ به خوبی پرداخته بودم. دیگر نوبت او بود و دم مسیحایی‌اش.

موجی از شوق وجودم را فراگرفت. بعد از مدت‌ها استخوان‌هایم گرم شدند و الههٔ زندگی برابر چشمانم به رقصی شورانگیز درآمد. آری، به باغ خواهم آمد. از خداوندگار می‌خواهم برای فرارم از طعن طعّانه‌ها اجازه دهد بیایم این‌جا. او

هم آن‌قدر مهربان است که «نه» نخواهد گفت. به الیاس می‌گویم برایم چند مرغ وخروس و اردک و غاز با چند بره‌ی سفید کوچک بخرد. اوجی را هم می‌آورم. خودم غذا می‌پزم، نان می‌پزم و از الیاس پیر مواظبت می‌کنم. این‌جا هرچه احتیاج داشته باشم، موجود است. به هیچ‌کس و هیچ‌چیز نیاز نخواهم داشت. این‌جا بهشت من است. این بهار زیبا و تابستان پربرکت که بگذرد، در پاییز برای زمستان هیزم جمع می‌کنم. الیاس آن‌ها را می‌شکند. زمستان برای سنجاب‌ها و آهوها غذا می‌گذارم و خودمان با گردو و کشمش انگورهایِ آلاچیق و پنیری که از شیر گله‌ام درست خواهم کرد، به سر می‌بریم. چرا من تا حال این همه ناامید بودم؟ زندگی زیبا وبخشنده است. زندگی فقط آن‌جا، توی آن فراموشخانه مرده است؛ فقط آن‌جا، توی آن شهر مسموم و متعفن است؛ این‌جا سرشار و پوینده و جاویدان است. **من این‌جا باز خواهم گشت، مطمئنم.** هنوز بهار به اتمام نرسیده، به این‌جا باز خواهم گشت. وقتی هم دیدم شاخه‌های سنگین یاس‌های بنفش جادهٔ شنی باغ به علامت تأیید سر تکان می‌دهند، موجی از اطمینان وجودم را فراگرفت. آن‌ها همیشه با من حرف زده‌اند. این بار هم اطمینان دادند که من به باغ باز خواهم گشت، خیلی زود، قبل از این‌که بهار به پایان برسد.

باقلبی سبک و تنی آرام روی تشکچه‌ای که الیاس برایم با عجله توی ایوان پهن کرد، به پهلو دراز کشیدم. نمی‌دانم از کجا فهمیده بود که دیگر مثل گذشته توان و میل دویدن در میان جاده‌های شنی و کرت‌های سبزی و میوه را ندارم. برای خودم هم بعد از آن همه تنهایی، جمع تازه و هیاهوی حیاتشان جالب بود. کشف کرده بودم که انسان‌ها در برابر آدم‌های تیره‌بخت به طرز مسخره‌ای دست‌پاچه می‌شوند و سبعیت‌شان کاستی می‌گیرد، درست برخلاف وقتی که آدم خوشحال و خوش‌بخت است. در این صورت دایم به پروپایت می‌پیچند تا ثابت کنند آن‌طورها هم که فکر می‌کنی خوش‌بخت نیستی. و روز و شب تورا ارشاد می‌کنند که اصالت و واقعیت خوشبختیت را آزمون کنی اما در مقابل در روزهای ادبار و بدبختی، از مقابلت می‌گریزند، گویی که طاعون زده می‌بینند، و هیچ اصراری ندارند تا خلاف آنچه راکه حس می‌کنی، ثابت کنند. جز چند کلمه‌ی متعارف، در حد حواله‌ی امور به مشیّت الهی و سرنوشت و پند و مثل چیز دیگر تحویلت نمی‌دهند و آرام آرام به امان خدا رهایت می‌کنند.

همین زنانی که چند ماه پیش وقتی شمس مرا به طوفان عشق و ستایش و پرستش، مغروق نوعی خوش‌بختی کرده بود و طعم تمام محبت‌های ناچشیده‌ی حیات را به کامم ریخته بود، همهٔ تلاششان این بود به انواع حیله‌ها تأسف خود را از سرنوشتی که دچار شده بودم، اعلام کنند و همه‌ی کمبودهای احتمالی زندگی‌ام را به نحوی گوشزدم کنند و از هیچ مبالغه‌ای هم در درشت‌نمایی آن‌ها کوتاهی نکنند و از یاد نبرند که من موضوع اصلی همهٔ لطیفه‌های مستهجن آن‌ها باشم؛ اما امروز که باز قصهٔ بدبختی من نُقل مجلس است و همهٔ خلق از ماجرای بدبختی‌ها و داد و هوارهای همیشگی شمس و محدودیت‌های غیر انسانی او که زاده‌ی حسادت کور اوست و آن رسوایی که بر سر علاءالدین بیچاره درآورد، آگاهند، هیچ یک را با من کاری نیست؛ حتی فاطمه‌خاتون سعی می‌کند خود را در برابر من سرگرم بچه‌ها نشان دهد. اگر زیاده‌روی نکنم، حتی مادرم به غمض عین می‌گذرد. شاید هم به خاطر این‌که کاری از دستش برنمی‌آید و احساس گناه می‌کند و خجلت‌زدهٔ من است.

ملکه خاتون که به جای من با فاطمه‌خاتون انس گرفته بود، به زیبایی یک فرشته‌ی کوچک دور استخر می‌دوید و فاطمه و خواهر کوچک ترش ـ که در سفر باغ شرکت داشتند ـ مواظب بچه‌ها بودند. زن‌ها که گویا الیاس را محرم دانسته بودند، فارغ از برقع و حجاب توی باغ پخش بودند و خندان و با نشاط، بلند بلند می‌گفتند و می‌شنیدند. هیچ‌کس باور نمی‌کرد این‌ها همان موجودات مرموز و غم‌زده‌ی حرم‌اند. حتی خود من در رمز استحالهٔ آن‌ها مانده بودم. می‌اندیشیدم مبادا انسان بدون متابعت از روش‌ها و دستورالعمل‌های انسان‌های «عاقل»تر، درحال و هوای خود، و فارغ از دیوارهای قراردادی، اما گوش به فرمان وجدان و ندای درون، خوش‌تر می‌زید؟

آیاخانم نفس‌نفس‌زنان سبدی پُر از زردآلو را روی ایوان گذاشت. نگاه پرآزرمش را به من دوخت و گفت: بخور مادر! بخور تا رنگ بگیری! مثل ماهی حوض‌های فصل سرمایی، بدرنگ و کدر، بخور تا گوشت بیاری! خدا لعنتش کند که ... به آسمان نگریست و با گوشه‌ی خیس و گل‌آلود آستینش اشک‌هایش را از گوشه‌ی چشمانش سترد. فکر کردم زندگی من، بدون آیا و الیاس و اوجی

حتماً از این هم جهنمی‌تر می‌بود. به خاطر داشتن آن‌ها بار دیگر خدا را شکر کردم و درحالی که زردآلوهای شیرین را با لذت می‌خوردم، برای پدرم و بی‌بی‌جان دعا خواندم. ظهر بود. قرار شد نماز بخوانیم تا سفره حاضر شود. از ملکه خاتون تا مامی، برای نماز توی ایوان صف کشیدند. نمی‌دانم چرا من آن روز اصلاً نمی‌توانستم چنان که دلم می‌خواهد مقابل خدا بایستم. با خواهش بسیار بزرگی که از او داشتم، لازم بود که حضور ذهن می‌داشتم، اما می‌دیدم که هزار جور فکر دیگر توی کله‌ام می‌آید؛ به خصوص وقتی که صف زنان را می‌پاییدم. در مقایسه با آن‌ها، آرزو و نیاز قلبی من فرسنگ‌ها دور از دسترس و غیرواقعی به نظر می‌رسید. وقتی به عینه می‌دیدم که زندگی آن‌ها چه فرجامی داشته است، جرأت و امیدم را از دست می‌دادم. به پیر و جوانشان که می‌نگریستم، زنهار مسخ و نسخ‌شان به خودم می‌خواند: **بچه که هستند، گنجشک‌های کوچکِ پرتحرک و پرحرف را می‌مانند؛ مثل ملکه خاتون. بزرگ‌تر که می‌شوند، پروانه‌اند ساکت و مرموز و کنجکاو ـ از این در به آن در می‌زنند تا رمز و راز زندگی را دریابند؛ شبیه هدیه خاتون، خواهر فاطمه خاتون. و بعد از بلوغ، حتی تا چندی پس از وصلت، طاووس‌اند: مستِ جمال و عزت معشوقگی؛ می‌خرامند، مثل فاطمه خاتون. و بعد که مادر می‌شوند و بچه می‌آورند، مثل ماکیان، قلنبه و بی‌قرار می‌شوند و همواره در نگرانی آب و دانه‌اند؛ مثل گوهرخاتون و مادرم. و وقتی بچه‌هایشان بزرگ می‌شوند، یک چند غازهای چاق و پرمدعایند و با صداهای کلفت و بدن‌های سنگین، مرتب این طرف و آن طرف می‌روند و فرمان می‌رانند و می‌پندارند که با تجربه‌ای که پشت سر دارند، همه چیز را بهتر از همه می‌دانند؛ مثل کراماناخاتون؛ که اگرچه بچه نیاورد، ولی برای فرزندان خداوندگار، مادری کرد برهیچ‌کس معلوم نیست چه‌گونه این غازهای فربه و مغرور، رفته‌رفته به کلاغ‌های بداخلاق وبدصدا و تکیده بدل می‌شوند و دایم در زباله‌های زندگیِ مردم به دنبال نشانی از رسوایی می‌گردند؛ یا چشم می‌دوزندکه در کجایی، بیماری محتضر یا پیکری مرده بیابند و به نشخوار نواله‌ای شیون و زاری سردهند؛ مثل مامی. غم‌انگیزتر این که دوران پروانه‌ای و طاووسی**

چه کوتاه و زودگذر است، مثل خواب و خیال، روزهای کلاغی درازتر و بی‌پایان می‌شوند، مثل شب یلدا.

من هرگز به این تکامل پُرذلت تن نمی‌دادم؛ هرگز کلاغ نمی‌شدم. من در مرحله‌ی پروانگی توی پیله رفته بودم و می‌توانستم هم‌چنان پروانه باقی بمانم. چشمم که به خوشه‌های یاس افتاد، حرفم را تأیید می‌کردند. یعنی هنوز یاس‌ها در حیاتم نقش داشتند؟ ناگهان فریاد الله‌اکبرهای کرامانا به خودم آورد و دانستم به رکوع نرفته‌ام. می‌دانستم خدا مرا می‌بخشد. او رحمان و رحیم است، فقط این کراماناست که نمی‌تواند ببخشد. نمی‌دانم چرا همه‌ی انسان‌هایی که بیش‌تر ادعای زهدوتقرب دارند، بیش از همه از مهربانی‌ها بی‌خبرند. بهتر دیدم به سجده بروم و او را به خاطر آفرینش یاس‌ها حمد بگویم.

تمام آن روز را در افکار این چنینی و در رؤیای شیرین بازگشتِ سریع و بی‌چون‌وچرا به باغ که یاس‌ها قولش را به من داده بودند گذراندم و به نظرم رسید هر یک از همسفرانم با هر سودایی که در سر داشت، آن روز برای تقویت روح و جانش بهره گرفته بود. همه سرحال و خوش‌حال و رها بودیم. برخلاف همیشه که عصر بلند راه می‌افتادیم، این بار به ملاحظه‌ی شوی کم‌حوصله‌ی من زودتر راه افتادیم. الیاس باز با همان نگاه که پر از واژه‌های آخرین وداع بود، مرا نگریست. دلم می‌خواست می‌توانستم به او بگویم نقشه‌ام چیست تا بداند که به زودی باز خواهم گشت.

صدای رعد همه را از جا پراند و هنوز چند قدم دور نشده بودیم که ابرهایی که از صبح باهم کشتی می‌گرفتند، بالأخره یکی شدند و هوا تیره‌وتار شد و باران بهاریِ جانانه‌ای به راه افتاد. ما نمی‌توانستیم به باغ برگردیم. تا همان موقع هم برای من خیلی دیر شده بود. در سکوتی خیس به راهمان ادامه دادیم. به نزدیکی‌های شهر که رسیدیم دیگر هیچ نشانی از آن حال خوش نبود. دوباره دلشوره‌ای بی‌امان بردیوار دلم چنگ می‌کشید. نگران بودم. حالا دیگر نگران سرنوشتم نبودم. فقط وحشت همان لحظهٔ بازگشت به خانه، و کتک و فحاشی و جنجالی که مثل همیشه منتظرم بود، سراپای وجودم را گرفته بود خدا خدا کردم که نیامده باشد. مقابل دروازه‌های شهر، آفتاب بی‌رمق غروب از زیر ابرها خودی نشان داد و طولی نکشید که رنگین‌کمان کاملی را نقش آسمان کرد. یاد اولین روز

روی پشت بام با علاءالدین افتادم و غم دنیا به کامم ریخت. با این همه رنگین‌کمان حسن ختامی بود برای یک روز زیبا اما طولی نکشید که مامی با نگرانی گفت، رنگ سرخش علامت خوبی نیست، حتماً اتفاقی می‌افتد. مثل این‌که منتظر آن حرف بودم. یک باره دلم از توی سینه‌ام ریخت توی راه زیر پای کاروانیان. هزار دلیل و برهان به خودم آرامش می‌دادم که نباید به پیش‌بینی‌های شوم مامیِ پیر اهمیتی بدهم. می‌گفتم، این حرف‌ها هیچ‌گاه درست از آب بیرون نمی‌آیند. مگر همین‌ها نبودند که سراسر کودکی در گوشم زمزمه کردند که در پیشانی‌ام یک شاه زاده خوانده‌اند؟ چه‌طور شد که به جای شاه‌زاده، یک درویش پشمینه‌پوش سر راهم سبز شد و دمار از روزگارم درآورد؟ بی‌فایده! حالم بدتر و بدتر می‌شد.

سرِ کوچهٔ بالای حرم، قبل از همه شیخ محمد ـ نوکر خصوصی خداوندگار و خادم مدرسه ـ را دیدم که با چهره‌ای مضطرب ایستاده بود. تا ما را دید، اول به سمت من دوید و بعد تغییر جهت داد و به سوی مادرم رفت و آهسته چیزی به او گفت. کاملاً مطمئن بودم دربارهٔ من خبر بدی دارد. من چندین و چند بار در این خانه این صحنه‌ها را تجربه کرده بودم و خوب می‌دانستم آن نگاه‌ها که رد و بدل می‌شود یعنی فاجعه‌ای در شرف وقوع است یا اصلاً واقع شده. مادرم چشمان وحشت‌زده‌اش را به سمتم برگرداند. رنگ از صورتش پریده بود. روشن بود که اتفاق بسیار بدی افتاده است. باید سر شمس بلایی آمده باشد. دیشب هم به خانه نیامد. خودش می‌گفت بعد از دعوایش با علاءالدین او را تهدید به مرگ کرده‌اند. نکند . . . خدایا . . . مرا ببخش . . . خدایا غلط کردم. نکند دست علاءالدین به خون او آلوده شده باشد. خدایا به دادمان برس! صبر نکردم کمکم کنند. خودم به سرعت پیاده شدم و مثل تیری رها شده از چله‌ی کمان از دهلیز به سمت اتاقم دویدم. در مدخل دهلیزی که به صُفّه می‌رفت، از پشت سر صدای شیخ محمد را توی حیاط شنیدم که با تضرع فریاد می‌زد: بیگم‌جان صبر کنید! تنهایی آن سمت نروید. حضرت شمس از سحرگاه که به خانه آمده‌اند، حرم و مدرسه را روی سرشان گذاشته‌اند و مثل پلنگ تیرخورده می‌غرند . . . صبر کنید... با یک نفر بزرگ‌تر بروید . . . خاتون جان صبر کنید . . . صبر کنید حضرت آقا بیایند. وقتی معنی حرفش را فهمیدم، هم خیالم از جانب او راحت شد و هم

همزمان دانستم چه خشم هاری انتظارم را می‌کشد. خواستم برگردم تا ببینم چه بایدم کرد که ناگهان دو چنگک آهنی توی تاریکی نمناک دهلیز بازوانم را از شانه‌هایم کند. پارچهٔ خیس آستینم جر خورد و نفهمیدم چه‌گونه از داخل دهلیز به درون اتاق پرتاب شدم. در حیرتم که چه‌طور آن مرد پیر می‌توانست با چنان نیرویی مرا مثل یک بچه‌گربه به این سو و آن سو پرتاب کند و چه‌طور می‌توانست چنان کلمات رکیکی را نسبت به همسر خود برزبان آورد! از چشمانش آتش می‌بارید. گفته بودند که او را دیگر با من کاری نیست و از نو در جست‌وجوی خداست. پس چه باکی‌اش بود که با چند شبستانیِ خداوندگار از خانه بیرون رفته بودم؟ چرا مثل گرگی درنده از دور دهانش کف می‌جوشید و بی‌پروا می‌زد و ناسزا می‌گفت. فکر می‌کردم با حالی که او دارد، با شدتی که ضربات را برتنم وارد کند تا هزار تکه نشوم آرام نخواهد گرفت. تصمیم گرفتم به هر جان کندنی که شده، جانم را از چنگش برهانم تا به باغ برگردم. یاس‌ها منتظرم بودند. فقط کافی بود که زنده می‌ماندم و در فرصتی مناسب با خداوندگار صحبت می‌کردم. زیر ضربات وحشی‌اش خودم را به زحمت به صندوق رساندم و از آن بالا رفتم تا از راه پنجرهٔ حرم کمک بطلبم... یادم نمی‌آید که... نه... از آن پس را دیگر به یادم نمی‌آورم.

لابد همان‌ها که مرا به تخت بسته بودند، می‌دانستند که چه برسرم آمده است همه دور رختخواب من نشسته بودند و مرا نظاره می‌کردند و بعضاً به سختی می‌گریستند. به تجربه می‌دانستم که آن‌ها هم واقعاً حواسشان به من نیست و احتمالاً سینه‌های خودشان را سبک می‌کنند. هیچ وقت، جز در لحظه‌های تنگ‌تر کردن غل و زنجیرهایم، به من نیندیشیده بودند. من ناخواسته به دنیا آمده بودم، اجباراً رشد کرده بودم و شاید هم ناخواسته یا اجباراً از دنیا می‌رفتم. چه قدر دلم می‌خواست غلت بزنم. پشتم می‌سوخت. هرگز نفهمیده بودم غلتیدن در رخت‌خواب چه‌قدر لذت‌بخش است. یک غلت جانانه را به همسری امپراتور چین ترجیح می‌دادم؛ اما افسوس که همهٔ اندامم را بسته بودند. نه! اگر نبسته بودند هم، از ترس آن درد جهنمی جرأت تکان خوردن نداشتم.

باز حکیم آمده بود و داشت آهسته حرف می‌زد. بی‌آن‌که حرف‌هایش را بشنوم، از تک‌تک چهره‌ها خواندم که به زودی خواهم مرد. اگر می‌دانستند

چه‌قدر مرگ را دوست می‌دارم، کم‌تر پنهان‌کاری می‌کردند. فقط دلم می‌خواست بدانم چه برسرم آمده است.

از پچ‌پچ‌های نامفهوم خسته شده بودم. یک نفر باید به من می‌گفت چه اتفاقی افتاده است، یا چه بلایی قرار است سرم بیاورند. دست چاقالو و خنک طبیب روی پیشانی‌ام بود. تصمیم گرفتم چشمانم را باز نکنم تا شاید به تصور این‌که خواب هستم و نمی‌شنوم با صدای بلندتر نسخه بپیچند تا شاید که بدانم این چه مصیبتی است که بر من می‌رود. حقه‌ام عجیب کاری بود. با صدای بلند به یک نفر گفت: تب، مرتب بالا می‌رود؛ سه روز است که این‌جا افتاده؛ روده تخلیه نشده؛ باید تنقیه کرد، وگرنه با این تب اگر دچار تشنج شود، از درد گردن می‌میرد. فعلاً فلوس و کرچک می‌دهم، اگر مؤثر نیفتاد فردا به هر بدبختی باید تنقیه شود. البته دردگردن تا انتهای نخاع می‌کشد و تنقیه بسیار دردناک است، اما خطرش از تشنج کم‌تر است. دریغ از این غنچهٔ گل سرخ که این‌طوری پرپر شد. هنوز جملهٔ حکیم تمام نشده بود که همنوازیِ گریه و فین‌فین و نوحه، فضای اتاق را انباشت. به خداوندی خدا اگر درد اجازه می‌داد، قهقهه می‌زدم. عجب موجودات مضحکی هستیم ما انسان‌ها. آن‌ها که دور رخت‌خواب من می‌گریستند، که بودند؟ از آسمان نیامده بودند. مگر همان کسانی نبودند که در طول آن سال‌ها، بود و نبود مرا به هیچ انگاشته بودند؟ چه پیش آمده بود که به قول طبیب، سه روز بود از بالای سرم جنب نخورده بودند و فین‌فین می‌کردند؟ مرا می‌شناختند؟ می‌دانستند کیستم؟ به چه می‌اندیشم و چه‌ها کشیده‌ام؟ نیامده بودند تا لحظات مرگ را با همهٔ ولع، نوشداروی طبعِ مصیبت‌جوی خود کنند و چندی از لذت نظاره‌ی نَفسِ بدبختی، نوعی خوش‌بختیِ پر از ذلت را تجربه کنند؟ برایم اصلاً عجیب نبود. همیشه مرگ ومیر ومصیبت دیگران، نشخوارِ بندی‌ها بوده است و مرهمی برای زخم‌های روح مچاله شدهٔ آن‌ها؟

معلومم شد که سه روز است آن‌جا افتاده‌ام. باچشمان بسته بهتر توانسته بودم ناامیدی مواج در عمق صدای حکیم را درک کنم. فقط هنوز نمی‌دانستم چه برمن رفته است و درد سوزانی که در گردنم متمرکز است از کجا به سراغم آمده است.

باز برلبانم زخم نشاندند و نی را کار گذاشتند و این بار به جای آن شربت شیرین و گرم و آرام‌بخش، مایعی شور و تلخ و چرب به جانم راه دادند که

اندرونم را جاکن کرد. باوجودی که بسته‌شان بودم، باز چند نفر دست و پا و سرم را در قفل چنگ خود داشتند. گیس‌های بافته‌ام مثل دو مار سنگینِ خاکی‌رنگ روی سینه‌هایم سنگینی می‌کردند. دیگر به آن‌ها احتیاج نداشتم، می‌توانستند آن‌ها را از بیخ ببرند؛ اما باید یکی را به علاءالدین می‌دادند و یکی را به الیاس.

با هر پیچشی که به دل و روده‌ام می‌آمد، دردی جانکاه بنیادم را می‌سوزاند. از ریشه‌ی تک‌تک موهایم تا نوک ناخن‌های پایم می‌سوختند و تیر می‌کشیدند می‌نالیدم که خدایا به دادم برس. کجا و چرا مستحق چنین عقوبتی بودم؟ شاید نفرین پرستوهاست. در همین حال و هواها کسی پارچه‌ای خیس و سرد روی پیشانیم انداخت و با دستمالی نرم اشک‌هایم را پاک کرد و با لب‌های داغ و مرطوب ـ مثل لب‌های مادرم ـ پیشانی‌ام را بوسید. مادرم نبود. تنش بوی عطر یاس‌های بنفش را می‌داد. مشام جانم نواخته شد. کاش زودتر آمده بود. تن تبدارم را در آغوش خنک و معطرش فشرد. وجودش اثیری بود. فکر می‌کردم اگر چشمانم را باز کنم او خواهد رفت. من هیچ‌گاه فرشته‌ها را ندیده بودم. اما نمی‌دانم چرا مطمئن بودم که او فرشته است؛ فرشتهٔ یاس‌ها. ولی چرا آن همه دیر به سراغم آمده بود؟ گفتم باید لباسی از حریر ارغوانی و و صورتی و بنفش دربرداشته باشد. نباید او را رها کنم. حس کردم روی من خم شد و گیس‌های بافته‌ام را آرام از روی سینه‌ام برداشت. دگمه‌های پیراهنم را باز کرد. با دست‌های اثیری‌اش به نرمی و بی درد پوستم را شکافت و تکه‌پاره‌های قلبم را جمع کرد. سینه‌ام را از همهٔ دردها و اندوه‌های عالم شست وجلا داد و بعد آن را بست و دگمه‌هایم را انداخت و گردنبندی از یاس برگردنم آویخت. درد از جانم رخت بربسته بود و آرامش به تدریج مثل جویبار زلالی درون تنم جریان داشت. نمی‌دانم همه کس و همه چیز در اطرافم ساکت شده بودند یا من از میانه رفته بودم. با دستم به دنبال دامنش گشتم که به آن درآویزم تا دیگر مرا به آن زندگی پردرد باز نگرداند. دستانم را در دستانش که مثل گلبرگ‌های گل سرخ، مخملی بودند، گرفت. **پرسیدم: تو فرشتهٔ یاس‌ها هستی؟ گفت: نه من کیمیا هستم، هاجرم، مریم‌ام، رابعه، کرا، اوجی، دایه، آیا،، زن. باتو زاده شده‌ام، امابا تو نمی‌میرم. تا گم‌شده‌ام را نیابم، نمی‌میرم. سؤالی دارم و در جستجوی جواب می‌پویم و می‌جویم. به‌درود ای جان خسته**

آرام‌گیر در جاودانگی.

دیگر چیزی نپرسیدم. می‌دانستم این‌جا دیگر هیچ‌چیز در کلام نمی‌گنجد. خوش‌حال بودم که اگر من می‌میرم او به جست وجو می‌رود. فشار دستانم را کم کردم تا برود. تا شاید روزی هرآنچه کشیدم معنا می‌گرفت.

آرام، مثل نسیم، دست‌های پرنیانی‌اش را از دستانم بیرون لغزاند و بوی عطرش دوری گرفت. مؤذنی بیخ گوشم اذانی کبریایی می‌خواند. من اما هنوز بودم وآسمان هنوز سرمه‌ای بود و ستاره‌ای غریب و کوچک از روزن سقف به من چشمک می‌زد. آدم‌ها دیگر دور وبرم نایستاده بودند، اما صدای مألوف خروپفشان می‌آمد. نمی‌توانستم سرم را بگردانم. اصراری هم نداشتم. احساس سرور و سبکی می‌کردم. انگار اصلاً تنی در کار نیست. کاش فقط می‌توانستم چشمانم را باز و ثابت نگاهدارم و با ستارهٔ غریب روزنم نظربازی کنم، اما انگار کسی آن‌ها را با ملایمت می‌بست. صدای خش‌حشی از دور برگوشم نشست. حتماً کسی برای نماز بیدار شده بود. کاش من هم می‌توانستم نماز بخوانم. تمام ذراتم میل به سجود داشتند. بهجتی عظیم وجودم را فرا گرفته بود. می‌دیدم که مثل مرغ دریایی روی موجی سبک می‌روم. ناگهان فکر کردم صدای ضجه و جیغ کسی را می‌شنوم، هرچه گوش خواباندم، صدا دورتر می‌شد. کم‌کم داشت همهٔ ارتباطم با بیرون قطع می‌شد. در عوض حس می‌کردم گردآبی گرم و بی‌انتها زیر پایم می‌چرخد و مرا که مرغ دریایم، در می‌آشامد. بی‌اختیار می‌چرخیدم و می‌رفتم: بدون حس، بدون فکر، بدون مقاومت، بدون درد، بدون ترس و بدون پایان.

ناگهان صدای الیاسم را شنیدم که در گوشم دعا می‌خواند. کلمات مبهمی مثل «مرگ» و «مردن» شنیده می‌شد. می‌دانستم راجع به من است. مژدهٔ بزرگی بود، اگر هنوز کارهای نیمه‌تمام نداشتم. باید نزد کسی اعتراف می‌کردم که با پرستوها چه کردم. باید از دایه‌جان طلب بخشش می‌کردم. باید الیاس را به خاطر چشاندن طعم عشق ناب می‌بوسیدم. باید برای رابعه و فرشته‌ها یک سبد گیلاس برمی داشتم. باید وصیت می‌کردم مرا به باغ ببرند و به خاک درختان یاس بسپارند و همه‌ی چیزهایم را به اوجی بدهند. و آب را ببندند تا فرشته‌استخر

بتواند انگورش را بخورد. باید می‌گفتم گوی بلورین علاءالدین را به جای تندیس عشق روی سنگ مزارم بگذارند. او در این خیال و غرور باطل بود که عشق را فدای ایمان کرده است باید به او می‌گفتم ایمانی‌که عشق را ممنوع کند، ایمانی که حق‌طلبی را خفه کند، خضوع به شیطان است. ایمان باید زاینده‌ی عشق باشد. باید موجب وصل شود. باید موجد شادی باشد. راه به آشنایی بگشاید. ریشه‌ی مصیبت و فراق را بخشکاند. اُف برمؤمنان غافل از عشق. باید طرّهٔ موهایم را از او پس می‌گرفتم. باید از خداوندگار می‌پرسیدم، او که همهٔ زن‌های زندگی خود را دوست می‌داشته و خداوند مهر و فرزانگی است، چرا در جای جای سخنش زن را خدعه‌باز و مکار و مظهرِ فریب و اسباب همهٔ انحرافات می‌خواند و او را ناقص عقلی می‌نامد که باید مواظبش بود؟!، شاید او به من پاسخ می‌داد، که چه‌گونه است که خیل معلمان، از جمله خود او، آن‌همه مست از باده عشق به زن، باز توانسته‌اند زن را آن همه تحقیر کنند. خود او چه‌گونه می‌تواند مادر مرا آن همه عاشقانه دوست بدارد، می‌گفتند گوهرخاتونش را هم سخت دوست می‌داشته است؛ و حالا فاطمه خاتون و هدیه خاتون و ملکه خاتون را هم بسیار دوست می‌دارد پس چه‌گونه است که زن را مظروفی از همه ضعف‌ها تصویر می‌کند. نباید از یاد می‌بردم که به او بگویم اگر می‌خواهد ملکه خاتون کلاغ نشود، باید او را به باغ بفرستد. باید او را از حرم دور کند. باید به او بگویم اگر معلمینی چون او، زن را همان‌طور می‌نگریستند که آفریننده‌اش، آن وقت خیلی از مناسبات دنیا تفاوت می‌داشت. باید از او می‌پرسیدم به چه‌حقی مرا به شمس بخشید. باید به آن عیار سربازار لبخند هدیه می‌دادم. باید مامی را می‌کشتم تا پیش دخترش به بهشت برود. باید مادرم را می‌بخشیدم. باید به شیخ صدرالدین می‌گفتم به خاطر بند تنبان خودش، آن همه پیرایه به دین نبندد، تا مادرش هم لعنتش نکند. باید شاهنامه را با خودم بر می‌داشتم. اما ظاهراً دیر شده بود. نیروی مرموزی که مرا به اعماق می‌برد به تدریج همهٔ بندهای پشت سرم را می‌برید: باغ، حرم، مادرم، اوجی، همه متعلق به هزاران

سال پیش بودند. با این همه به نظرم می‌آمد پرده‌های تازه‌ای دارند از برابر چشمانم کنار می‌روند. دیگر نه می‌توانستم سخن بگویم، نه ببینم، و نه بشنوم، با این همه سخت در عجب بودم که چه‌گونه محیط پیرامونم وضوح بیش‌تری گرفته بود. خودم هم واقعی‌تر شدم. یادم آمد همان‌طور هم به دنیا آمده بودم. حالا دیگر مرکز جهان شده بودم و هیچ رنگی نبود که حجاب واقعیت اشیا شود. هیچ مفهومی نبود که خاطرم را بیازارد. هیچ جا نبود که به آن متعلق باشم و هیچ چیز نبود که به من متعلق باشد. کم‌کم بار هستی سبک و سبک‌تر می‌شد، با همان آهنگی که از بدو تولد رفته‌رفته سنگین‌تر شده بود.

آشکارا می‌دیدم که مردن از زیستن باخوف آسان‌تر است. دیگر از هیچ‌کس و هیچ‌چیز نمی‌ترسیدم؛ حتی از شمس که آن پایین برساحل اقیانوس ایستاده بود و پوستش را درآورده بود و کف دستانش گرفته بود و با نگرانی مرا می‌پایید، تن داده بودم به گرداب اقیانوسی عظیم و آرام که بی‌رنگ بود و من سبک و لبریز از سرور در آن غوطه می‌خوردم. شمس جوان یا شاید علاءالدین پرشور با چهره‌ای مهربان و چشمانی پردرد به من می‌نگریست. امواج، آرام مرا به بی نهایت می‌راندند. دست‌های رونده‌ام را به سوی شمایلش دراز کردم و فریاد زدم: عزیزم کارهایت را تمام کن و بیا! منتظرت می‌مانم. تو را از روز ازل برای من و مرا برای تو آفریدند و با هزار خدعه و کرشمه به وصل‌مان رسانیدند. من چه می‌دانستم؟ اما تو شاید می‌دانستی. تو باید می‌دانستی. تو عمری درکار کشف رازها بودی؛ عمری کوه به کوه، دیار به دیار، مدرسه به مدرسه، خانقاه به خانقاه کاویدی؛ چرا این‌طور شد؟ چه‌گونه شد که قافیه باختی؟ چه‌طور این همه غافل بودی؟ اینک اما من تو را بخشیدم. تو هم مرا ببخش. **هرچه شد، نه گناه تو بود و نه گناه من. گناه از پرده‌هاست و عزم پرده دار. ببین! ما را به این جا کشانیده‌اند تا ببینیم! همین جا! سرّ اعظم، همین جا در دل این اقیانوس بی‌رنگ و بی موج و عظیم و بسیط پنهان است. حقیقت در میان صدف بی‌رنگی و خلوص و سادگی است. هرچه از نوع دیگر گفتیم و شنیدیم، همه رنگ بود و فریب.**

و اما تو، قلندر مست من! چه کم از این همه فهمیدی. اولِ کار خوب آمدی؛

چه شد که گرفتار خدعه شدی؟ و عجبا که هنوز هم نمی‌دانی. هنوز هم عیب کارت را در دیگری می‌جویی و همیان خودفریب‌ات را باز بردوش گرفته‌ای و ترک دیار می‌کنی براین سودا که اینک جوینده‌ای زیرک‌تری. باز به ترک یار و دیار، ابلیس توهّم را در آغوش گرفته‌ای و می‌شتابی! کجا؟ علاءالدینِ شمسِ تبریزیِ نیشابوریِ بلخیِ قونوی! آن دشمنی‌که می‌جویی، نه در دل زمان است، نه در بطن مکان. این دو، موکّلانی گمارده بر خویشکاری عظیم و آشکار خویش‌اند. هشدار! دشمن در همیان خود تو پنهان است.

داستانِ بیش‌تر انسان‌ها، حدیث آن آهوی ختن نیست که رایحهٔ خود باز ندانست؛ حکایت راسوی بیچاره‌ای است که گندِ خود گم کرده بود و به این و آنش نسبت می‌داد. تو هنوز نفهمیده‌ای که آن راه‌ها تنها به دیارانت می‌رسانند نه به یارانت. عمری رفته‌ای و باز می‌گویی که می‌روی! به کجا بنگر که کجای کارت خراب بود که ما را بردند و تو هنوز برجایی؟ آه می‌دانم که صدای مرا دیگر کسی نمی‌شنود، اما تو واگویشان کن:

حقیقت به همین سادگی، به همین زیبایی و به همین نزدیکی است، دریغا که زمین دل‌مشغول این همه بازی است: عوام در سودای خود، عالم در سودای خود. شیخ در سودای خود، صوفی در سودای خود. موکّل زمان و رنگ‌ها نیز سخت در کار خود. مبادا دیرمان شده باشد! تو بازشان گوی که کجا گرفتارند. وادارشان کن که فقط برای معرفت، برای دانستن، برای دیدن ورای رنگ‌ها دعا کنند و نه هیچ چیز دیگر. زیرا که هرگز برابر نبودند، نیستند و نخواهند بود آنان که می‌دانند با آنان که نمی‌دانند.

عشق چیست؟

معشوق کیست؟

عاشق کدام است؟

نوزایی «این عشق»

گناهش این بود که خدا را در او دید.
گناهش این بود که خدا را معشوق، و در معشوق دید:
«من خدا را در کیمیا دیدم».
او همهٔ حرفش از عشق بود،
و گناهش این بود که با همهٔ علم ندانست که در چـنان وانـفسایی،
معشوق که خود عاشق نباشد، قدر «این عشق» بجا نتواند آورد.
عشق چیره بر وجود عاشق است و نه الزاماً برمعشوق.
تفریق، میان معشوق و عشق و عاشق شدنی است، اما میان عاشق و
عشق محال است.
معشوق می‌تواند عاشق باشد یا نباشد، می‌تواند حتی خبری‌ش از
عاشق نباشد، اما نه در «این عشق».
گناهش این بود که ندانست خدا معشوق نمی‌تواند بود. ندانست که
منزلت عاشق بسی برتر از معشوق است و لذت عاشقی بسی بیش‌تر.
بسا معشوق‌ها که چون در سودای عشق نبودند، رنج‌ها دادند و هم
کشیدند. لیک، این حال، هرگز برهیچ عاشق نرفت.

خدا خود عشق است.

کدامین معشوق می‌تواند گفت «صدبار اگر توبه شکستی، بازآ»؛ و مگر نه این فقط حرف عشق است، و عاشقی که حسرت آن معشوق دارد که خود را در خورد چنین عاشقی بیاراسته است و راه او را بر خود هموار کرده است؟

زنهار اما، که او مکار عاشقی‌ست از معشوق چهره می‌پوشاند تا بیازمایدش؛ آزمایشی سخت و تعقیبی بی‌امان.

خام بود آنکه بازی عشق را ساده انگاشت. ابراهیم باید بود تا مکر وی تو را کارگر نیفتد. خاک بیابان‌های طلب را همهٔ عمر در توبره می‌باید کرد تا مگر چشم ـ در واپسین لحظات ـ از جمال دوست منور شود. آنگاه است که تو به راستی عاشقی. آن‌جاست که تو عاشقی و او معشوق، و همانا تو معشوق و او عاشق.

زمین و زمان درهم می‌توفند تا تو و او درهم شوید و نعره برآوری که من اویم و او من.

لحظه‌ی وصل، لحظه‌ی وحدت عشق و عاشق و معشوق است.

انالحق می‌گویی، مستانه برسرِدار می‌شوی و نه سر آن داری تا بدانی که آن دیگران در چه کارند.

راه پُربلایی است راه منصور. منصور باید بود. منصور باید شد.

آرزویی محال نیست. یکی شدن در بستر عشق را با غلاف جان در زهدانِ مادر پیشکش‌مان کرده‌اند؛ کدامینِ ما، اما هدیه‌یی مستور در جان را دریافته است و به راه ابراهیم و منصور درآمد است؟

عشقبازی با جان‌جانان را، بده بستانی کردیم مرده‌ریگِ دل مشغولی‌های پدرمان در بستر مادرمان، غافل از پَرتافتنِ راه نایافتگانی ـ که ما باشیم ـ به ناکجای حیات از همان بستر..

آیا این غفلت نیست که نمی‌بینیم و نه درمی‌یابیم که او همه نور است و ما همه نور؟

همتی باید تا حجاب‌های چرکین از میان برداشته شوند و نورها به هم آمیزند.

زآتش شهوت برآوردم تورا
وندر آتش بازگستردم تورا

از دل من زادهای همچون سخن
چون سخن من هم فرو خوردم تورا
بامنی، وزمن نمی‌دانی خبر
چشم بستم جادوی کردم تورا
تا نیازارد تو را هر چشم بد
گوش نالیدم بیازردم تو را
رو جوان مردی کن و رحمت فشان
من به رحمت، بس جوان مُردم تورا.

فهرست برخی از کتب موجود

نشر چشمه

فیلمنامه و سینما

۱.اتوبوس. محمود دولت آبادی.　　چاپ سوم۱۰۰۰تومان

۲.پدر وحشی. پیر پائولو پازولینی/ کاظم فرهادی- فرهاد خردمند.　　چاپ سوم ۵۰۰تومان

۳.تاریخ سینمای جهان.(جلد۱) دیوید ا.کوک/ هوشنگ آزادی ور.　　۱۰۰۰۰تومان

۴. تاریخ سینمای جهان.(جلد۲) دیوید ا.کوک/ هوشنگ آزادی ور.　　۱۱۰۰۰تومان

۵. نقش آبی سیمین. زاون قوکاسیان.　　۱۷۵۰تومان

۶. درک فیلم. الن کیسبی یر/ بهمن طاهری　　۲۴۰۰تومان

نمایشنامه

۷.سه نمایشنامه از لورکا.عروسی خون، یرما، خانه برنارد آلبا/ احمد شاملو.　　چاپ دوم ۲۴۰۰تومان

۸. ققنوس. محمود دولت آبادی.　　چاپ چهارم ۵۵۰تومان

شعر ایرانی

۹. آه باران. فریدون مشیری.　　چاپ نهم۱۲۰۰تومان

۱۰. آواز آن پرنده غمگین. فریدون مشیری.　　چاپ چهارم ۱۵۰۰تومان

۱۱. از دیار آشتی. فریدون مشیری. (جیبی)　　چاپ نهم ۱۰۰۰تومان

۱۲. از دیار آشتی. فریدون مشیری.　　چاپ نهم ۱۳۰۰توما

۱۳. بوی بارانهای تاریک. محمد اسدیان.　　۱۸۰تومان

۱۴. تا صبح تابناک اهورایی.فریدون مشیری.　　چاپ سوم ۱۲۰۰تومان

۱۵. تربت عشق و جمهوری زمستان. فرشته ساری.　　۲۲۰تومان

۱۶. حافظ به روایت شهریار (شرح یک صد غزل).
به کوشش ابوالفضل علی محمدی- دکتر حسن ذوالفقاری.　　۱۵۰۰تومان

۱۷. حکایت پنهان ماه. علی اکبر گودرزی طائمه.　　۱۵۰تومان

۱۸.بازتاب نفس صبحدمان. (۲جلدی)فریدون مشیری　　چاپ سوم ۱۲۰۰۰تومان

۱۹.دیوان حافظ قدسی. تصحیح محمد قدسی.　　۶۵۰۰توما
به کوشش دکتر حسن ذوالفقاری- ابوالفضل علی محمدی.

۲۰. روزها و نامه ها. فرشته ساری.　　۸۰۰تومان

۲۱. گناه دریا. فریدون مشیری.(جیبی)　　چاپ چهارم۵۰۰توما

۲۲. ابر و کوچه. فریدون مشیری.　　چاپ چهارم ۱۰۰۰توما

۲۳. **بهار را باور کن**. فریدون مشیری. چاپ چهارم ۶۰۰تومان

۲۴. **مروارید مهر**. فریدون مشیری. چاپ دوازدهم ۸۰۰تومان

۲۵.**آینه درآینه**. ه.ا.سایه(گزینش شعرها دکتر شفیعی کدکنی) چاپ دهم ۱۷۵۰تومان

۲۶. **از زخم قلب**. گزینه شعرها و خوانش شعر احمد شاملو-ع. پاشایی چاپ چهارم ۲۵۰۰تومان

۲۷. **آواز باد و باران**. محمدرضا شفیعی کدکنی چاپ سوم ۱۴۰۰تومان

شعر خارجی

۲۸. **ابدیت لحظهٔ عشق**. غاده السّمّان / دکتر عبدالحسین فرزاد ۸۰۰تومان

۲۹. **تو را دوست دارم چون نان و نمک**. ناظم حکمت/ احمد پوری. چاپ پنجم ۸۰۰تومان

۳۰. **دربند کردن رنگین کمان**.غادةالسمان/ دکتر عبدالحسین فرزاد. چاپ سوم ۶۰۰تومان

۳۱.**روایت زاد بوم**. کاظم فرهادی- فرهاد خردمند. چاپ دوم ۲۰۰تومان

۳۲.**عاشقانه های آبی**. واهاگن داوتیان/ احمد نوری زاده. ۱۱۰۰تومان

۳۳.**هوا را از من بگیر، خنده ات رانه!** پابلونرودا/ احمد پوری چاپ نهم ۹۰۰تومان

۳۴. **هایکو**. احمد شاملو/ ع. پاشایی چاپ چهارم ۲۵۰۰تومان

۳۵. **پاییز در پرواز**. واراند/ احمد نوری ۱۵۰۰تومان

۳۶. **گزینه شعرها**. چزاره پاوزه/ کاظم فرهادی ـ فرهاد خردمند چاپ سوم ۹۰۰تومان

داستان ایرانی

۳۷.**اثر پروانه**. خاطره حجازی. ۶۰۰تومان

۳۸.**آهوی بخت من گزل**. محمود دولت آبادی(با تجدید نظر). چاپ چهارم ۱۰۰۰تومان

۳۹. **با گارد باز**. حسین سناپور ۱۳۰۰تومان

۴۰. **بگذریم . . .** . بهناز علی پور گسکری ۱۲۵۰تومان

۴۱.**پروانه روی سینه آقای دکتر**.مرتضی حقیقت. ۱۲۰۰تومان

۴۲.**جای خالی سلوچ**. محمود دولت آبادی. چاپ نهم ۳۵۰۰تومان

۴۳.**چون دماوند**. حبیب ترابی. ۷۵۰تومان

۴۴. **چند روایت معتبر**. مصطفی مستور چاپ دوم ۸۰۰تومان

۴۵. **چهل سالگی**. ناهید طباطبایی چاپ سوم ۷۰۰تومان

۴۶.**داستان های محبوب من**.(جلداول) علی اشرف درویشیان- رضا خندان. چاپ دوم ۳۲۰۰تومان

۴۷.**داستان های محبوب من**.(جلد دوم)علی اشرف درویشیان – رضا خندان . چاپ دوم ۴۵۰۰تومان

۴۸.**داستان های محبوب من**.(جلد سوم)علی اشرف درویشیان – رضا خندان . ۳۸۰۰تومان

۴۹. .**داستان های محبوب من**.(جلد چهارم)علی اشرف درویشیان – رضا خندان . ۳۸۰۰تومان

۵۰. **.داستان های محبوب من**.(جلد پنجم)علی اشرف درویشیان – رضا خندان . ۶۰۰۰تومان

۵۱. **داستان‌های کُردی از نویسندگان معاصر کُرد**. علی اشرف درویشیان. ۲۵۰۰تومان

۵۲. **دختر و مرد درمانگر**. سوسن کسروی. ۶۵۰تومان

۵۳. **در چهارراه ها خبری نیست**.(مجموعه داستان) مریم طاهری مجد. ۷۰۰تومان

۵۴. **درشتی**. علی اشرف درویشیان. ۶۰۰تومان

۵۵. **دهکده پرملال**. امین فقیری ۱۵۰۰تومان

۵۶. **رُمادی**. آرش جواهری ۱۲۰۰تومان

۵۷.**روزگار سپری شده مردم سالخورده**.(سه جلدی) محمود دولت آبادی. ۹۸۰۰تومان

۵۸. **سایه های روی دیوار**. مرتضی حقیقت. ۶۰۰تومان

۵۹. **سالهای ابری**. (دورهٔ ۴ جلدی) علی اشرف درویشیان چاپ پنجم ۱۲۰۰۰تومان

۶۰. **سلوک**.(شمیز) محمود دولت آبادی. چاپ پنجم ۱۶۰۰تومان

۶۱.**قصه های مردم مهربان**. سید حسین میرکاظمی. ۱۵۰۰تومان

۶۲. **عکس خانم بزرگ**. مهوش اغتفاری. ۱۰۰۰تومان

۶۳.**کلیدر**.(دوره ۱۰جلدی) محمود دولت آبادی. چاپ شانزدهم ۱۵۰۰۰تومان

۶۴. **کتاب هول**. شیوا مقانلو ۹۰۰تومان

۶۵. **کیمیا خاتون**. سعیده قدس چاپ دوم ۲۶۰۰تومان

۶۶. **مادمازل کتی و چند داستان دیگر**. میترا الیاتی چاپ سوم ۶۵۰تومان

۶۷. **نیمه‌ی غایب**. حسین سناپور. چاپ یازدهم ۲۵۰۰تومان

۶۸.**ویران می آیی**. حسین سناپور. چاپ سوم ۱۶۰۰تومان

۶۹. **یک فنجان چای سرد**. طلا نژادحسن ۷۰۰تومان

داستان خارجی

۷۰. **ابله**. داستایوفسکی/ سروش حبیبی چاپ دوم ۸۵۰۰ تومان

۷۱.**امپراتوری خورشید**.جی.جی.بالارد/ علی اصغر بهرامی. ۳۲۰۰تومان

۷۲. **آقای کبوتر و بانو**. کاترین منسفیلد/ شیرین تعاونی. ۲۸۰تومان

۷۳. **باغ سیب، باران**. تدوین و ترجمه احمد نوری زاده. ۳۰۰۰تومان

۷۴. **برج**. جی.جی.بالارد/ ع.ا.بهرامی. ۱۹۰۰تومان

۷۵. **پای بندی های انسانی**. سامسرت موام/ عبدالحسین شریفیان. چاپ سوم ۳۰۰۰تومان

۷۶.**پرندگان**. تاریه وسوس/ اردشیر اسفندیاری. ۱۸۰۰تومان

۷۷. **چهره غمگین من**. نویسندگان معاصر آلمان/ تورج رهنما. چاپ دوم ۱۸۰۰تومان